JN035137

総合判例研究叢書

民　法 (17)

譲渡担保……………………………四宮和夫

有　斐　閣

民法・編集委員

谷口知平
有泉亨

序

フランスにおいて、自由法学の名とともに判例の研究が異常な発達を遂げているのは、その民法典が百五十余年の齢を重ねたからだといわれている。それに比較すると、わが国の諸法典は、まだ若い。最も古いものでも、六、七十年の年月を経たに過ぎない。しかし、わが国の諸法典は、いずれも、近代的法制を全く知らなかつたところに輸入されたものである。そのことを思えば、この六十年の間に極めて重要な判例の変遷があつたであろうことは、容易に想像がつく。事実、わが国の諸法典は、それに関連する判例の研究でこれを補充しなければ、その正確な意味を理解し得ないようになつている。

判例が法源であるかどうかの理論については、今日なお議論の余地があろう。しかし、実際問題として、多くの条項が判例によつてその具体的な意義を明かにされているばかりでなく、判例によつて特殊の制度が創造されている例も、決して少くはない。判例研究の重要なことについては、何人も異議のないことであろう。

判例の創造した特殊の制度の内容を明かにするためにはもちろんのこと、判例によつて明かにされた条項の意義を探るためにも、判例の総合的な研究が必要である。同一の事項についてのすべての判決を探り、取り扱われた事実の微妙な差異に注意しながら、総合的・発展的に研究するのでなければ、判例の研究は、決して終局の目的を達することはできない。そしてそれには、時間をかけた克明な努力を必要とする。

幸なことには、わが国でも、十数年来、そうした研究の必要が感じられ、優れた成果も少くないようになつた。いまや、この成果を集め、足らざるを補ない、欠けたるを充たし、全分野にわたる研究を完成すべき時期に際会している。

かようにして、われわれは、全国の学者を動員し、すでに優れた研究のできているものについては、その補訂を乞い、まだ研究の尽されていないものについては、新たに適任者にお願いして、ここに「総合判例研究叢書」を編むことにした。第一回に発表したものは、各法域に亘る重要な問題のうち、研究成果の比較的早くでき上ると予想されるものである。これに洩れた事項でさらに重要なもののあることは、われわれもよく知つている。やがて、第二回、第三回と編集を継続して、完全な総合判例法の完成を期するつもりである。ここに、編集に当つての所信を述べ、協力される諸学者に深甚の謝意を表するとともに、同学の士の援助を願う次第である。

昭和三十一年五月

編集代表

小野清一郎　宮沢俊義

末川博　我妻栄

中川善之助

凡例

一 判例の重要なものについては、判旨、事実、上告論旨等を引用し、各件毎に一連番号を附した。

二 判例年月日、巻数、頁数等を示すには、おおむね左の略号を用いた。

大判大五・一一・八民録二二・二〇七七 （大審院判決録）

（大正五年十一月八日、大審院判決、大審院民事判決録二十二輯二〇七七頁）

大判大一四・四・二三刑集四・二六二 （大審院判例集）

最判昭二二・一二・一五刑集一・一・八〇 （最高裁判所判例集）

（昭和二十二年十二月十五日、最高裁判所判決、最高裁判所刑事判例集一巻一号八〇頁）

大判昭二・一二・六新聞二七九一・一五 （法律新聞）

大判昭三・九・二〇評論一八民法五七五 （法律評論）

大判昭四・五・二二裁判例三・刑法五五 （大審院裁判例）

福岡高判昭二六・一二・一四刑集四・一四・二一一四 （高等裁判所判例集）

大阪高判昭二八・七・四下級民集四・七・九七一 （下級裁判所民事裁判例集）

最判昭二八・二・二〇行政例集四・二・二三一 （行政事件裁判例集）

名古屋高判昭二五・五・八特一〇・七〇 （高等裁判所刑事判決特報）

東京高判昭三〇・一〇・二四東京高時報六・二・民二四九 （東京高等裁判所判決時報）

札幌高決昭二九・七・二三高裁特報一・二・七一 （高等裁判所刑事裁判特報）

前橋地決昭三〇・六・三〇労民集六・四・三八九　　（労働関係民事裁判例集）

その他に、例えば次のような略語を用いた。

裁判所時報＝裁　時　　家庭裁判所月報＝家裁月報

判例時報＝判　時　　判例タイムズ＝判　タ

目次

譲渡担保

四宮和夫

譲渡担保

四宮和夫

はしがき

法律に明文の規定がないためか、譲渡担保に関する判例法はきわめて混乱しており、従来その中核をなすものと考えられてきた連合部判決の理論も、かなりの動揺を示している。将来の判例法を予見するためにも、この混乱した現状を整理するためにも、未来への展望がぜひとも必要であり、そして、未来への展望をもつには、判例を歴史的・発展的に把握しなければならない。そこで、本稿では、わたくしがかつて明らかにした《信託行為》の理論をできるだけ利用した（しかし、同時に、本稿はこの理論をわが国の譲渡担保判例法について実証しようとする試みでもあるが）。

本稿は、はじめ我妻先生との共著のつもりで執筆したものである。そういう事情のために、それに、先生が「判例売渡抵当法」で示された判例の理解は《信託行為》の理論を的確に把握されたものであり、しかもそこに示された指針はその後現実にわが国の判例に少なからぬ影響を与えてきたと考えられるところから、先生のこの論文は最大限に利用させていただいた。ここに記して、感謝の言葉に代えたいとおもう。

最後に、本稿で使用したかぎかっこの特殊な用い方について、一言お断わりしておきたい。大判昭八・一二・一九その他が明らかにした意味で譲渡担保と売渡担保とを対照させるときは、それらを『』でかこみ、この区別にかかわらず判決や訴訟当事者が売渡担保等の語を使用している場合は、それらを「」でかこむことにした。

（一九六一年一一月）

一　譲渡担保の観念

一　財産権の移転による担保における譲渡担保の分化

(一)　『譲渡担保』と『売渡担保』とが区別される以前の判例

(1)　『譲渡担保』が明確な概念規定を与えられたのは、大判昭八・四・二六(後出【4】)によってである。それ以前は、『譲渡担保』を含めて、財産権移転（それも売買）の形式をかりる一切の担保契約が、漠然と「売渡抵当」「売渡担保」「売切担保」等の名によって呼ばれていた。たとえば、大判大五・七・一二(オ三〇一号)(後出【67】)は、不動産の「売渡抵当」または「売渡担保」は「売買ノ形式ニ依リ不動産ヲ担保ニ供スル一切ノ行為ヲ汎称スル」といい、そのなかには、質権または抵当権を設定する真意でなされた虚偽表示の場合、買戻約款または再売買の予約をともなう売買の場合、および外部関係では所有権を移転するが当事者の内部関係では所有権を債務者に留保する場合、の存することを説いているのである(大判大一一・一〇・七(後出【10】)も、ほぼ同じように、債権担保のために所有名義を移転する場合に三種あることを説いている)。そして、「売渡抵当ナル名称ハ売渡ト云ヒ抵当ト云フ其意義ニ於テ両立セザル字句ヨリ成立スル」もので、「文字上ニ於テ特定ノ法律的概念ヲ表示スルニ足ラザル」のみか、「法律上ニ於テ特定ノ意義ヲ有スルモノニ非ズ」、「時ト場合トニ依リ便宜上或権利関係ヲ表示スル為メニ用ヒラルルモノニ過ギ」ないから、「裁判上売渡抵当ナル名称ヲ使用シタル場合ニ於テ其名称ノ表示セントスル権利関係ヲ具体的ニ判示スルニ非ザレバ、其売渡抵当ノ裁判上ノ意義ヲ領解スルニ由ナシ」とされるのである(大判大一二・三・二二(後出【134】))。

(2)　かように、「売渡抵当」(「売渡担保」)は、財産権移転の形式をかりた一切の担保契約を含むのであるが、そのような担保のための財産権移転ないし権利の信託的譲渡の態様としては、上掲の大判大五・七・一二(オ三〇一号)(後出【67】)や大判大一・一〇・七(後出【10】)が挙げた三種以外にも、次のようなものが指摘されている。

第一に、大判大三・一一・二〇(後出【9】)は、債務者が債権を担保するために財産を債権者の所有名義とする場合のなかに、虚偽表示になる場合をあげ、虚偽表示になる場合として、抵当権を設定する意思であるのに売買を行なつた場合のほかに、「抵当権ヲ設定スル意思アルニモ非ズ、単ニ債務者ニ於テ随意ニ処分スルコトヲ得ザラシムル為メ、若クハ他ノ債権者ノ差押ヲ免ルル為メ、売買ヲ仮装シ債権者ノ所有名義ト為シ置ク」場合をもあげている。

第二に、東京控判明四四・六・一(これは上告審判決である)は、債権担保のために所有権が移転される場合として、虚偽表示の場合、および、信託行為として外部的にのみ権利が移転する場合のほかに、売買名義によつて内外ともに所有権を移転する場合をあげ、それをさらに、「所有権ヲ移転スルト同時ニ既ニ存在セル債権ヲ消滅セシムルノ意思ヲ以テ売戻契約若クハ再売買ノ予約ヲ付随スル所有権移転ノ契約ヲ為セルモノ」(すなわち債権の残存しない場合)と、「債権ヲ成立セシムルト同時ニ所有権ヲ移転シ、若クハ一面ニ於テ所有権ヲ移転シ而カモ他ノ一面ニ於テ既ニ成立シ居レル債権ヲ存続セシムルノ意思ナル」場合(すなわち債権の存続する場合)とに分けている――なお、大判昭六・四・一五【1】が、既存の債務がある場合に、目的物を売買名義で債権者に移転し、しかも、既存の債務と代金とを相殺し、債務者が一定の期間内に右に相当する金額を支払えば所有権を回復しうる旨を約する場合を、真正の売買をもつて経済的意味の担保に利用するものとして「売渡担保」と称しているのは、前者の類型（債権の残存しない場合）を指すものといえよう。

【1】 材木代金の請求に関して和解をなす際に、債務者Xが債権者Yに家屋を売り渡し、その代金と債務を対等額において相殺するとともに、Xが賃貸借により目的物をひきつづき利用。賃料不払を理由に、Yは家屋明渡の強制執行に及んだので、Xは、家屋の売買・賃貸借は虚偽表示で無効だから、Yは所有者ではない、として、異議の訴を提起。原審はXの主張を認めないので、X上告し、右の取引は債権担保のためのものだから、Yに所有権があるとして強制執行を許したのは不当だ、と主張した。

「或金銭債務ヲ負担スル者ガ其ノ所有ニ係ル或物ヲ債権者ニ売渡シ、其代金ト右債務トノ其ノ相当額ニ於テ決済スルト共ニ、或期間内ニ右ノ相当金額ヲ債務者ヨリ債権者ニ支払フトキハ当該所有権ヲ回復スルヲ得ト定ムルトキハ、此種ノ取引ヲ称シテ売渡担保ト云フ。此ノ売買ナルモノハ固ヨリ真正ノソレニシテ、而シテ玆ニ担保ト云フハ対物担保ノ謂ニ非ズ。又対人担保ノ謂ニ非ズ。別ニ経済的意味ニ於テ担保ト称スルモノニ外ナラズ」（大判昭六・四・一五新聞三二六五・一二、評論二〇民法五一〇）。

第三に、大判大四・一二・二五（後出【33】）は、権利の信託的譲渡として、外部的移転および完全移転のほかに、「全然権利ヲ移転セズ、唯特定ノ場合ニ於テ権利処分ノ権限ヲ受信者（原文のまま）ニ付与スルノ意思表示」のあることを説いている。これは撤回を許さない授権 Ermächtigung を指すものであろう。

(3) 以上を綜合すると、「売渡抵当」とか「売渡担保」とか、あるいは財産権移転（とくに売買）の形式をかりる担保ないし信託的譲渡といわれる現象には、次の六種類があることになる。

（イ）　質権または抵当権を設定する真意をもつて売買を仮装する場合。

（ロ）　単に債務者の処分又は他の債権者の差押を免れる為に、債務者への売買を仮装する場合。

（ハ）　売買によつて財産権を内外ともに移転し、しかも債権を消滅させる意思で、買戻の特約または再売買の予約の付随する所有権移転契約をなす場合（既存の債務と売買代金とを相殺する場合をふくむ）。

（ニ）　売買によつて財産権を内外ともに移転するが、債権を存続させる場合。

（ホ）　外部的にのみ財産権を移転し、当事者の内部関係においては財産権を設定者に留保する場合（むろん、債権は存続する）。

（ヘ）　債権者に権利処分の権能を授与する『授権』の場合（むろん、債権は存続する）。

しかしながら、これらすべての場合が判例法上「売渡抵当」ないし「売渡担保」と呼ばれるに値するものと考えるべきかは、疑問である。大判大八・一二・九【2】は、「所有権ガ内外共ニ受信者（原文のまま）ニ移転セズ、虚偽ノ意思表示ニ依リ売買ニ基ク所有名義ノミヲ仮装スル如キハ、信託行為ノ本質ニ反スルモノニシテ、売渡担保ノ一種ナリト謂フヲ得ズ」とし、大判昭六・一二・二二【3】も、「内部及外部トモ所有権ヲ移転セザル売渡担保ナルモノハ法律上之ヲ認ムルコトヲ得ザルモノトス」といつており、したがつて、上の（イ）（ロ）（ヘ）は一応「売渡抵当」「売渡担保」と呼ばれるに値しないということになろう。――ただ（イ）は、判例の発展が示すように、全体的・実質的に観察すれば実は「売渡抵当」それ自体に帰着すべきものである（後述二一参照）。

【2】当事者間の損害賠償請求事件（原因不明）において、債権者は目的物を売買によって取得したと主張し、債務者は「売渡担保」であって、内部的には債権者は所有権を取得していないと主張。原審は仮装行為であると判示したので、債権者がわは上告し、原審は当事者の主張しない事実を根拠としたものである、と攻撃。

「所謂売渡担保トハ担保ノ目的ヲ達スルガ為ニ売買ノ形式ヲ採リタル一ノ信託行為ニシテ、受信者ハ与信者ニ対シ担保ノ目的ヲ超越シテ担保物件ヲ処分スルコトヲ得ザル債務ヲ負担スルト同時ニ、与信者ガ期限ヲ経過シテ債務ノ履行ヲ為サザルトキハ、受信者ハ或ハ担保物件ノ所有権ヲ返還スルノ債務ヲ免レ、又ハ担保物件ヲ処分シテ其代金ニ依リ優先弁済ヲ受クルコトヲ得ルノ権能ヲ付与セラルルモノニシテ、此目的ヲ達スルガ為メニ担保物件ノ所有権ヲ或ハ内外共ニ受信者ニ移転セシメ、又ハ外部関係ニ於テノミ移転シテ内部関係ニ於テハ尚ホ与信者ニ留保スルコトアルベク、其何レナルヤハ一ニ当事者ノ意思表示ニ依リ定マルベキ事実問題ナルト同時ニ、其何レノ方法ヲ採ルト雖モ当事者間ニ権利移転ノ意思表示ヲ要スルモノニシテ、所有権ガ内外共ニ受信者ニ移転セズ、虚偽ノ意思表示ニ依リ売買ニ基ク所有名義ノミヲ仮装スル如キハ、信託行為ノ本質ニ反スルモノニシテ売渡担保ノ一種ナリト謂フヲ得ズ。蓋シ担保ヲ目的トスル信託行為ハ一面与信者ヲシテ金員融通ノ途ヲ容易ナラシメ他面受信者ヲシテ債権ノ効力ヲ保全シ其弁済ヲ確実ナラシメントスルニ在ルヲ以テ、担保物ノ処分及ビ優先弁済ノ効果ノ確定的ナラザルベカラザルハ論ヲ竢タズ。然ルニ虚偽ノ意思表示ニ依リ担保物件ノ所有名義ノミヲ仮装スルニ過ギザルトキハ、弁済期ノ経過スルモ所有権ノ受信者ニ移転スル為メニハ更ニ譲渡ノ意思表示ニ伴フ登記又ハ引渡ノ手続ヲ必要トスルハ勿論、又担保物件ヲ処分スルニ当リテモ常ニ買受人ノ意思ノ善悪ニ依リ処分及ビ弁済ノ効果ニ動揺ヲ生ジ、殆ンド信託行為ノ目的ヲ達スルコト能ハザルニ至ルヲ以テナリ」（大判大八・一二・九民録二五・二二六八）。

【3】Xは債務者Aの所有物件を担保として買い受け、引きつづき賃貸中、Aの債権者Yが目的物を差押

えたので、Xは所有権を主張して、異議の訴を提起。

「債務者ガ債務ノ弁済ヲ確保スル為メ自己ノ所有物件ヲ債務者ニ売渡担保ノ目的ト為シタルトキハ、債権者ハ少クトモ外部関係ニ於テハ之ガ所有権ヲ取得スルモノト謂ハザル可ラズ。蓋此ノ場合ニ於テハ債権者ハ債権ノ弁済期ニ弁済ナカリシトキハ其ノ担保物件ヲ売却シ其ノ売得金ヲ以テ之ガ弁済ニ充当スベキモノナレバ、債権者ハ担保物件ノ所有権ヲ取得スルニ非ザレバ此ノ目的ヲ達スルコトヲ得ザレバナリ。換言スレバ内部及外部関係トモ所有権ヲ移転セザル売渡担保ナルモノハ法律上之ヲ認ムルコトヲ得ザルモノトス」(大判昭六・一二・二二評論二一民法一六九、新報二七九・一〇)。

また(ヘ)すなわち『授権』による構成は、のちに学者によつても「売渡担保」の一構成として提唱されるにいたつたが(石田「売渡担保に於ける二型態」法学論叢三二巻二号二〇四頁以下、浜上「譲渡担保の法的性質」阪大法学二〇号六五頁以下)、判例上は、さきに述べた大判大四・一二・二五(後出【33】)が傍論的に説いたほかは、現われていない。しかも、それは、その他の「売渡抵当」「売渡担保」とは異る効果をもつはずのものであるから、「売渡抵当」とは別個の観念として取扱うのが適当である。

結局、「売渡抵当」「売渡担保」と呼ばれるに値するのは(ハ)(ニ)(ホ)の三種類ということになる。すぐ後に紹介する大判昭九・八・三(後出【6】)も、債権を存続させながら財産権を移転する場合(『譲渡担保』)と債権を存続させない場合(『売渡担保』)とを区別しつつ、「吾邦ニ於テハ取引上未ダ斯ル用語上ノ区別ヲ為スコトナク、右両種ノ場合ヲ総称シテ売渡担保ナル用語ヲ使用スルモノノ如シ」といっているのである。

そして、やがて『売渡担保』と『譲渡担保』とを区別する判例において、(ハ)は『売渡担保』として、(ニ)および(ホ)は『譲渡担保』として、構成されることになる(なお、『譲渡担保』のなかでは、(ニ)が内外共移転、(ホ)が外部的移転となるわけである)。

(二)　『譲渡担保』と『売渡担保』とを区別する判例

(1)　『財産権の移転による担保』は、上に述べたように、漠然と「売渡担保」「売渡抵当」「譲渡担保」などと呼ばれていたが、大判昭八・四・二六【4】は、債務を存続させるものを『譲渡担保』(Sicherungsübereignung)、債務を残留させないものを『売渡担保』(Sicherungskauf)と呼んで、二つの類型を区別するにいたつた。『財産権の移転による担保』における分化を明確に捉えたものとして、画期的な意義を有する判決である。そして、いくつかの判決がこれに従つた(大判昭八・一二・一九(後出【5】)、大判昭九・八・三(後出【6】)、大判昭八・一一・七(後出【89】))。

【4】　XはYから金九〇〇円を月一分二厘の利息で借り、その担保として不動産をYに売渡し、半年後に九七五円六〇銭を支払えばそれを回収しうる旨を、契約した。期限徒過後も、Xは右の元利合計に対する月一分二厘の賃料を払つて、その不動産を使用していた。十年近く賃料を払つていたが、半年ばかり不払のつづいた後、元金と不払の賃料とを提供して不動産の返還を請求したが、Yが応じないので、Xは所有権移転登記を訴求。原審は、XY間の契約を買戻約款つき売買と認定し、いつたん買戻期間を徒過した以上、すべての関係は決済され、Xは所有権返還を請求することができないと判示。X上告して、目的物たる土地は契約当時融資額の三倍にあたる時価をもち、先祖伝来の墓地をも含んでいたから、期限徒過により返還請求権を失なうような契約(買戻約款つき売買)をするはずがない。ことに、Xは期限徒過後二四七円を内金として弁済し、その後は、賃料として支払う額もこれに応じただけ減額されて来たから、XY間の契約は、買戻

契約つき売買ではない、と主張した。破棄差戻。

「金円ヲ借用セムトスル者又ハ已ニ一ノ金銭債務ヲ負担セル者ガ其ノ有スル或財産権ニ対シ物上担保権ヲ設定スルハ、少クトモ現行法ノ下ニ於テ担保供与ノ原則的方法ナリ。然ルニ右ノ場合ニ此原則的方法ニ依ラズ、普通ナレバ担保物権ノ客体タルベキ当該財産権自体ヲ相手方ニ譲渡スト共ニ、他日即チ弁済期ニ該当スル時期ニ於テ一定ノ金円（多クハ元本及ビ之ニ対スル利息ニ相当スル金円）ヲ相手方ニ支払フトキハ右ノ財産権ハ譲渡人ノ手ニ復帰スト約定スルコトアリ。這ハ終局ニ於テ担保供与ノ目的ヲ達スル手段ト云ハムヨリモ、寧ロ債権者ニトリテハ更ニ強ク且便ナル一種ノ担保ヲ成スト云フノ勝レルニ如カズ。然ルニ此（経済的ニ云フトコロノ）担保供与ノ方法ニ二アリ。其ノ一ハ新生若クハ既生ノ債務ハ依然之ヲ存続セシメツツ一面当該財産権ヲ譲渡ス場合ニシテ、此譲渡タルヤ固ヨリ交換ニモ非ズ、贈与ニモ非ズ、又売買ニモ非ズ、担保ノ目的ヲ以テスル譲渡ナリ。換言スレバ、他日復帰ノ機会ヲ留保シツツ当該財産権移転ノ意思表示ヲ而モ真実ニ為スモノニ外ナラズ。固ヨリ仮装ノ行為ニ非ズ。他ノ一ハ取引ソノモノハ売買ヲ為スニアリ。而モ真実ノ売買ナリ。而シテ此場合其受取リタル代金ハ即チ経済的ニハ借金ニ該当シ、又ハ受取ルベキ代金ハ則チ既存債務ト相殺ス可キ反対債権ヲ成スガ故ニ、此種取引ニ在リテハ爾後何等ノ債務モ残留スルコト無シ。売主ニ於テ他日一定ノ金円（多クハ元本及ビ之ニ対スル利息ニ該当スル金円）ヲ買主ニ支払フコトニ依リテ以テ曩ニ売渡シタル当該財産権ヲ其ノ手中ニ回収スルヲ得ルハ、取リモ直サズ其ノ権利ニシテ義務ニ非ズ。左レバ夫ノ売渡担保（Sicherungskauf）ナル語ハ此後ノ場合ニノミ限ルヲ以テ精確ナル用法トシ、前ノ場合ハ之ヲ譲渡担保（Sicherungsübereignung）ト称スルヲ以テ当レリト為ス。此用語ヲ慎マザルノ結果、観念ソノモノノ渾沌曖昧ヲ来ス事例実ニ少カラズ。本件ノ如キモ亦其ノ一ナリ。而シテ売渡担保タルト譲渡担保タルトヲ問ハズ当該財産権ノ真正ニ移転セラルルコトハ些ノ択ブトコロ無キモ、其窮極ノ目的ハ則チ担保供与ニ在ルガ故ニ、譲受人ハ此目的ト牴触スルガ如キコトヲ為スヲ得ザル義務ヲ譲渡人ニ対シテ負担ス。唯此点ガ夫ノ無条件ニ権利ヲ移転シタル場合トノ差別ニシテ、即チ信託行為（信託譲渡）ノ一ノ場合ニ外ナラズ。是故ニ信託譲渡ニ在リテハ、専ラ当事者間ノ関係ニノミ著目スルトキハ、譲受人ハ未ダ以テ完全ニ当該権利ノ主体タル地位ヲ獲得セザルガ如ク、爾リ之ヲ称シテ内部関係ニ於テハ当該権利ハ移転セザルナリト云ヘバ幵ハ一ノ説明（寧ロ譬喩）トシテ聴キ做スヲ要ス。之ヲ文字通リノ事実ナリト解スルトキハ、夫ノ通謀虚偽ノ意思表示ト（極メテ微妙言フ可クシテ識ル可カラザル区別ヲ外ニシテ）何等ノ径庭無キニ至ラムナリ。警メザルベケムヤ。夫レ爾リ。然ラバ則チ譲渡担保ト売渡担保トニ論無ク当該財産権復帰ノ方法ハ如何ニ之ヲ約定スルヲ得ベキヤ幵ハ固ヨリ一ニシテ止マラズ。金円ノ支払ト云フ解除条件ヲ権利移転ノ意思表示ソノモノニ附シ置クモ可ナリ。金円ノ支払ト引換ニ権利ヲ譲戻ス可シト云フ一ノ債権契約ヲ締結シ置クモ可ナリ。殊ニ右ニ所謂売渡担保ノ場合ニ於テハ或ハ再売買ヲ予約シ或ハ買戻権ヲ留保スルコト殆ンド常套ノ手段ニ外ナラズ。要ハ金円ノ支払ニ因リ結局完全ニ当該権利ヲ回収スルヲ得ルノ定メアレバ足ル。左レバ本件ニ於テ当該不動産所有権ノ移転ヲ以テXハ之ヲ売渡担保ナリト主張セルニ対シ、Yニ於テ否爾ラズ買戻権留保ノ売買ニ過ギズト抗争シ、而シテ原審モ亦此間ニ処リテ当事者双方ハ歩ミ寄ルニ道無キ対蹠的主張ヲ闘ハスモノノ如クニ解セルハ、聊カ奇異ノ感無クンバアラズ。蓋仔細ニ之ヲ観ルトキハ売渡担保トハ専ラ所謂担保供与ノ方面ヲ指ス用語ナルニ対シ、買戻約款附売買トハ主トシテ所謂担保銷除ノ方面ヲ表ハス用語タルニ止マリ、畢竟此二ツノ取引ハ相容レ相俟チテ以テ首尾善ク取引ノ全局ヲ収メムトスル一個ノ手段ニ外ナラザレバナリ。本件取引ガ売渡担保ナリヤ買戻約款附売買ナリヤト云フガ如キハ第二ノ問題ナリ、否問題ト為リ得ザル争ナリ。（中略）凡ソ金円ヲ貸附クル者ハ、確実ナル担保アル以上、弁済ハ必シモ厳刻ニ之ヲ請求スルコト無ク、却リテ継続シテ利息ヲ収ムルヲ欲スルハ常情ナリ。原審ニ於ケル鑑定ヲ相当ナリトセバ、本件不動産ハ担保トシテ実ニ十二分タルヲ失ハズ。十二分ノ担保ニ垂涎シ他ノ窮迫ニ乗ジテ以テ奇利ヲ攫マムトスルニ非ザル限リ、一度買戻期限ヲ徒過シタリトテ直チニ執ッテ以テ買戻権ヲ絶対ニ喪失セシムル程爾ク夫ノ債権者ナルモノハ仮借セザルモノナリト認ムルコトノ当否ハ、未ダ俄ニ知ル可カラズ。果セルカナ、本件ニ於テモ、買戻期間タル大正五年八月末日以後ニ於テXハ買戻代金ニ対スル月一分二厘（即チ当初ノ利息ト同利率）ノ賃料ヲ以テ当該不動産ヲ借受ケタル事実アリ。這ハ実ニ原審ノ確定スルトコロニ非ザルカ。抑売渡担保若クハ譲渡担保ナルモノハ一時金策ノ必要上姑ク当該権利ヲ手離スニ過ギズ、敢テ之ヲ不用トシテ爾ルニ非ザルガ故ニ、元本ニ対スル利息相当ノ金円ヲ賃料トシテ支払ヒツツ引続キ之ヲ使用収益（即チ所謂賃借）スルコト殆ンド日常慣看ノ事例ニ外ナラズ。此場合法律上ノ形ハ則チ賃料ナリト雖経済上ノ実ハ則チ利息タリ。引続キ利息相当ノ金円ヲ支払フ所以ノモノハ何ゾヤ。他無シ。内部ニ於テハ消費貸借（若クハ其ノ他ノ金銭債権）関係ノ今尚存続スルニモ喩フベキ消息ノ有ルアリテ、全体トシテノ取引ハ未ダ全ク命脈ヲ絶チ決済ヲ告グルニ至ラザルコトヲ反映スルモノニ非ズヤ。然ラバ則チ、本件ニ於テモ、之ヲ前叙ノ事実ニ鑑ルトキハ、経済的見地ヨリスル消費貸借関係ノ未ダ以テ当事者間ニ決済セラルルニ至ラズ、従ヒテ此決済ノ方法ニ過ギザル買戻権行使ノ機会ハ当初所定ノ買戻期間ノ経過ト共ニ必ズシモ已ニ逸シ去リタルニ非ザル消息、決シテ之ヲ必無ト速断ス可カラザルモノアリ」（大判昭八・四・二六民集一二・七六七（我妻・判民五八事件））。

財産権移転の方法による担保にこのような二つの類型の存すること、およびそれらの差異については、すでに詳論されたところであり（前田「売渡担保附信託行為」法曹会雑誌八巻七－九号、我妻「『売渡担保』と『譲渡担保』という名称について」法協五二巻七号）、ここにくりかえさない。ただ念のために、両者の基本的な差異について若干の説明を加えておこう。両者の基本的な差異は、経済的に融通された金額について、融資者（担保取得者）が償還請求権（債権といってもよい）を有するか否かの点に存する。すなわち『譲渡担保』では、融資者は債権者として融資額の償還請求権を有し、したがつてまた財産権の移転はこの債権を担保する手段的地位を有するにすぎない。『売渡担保』では、融資者は単に買主となるだけであり、したがつてまた、融資額償還請求権をもたない。この基本的差異に基いて、第一に、目的物が滅失したような場合に、両者はいちじるしい対立を示す。というのは、融資者が償還請求権を有する『譲渡担保』では、なお融資者は、融資を受けた者の一般財産にかかつていくことによつて、資金の回収をなしうるのに反し、融資者が償還請求権を有しない『売渡担保』では、融資者は資金を回収することはできず、滅失による危険を負担しなければならないのである。第二に、融資を受けた者が債務を履行しないで、融資者が目的物によつて満足を受ける場合でも、『売渡担保』では、目的物の価格が融資額に不足する場合にその不足分を請求しえないのは、もちろんのこと、目的物の価格が融資額を越える場合にも、その余りを返還する義務を負わないのに反し、『譲渡担保』では、債権者は、とくに流質の特約のある場合を除いて、原則として過不足について清算する義務を負うのである。——担保の制度として、『譲渡担保』が『売渡担保』よりも合理的なものであることは、いまさら指摘するまでもないであろう。

(2)　どのような場合に『譲渡担保』を認定し、どのような場合に『売渡担保』を認定すべきか。

(イ)　判例は、当事者の使用した用語や法律構成に捉われることなく、当事者の企図した経済的効果その他全体の事情を考慮して、慎重に判定すべきである、としている（【5】【6】）。

【5】Xはその所有家屋を六〇〇円でYに売り渡すとともに、ただちに賃借し、毎月賃料（一〇円）を満五年間（計六〇〇円）支払えばYは目的物を無償でXに譲渡する旨を約した。賃料は約束どおり支払われていたが、途中で家屋が焼失し、Yは自ら締結しそして保険料も納めていた保険契約によつて保険金四〇〇円を取得した。そこで、XはYに対し、右の金額から賃料残額一五〇円を控除したもの（二五〇円）を請求し、さらに、家屋の雨もりの修理費の償還を請求。原審は、後者のみ認めた。原審は、本契約によつて家屋は完全にYの所有に帰し、五年間の賃料の支払を停止条件としてYからXに無償譲渡すべき旨が約束されていた

わけだが、家屋の焼失によつて停止条件が不成就となつたのだから、無償譲渡は問題とならない、家屋の修理代は賃貸人の負担すべき必要費だから、償還すべきは当然である(民六〇六条・六〇八条)、というのである。なお、この原審判決は、同旨の第一審判決に対してXY双方から控訴されたのを、ともにしりぞけたものである。Y上告し、必要費の数額を争う。しかし、大審院は、原審と反対に、保険金残額の償還は請求しうるが、そのかわり修理代は請求しえない、として、破毀差戻。

「今此契約ヲ一見スルトキ夫ノ売渡担保（而モ厳格ナル意義ニ於ケルソレ当院昭和六年（オ）第二七五九号事件同八年四月二六日言渡判決参照）ナル取引ノ玆ニモ亦行ハレタリテフ消息ハ之ヲ領スルニ難カラズ。但斯カル場合元本ニ対スル利息相当ノ金額ヲ以テ賃料ト定ムルヲ普通トスルモ、本件契約ニ在リテハ爾ラズ。元本額ノ六十分ノ一ヲ以テ一箇月ノ賃料ト為シ、期ヲ貸ヘズ其ノ支払ヲ為スコト六十回（五年間）ニ及ベバ則チ所有権ヲ回復スルヲ得ト云ニ在ルガ故ニ、之ヲ貸金ノ場合ニ対比スレバ、恰モ無利息六十回ノ月賦弁済ニ匹敵シ、此種ノ取引トシテ寧ロ寛裕ナルモノニ属スト云ハザル可カラズ。夫レ当事者ノ用語必シモ拘ル可キニ非ズ。当事者ノ法律上ノ構成必ズシモ執ス可キニ非ズ。本件事案ハ唯前叙ノ見地ヨリ出発シ、家屋ノ売買ト云ヒ其ノ賃貸借ト云ヒ将タ其ノ無償譲渡ト云ヒ之ヲ打ツテ一丸トシ全体不可分ノ取引トシテ観察スルニ非ザル限リ、其ノ真諦ニ触レ得ムコト蓋難シト云フ可キナリ。今夫レ売渡担保タルト譲渡担保タルトニ論無ク、其ノ目的物ハ則チ其ノ用語ノ示ス如ク経済的ニハ一ノ担保物ニ外ナラズ。而モ此担保物ガ焼失シタル場合ニ火災保険金ハ則チ経済的ニハ之ニ代ハルモノトシテ之ヲ待ツベキハ疑無キヲ以テ、売渡担保ノ場合ニ（譲渡担保亦其ノ軌ヲ一ニスルモ以下省略ニ従フ）売主ニ於テ約定ニ係ル金額（多クハ曩ノ売渡代金ト之ニ対スル利息ノ合計）ト、尚保険料ガ買主ノ計算ニ於テ支払ハレ居リシナラバ之ヲモ加算シタル総金額ヲ支払フトキハ、保険金ヲ取得スル権利アルコト、之ヲ知ルニ余有リ。而モ這ハ右ノ総金額ト保険金ノ多寡ニ依リテ其ノ理ヲ異ニスベキ筈無キモ、唯実例トシテ現ハレ来ルハ、敢テ大金ヲ投ジテ小金ヲ請求スル場合ニ非ズシテ、保険金ヨリ右ノ総金額ヲ控除シタル剰余ヲ請求スル場合ニ限ラルルハ怪ムヲ須ヒズ。原審ノ確定スルトコロニ従ヘバ、Yハ本件家屋ニ付千代田火災保険会社ト火災保険契約ヲ締結シタル為メ其ノ焼失ニ因リ保険金四百円ヲ受領シタリト云フニ在ルヲ以テ、恰モ前叙ノ場合ニ該当スルヤ殆ンド明ケシ。若シ夫レ当該家屋ニ代ハルモノトシテXガ右保険金ヨリ其ノ支払フベキ残期賃料ヲ控除シタル金円ヲ請求スル権利アル以上、家屋修繕ノ為メXノ支出シタル費用ノ如キハ自カラ同人ノ負担ニ帰スベク、Yニ対シ其ノ償還ヲ請求スベキ筋合ナラザルハ論ヲ俟タズ」（大判昭八・一二・一九民集一二・二六八〇（我妻・判民一八五事件））。

【6】 XからY_1（債務者）・Y_2（連帯保証人）に対する貸金請求事件で、もう一人の連帯保証人AのXへの入金がY_1の借金に充当されたか（Xの主張）、Aの別口の借金に充当されたか（Y_1Y_2の主張）が問題となつた。被告がわは、その主張の根拠として、Aの別口借金は発動機船の買戻約款つき売買の形式による売渡担保によつて行なわれたもので、Aが期限内に買戻権を行使しなかつたために、担保物は完全にXの所有となり、同時にAの債務も決済された、と主張。原審も大審院もこれを認める。

「広ク売渡担保ト云フトキハ、或ル財産権ヲ債権ノ担保トスル場合ニ担保権ノ設定ヲ為サズ該財産権ヲ担保ノ目的ヲ以テ信託的ニ譲渡スルコトヲ総称スルモノナルモ、其ノ法律的形態必ズシモ一様ナラズ。或ハ主タル債権ハ依然之ヲ存続セシメツツ当該財産権ヲ譲渡スル場合アリ、或ハ当該財産権ヲ真実ノ売買ニ因リ移転シ代金ハ既存債務ト相殺シ爾後何等ノ債務関係ヲ残存セシメザル場合アリ。後ノ場合ニ対シテ売渡担保ナル語ヲ使用シ、前ノ場合ハ之ヲ譲渡担保ト称スルヲ以テ、用語上精確ナリトノ論アルモ、吾邦ニ於テハ取引上未ダ斯ル用語上ノ区別ヲ為スコトナク、右両種ノ場合ヲ総称シテ売渡担保ナル用語ヲ使用スルモノノ如シ。然レドモ、両者ハ観念上截然タル区別ヲ有スルノミナラズ、各自ハ又種々ナル態容ヲ有シ、例ヘバ、後者ニ於テモ、或ハ一定ノ金員（多クハ元利ニ相当スル）ノ支払ヲ解除条件トスルモノアリ、或ハ再売買ヲ予約シ、或ハ買戻権ヲ留保スルモノアリ。又定メラレタル一定ノ期間内ニ右一定ノ金員ヲ支払ハザル場合、再売買完結ノ意思表示ヲ為サザル場合、買戻権ノ行使ヲ為サザル場合ノ効果ニ付テモ、亦種々ナル態容ヲ予想スルコトヲ得ベキヲ以テ、当事者ガ売買担保ノ契約ヲ為シタル場合ニ付テハ、須ク当事者ノ意思ヲ探究シ其ノ何レ

> ノ種類ニ属スルモノナリヤヲ判断スルコトヲ要シ、売渡担保ナル用語其ノモノニヨリ、直ニ之ヲ後者ナリト断ジ、或ハ之ヲ前者ナリト断ズルコトヲ得ザルト共ニ、当該財産権ノ移転ガ売買名義ニ依リ行ハレタル一事ニ依リ直ニ之ヲ以テ後者ノ種類ニ属スルモノナリト速断スルガ如キモ、亦之ヲ戒メザルベカラズ。（中略）原審ハ右証拠ニ依リ本件売渡担保ヲ以テ前示説明ニ所謂後者ノ種類ニ属スル買戻約款附売買ト認定シ、右債務ヲ存続セシメザルモノナリト判定シタル趣旨ナルコト明ニシテ、右証拠ニ依リ前示ノ事実認定ヲ為シ得ザルニ非ズ。而シテ右ノ如キ売渡担保ノ一種ニ属スル買戻約款附売買ニ於テ、買戻権者ガ所定期間内ニ買戻権ヲ行使セザリシ場合ニ於テハ、別段ノ特約ナキ限リ、買戻権者ハ買戻権ヲ喪失シ其所有ヲ回復スルノ機会ヲ失ヒ、買主ハ爾後何等ノ負担ヲ負フコトナク、一切ノ関係ガ終局的ニ決済セラレタルモノト認ムベキヲ以テ、原審ガ前示ノ如ク金八百円ノ債務ガ決済セラレタリト判定シタルハ相当ナリ」（大判昭九・八・三民集一三・一五三六（末弘・判民一一〇事件））。

すなわち、当事者が「売買」名義で財産権を移転したからといつて当然に『売渡担保』を認定すべきではなく（大判昭九・八・三（前出【6】））、また、財産権復帰の方法として、支払を解除条件とする財産権の復帰あるいは買戻または再売買の予約が予定されていても、かならずしも『売渡担保』とはならない（大判昭八・四・二六（前出【4】）——もつとも再売買の予約または買戻による財産権復帰方法を定めるのは『売渡担保』の常套手段だ、とはいっているが）。このような用語や法律構成に捉われないで、ことがらの実体を見究めて、『売渡担保』か否かを判定すべきである、というのである。

当事者が「売買」とか「買戻」とかの語を使用するときも、担保制度の貧困（動産に関する非占有質の欠如）を救済し、あるいは担保制度に付着する制限（抵当権や質における換価手段の制限と煩雑さや質権に関する流質契約の禁止）を回避するために、いわば《自救行為》として、本来その目的のために認められたのではない既存の法制度（売買、買戻）を借用するにすぎないのであつて、かならずしも本来の意味の買戻約款つき売買（あるいは『売渡担保』）を締結する意思がある、とはいえない。したがって、判例の上の抽象論は一応正当というほかはない（さらに、いずれを推定するかの問題があるが(3)参照）それを問題とする前段階において考えているのである）。

（ロ）　しかし、判例が上のような判定基準を忠実に適用して、当事者の用語や構成に捉われず、実体に従つて判定しているかは、いささか疑問である。『売渡担保』を認定している判例のなかには、『譲渡担保』を認定すべきだつたのではないかとも考えられる事案に関するものが、見られるのである。

たとえば大判昭八・四・二六（前出【4】）では、売主は、買戻期間経過後に内金として二四七円を弁済し、買主がこれを受領した旨を、主張しており、もしこれが事実だとすれば、本事案はむしろ『譲渡担保』と解すべき場合であるといわねばならない（我妻・判民昭和八年五八事件評釈参照）。

また、大判昭八・一二・一九（前出【5】）の事案でも、家屋を六百円で融資者に売り渡し、月十円の賃料で賃借し、五年間賃料の支払を怠らなければ融資者から無償でその家屋を譲り受けうる、という契約は、六百円の債権が、無利息で、毎月賃料名義により月賦弁済されるのだ、と解釈すべきものであろう（我妻・判民昭和八年一八五事件評釈参照）。

これらの判決は、「売買」とか「賃料」とかいう当事者の用語や法律構成に影響されたもので、諸般の事情から当事者の真意を探究したものとはいえない。

『売渡担保』を認定したもう一つの判決すなわち大判昭九・八・三（前出【6】）とても、「売渡」とか「買戻」とかという当事者の用語・法律構成を判定の材料としているようにおもわれる（この事案では、認定の誤りを指摘することはできないが）。

また、大判昭八・四・二六（前出【4】）や大判昭九・八・一三（前出【6】）のように、売買代金と既存の債務とを相殺する場合を、つねに『売渡担保』とすることも（大判昭六・四・一五（前出【1】）は、『譲渡担保』と『売渡担保』とを区別する以前のものではあるが、かような場合を『売渡担保』とみるものといえよう）問題である。右の場合には、相殺の結果債権関係が消滅するものとして、『売渡担保』を認定するのは当然であるように見える。しかし、当事者が相殺によつて債務を消滅させるのは、既存の債務があるのに売買の形式を利用したために、やむなくとつた窮余の手段であつて、当事者が真に債権のない状態を欲したか否かは、疑わしいとおもう（ドイツの判例・学説もかような相殺の効力を認めないことについて、植林「譲渡担保の法律構成に関する若干の疑問」法学雑誌六巻四号一七頁参照）。

判例が『譲渡担保』と『売渡担保』とを識別する基準を、当事者の用語や法律構成にではなく実体そのものに求めたことは、正当な態度であるが、その具体的適用は、判例自らが実証したように、困難な作業であるといわねばならない（後述するように、『譲渡担保』の推定を認めれば、この困難は解消するであろう）。

(3)　『譲渡担保』と『売渡担保』とを判別することは困難であり、そのために、判例自身、『譲渡担保』を認定すべきではないかとおもわれるような場合に『売渡担保』を認定しているわけだが、この誤りを結果的に補正するかのように、『売渡担保』の法的効果を『譲渡担保』のそれに近づけようとする傾向の見られることは、興味ある現象である。

それは、買戻期間を徒過しても、融資を受けた者が融資額と利息とを提供して目的物の返還を請求することができるか、という問題に関する。『売渡担保』にあつては、すでに述べたように、債権債務関係が存続せず、したがつて、買戻は売主（融資を受けた者）の義務ではない。買戻はかれの権利であり、その権利は、かえつてそれが権利であることのために、買戻期間の経過とともに当然に消滅するはずのものである。それにもかかわらず、債権債務関係の存続しない点に『売渡担保』の特色を認める判例が、買戻期間経過後の買戻を認めるのである。

まず、大判昭八・四・二六（前出【4】）は、実体は『譲渡担保』かも知れない事案を『売渡担保』と認定しつつ、しかも買戻期間経過後に買戻代金に対する月一分二厘（当初の利息と同率）の賃料をもつて借り受けた事実をとらえて、「法律上ノ形ハ則チ賃料ナリト雖、経済上ノ実ハ即チ利息タリ。引続キ利息相当ノ金円ヲ支払フ所以ノモノハ何ゾヤ。他無シ、内部ニ於テハ消費貸借（若クハ其ノ他ノ金銭債権）関係ノ今尚存続スルニモ喩フベキ消息ノ有ルアリテ、全体トシテノ取引ハ未ダ全ク命脈ヲ絶チ決済ヲ告グルニ至ラザルコトヲ反映スルモノニ非ズヤ」として、債権債務関係が存続する場合（すなわち『譲渡担保』の場合）と同じように、買戻期間経過後も買戻しうる可能性を認めている。この事件では、買戻期間経過後売主が買戻代金の一部を提供したのを買主が受領したと売主は主張しており、この売主の主張が真実だとすれば、——たとえ『売渡担保』と認定することが正当だつたとしても——売主が買戻権を失わないのは当然というべきであるから（我妻・判民昭和八年五八事件評釈）、本判決をもつて、『売渡担保』につき買戻期間経過後の買戻を当然に認める趣旨のものと解することは、困難である。しかしともかく、抽象論としてであるにせよ、『売渡担保』が『譲渡担保』的効果をもつ場合のあることを認めたことは、注目に値しよう。

次に、大判昭九・八・三（前出【6】）も、「売渡担保ノ一種ニ属スル買戻約款附売買ニ於テ買戻権者ガ所定期間内ニ買戻権ヲ行使セザリシ場合ニ於テハ、別段ノ特約ナキカギリ、買戻権者ハ買戻権ヲ喪失シ、其ノ所有権ヲ回復スル機会ヲ失ヒ、買主ハ爾後何等ノ負担ヲ負フコトナク、一切ノ関係ガ終局的ニ決済セラレタルモノト認ムベ」き旨を述べており(傍点筆者)、特約がある場合には、『売渡担保』においても、買戻期間経過後の買戻が可能であることを、承認しているのである。

以上のような判例の態度は、判例が明らかにした『譲渡担保』と『売渡担保』の区別と矛盾するものあるいは不正確なものだとの非難を免れないであろう(前者につき我妻・判民昭和八年五八事件評釈、後者につき末弘・判民昭和九年一一〇事件評釈参照)。ただ、判例に見られるこの混乱は、『売渡担保』がかならずしも民法の既存の制度(買戻や再売買の予約をともなう売買)にそのまま当てはまるものではなく、それら既存の制度を利用しつつも、それらとは多少ニュアンスを異にする慣習法的なものであることを、示すと同時に、担保制度として不合理な『売渡担保』は合理的な『譲渡担保』へ移行すべきであることを暗示するものとも考えられるのである。事実、比較法的資料も、現実売買の形をかりた担保制度がやがては売買の性質を失なつて、対人的請求権をともなう純然たる担保制度へ進化することを、示しているのである。

担保の制度として、『売渡担保』よりも『譲渡担保』が合理的であり、そして前者から後者への移行、すなわち『売渡担保』の『譲渡担保』化が必然的傾向だとすれば、具体的な契約が『売渡担保』であるか『譲渡担保』であるか疑わしい場合には、『譲渡担保』を推定すべきだといえよう(この推定を認めるべきことについては、我妻「『売渡担保』と『譲渡担保』という名称について」法協五二巻七号一三〇八頁、柚木「判例買戻権法」民商創刊二五周年記念号(上)六三頁)。しかし、このような推定を認める判例は見当らない。いなむしろ、上に指摘したような誤つた認定から、逆に、この推定に対する判例の消極的な態度をうかがうことができるのではなかろうか。けだし、もし判例が上の推定を認めていれば、そのような誤つた認定は生じなかつたであろうからである。

(三)　その後の判例　『売渡担保』と『譲渡担保』の区別について以上述べたところは、昭和八年から九年にかけて現われた数件の大審院判決によるものである。その後、判例は、なにゆえかこの区別について語らず、むしろ逆に『譲渡担保』型と見られる契約に対して「売渡担保」の名称を平気で冠している。たとえば、大判昭一〇・三・二七(後出【90】)は、「売渡担保」について、「担保物ヲ処分シ果シテ本件債権ニ不足ヲ生ズルヤ否ノ結果ヲ見タル上ニ非ザレバ本件貸金債権ニ付訴求シ得ザル如キ筋合ノモノニ非」ず、としているが、これは明らかに債権の存続する『譲渡担保』に関するものである。また、大判昭一九・二・五(後出【25】)も、「売渡担保」は信託法の信託ではないことを論証する際に、「売渡担保」には内外共移転と外部的移転のあることを指摘しており、「売渡担保」とはいうものの、実体は『譲渡担保』あるいは少なくとも『譲渡担保』を包含するもの(事実関係は『譲渡担保』のようにおもわれる)であることを示しているのである。これらはほんの一例にすぎない。かように、用語のうえでは、判例はもはや『売渡担保』と『譲渡担保』とを区別しないのである。ただ、この二つの類型の区別に関する理論まで否定したわけではないであろう。少なくとも、現在までのところ、そのような兆候は認められない。

(四)　本稿の対象となる判例　本稿は『譲渡担保』に関する判例を対象とするものであるが、判例が以上のような経過を示している以上、明確に『売渡担保』から区別された『譲渡担保』に関する判例(それは少数)はもちろんのこととして、この二類型区別以前の判決や、ふたたびこの区別(少なくとも用語上での）があいまいになつたその後の判決が、「売渡担保」・「売渡抵当」等について明らかにした理論でも、『譲渡担保』としての性質に反しないものは、『譲渡担保』判例法の内容としてとり入れなければならないであろう。なお、譲渡担保法は信託行為の理論にみちびかれて発展するものであるから(四三)、判例の動向を知るために、下級審判決もできるだけとりあげるつもりである。

二　譲渡担保の概念規定

一で述べたところからも充分に推測されるように、『譲渡担保』のメルクマールは次の三点に存する。

(1)　財産権の移転――すでに述べたように(一一(二)(3)参照)、所有権が内外ともに融資者に移転しないような「売渡担保」は存しないとするのが、判例である(大判大八・一二・九(前出【2】)、大判昭六・一二・二二(前出【3】))。もつとも、大審院判決のなかには「家屋所有権移転の時期並にその内容は必ずしも一様ならず、一に契約当事者の合意の内容に依り定まるべきものなり」として、債務不履行を停止条件とする所有権移転をも「売渡担保」とするものがある(大判昭九・一一・一七法学三・六・四)。しかし、これは判例のなかでも異端的存在であつて、当初から財産権を移転するという形式をとるもののみを『譲渡担保』と考えるのが、判例法の解釈として妥当だとおもう。

(2)　財産権の移転が担保の目的で行なわれること――次の大判昭三・一〇・一三【7】は、この点を分析して、「売渡担保」契約があるというためには、譲渡者が後日ある条件のもとに目的物の所有名義を回復しうる旨の特約が存し、その特約の内容は、その目的物をもつて譲受人から譲渡人に対する債権の担保としたのと経済上同一の効果を生ずるようなものであることを要する旨を、述べている。すなわち、融資を受けた者がその受けた資本を返済すれば、さきに移転した財産権の返還を受けることができ、逆に、返済しない場合には、融資者は目的物によつて満足を受けうる、という趣旨の特約が、財産権の移転とともになされることを、必要とするのである。

【7】Xは Y に不動産を二八八七円余で売却し、後日Xが不動産の名義を回復しうべき特約をした（特約の内容に関しては原審の認定はない）。Xは二四〇〇円を元利として供託し、所有名義の回復を請求。原審は、Xの供託金額が受取つた金額の元利に達しないからというので、Xの請求を棄却。本判決は、右の契約は「売渡担保」である可能性があること、特約の内容がXの受取つた代金とその利息を支払うのでなければ所有名義を回復しえない約旨だとすれば、原審の結論となるが、特約の内容が不明だから、原審の判定は不当だ、という趣旨である。

「所謂不動産ノ売渡担保トハ、不動産ノ売買ヲ為スト同時ニ其ノ当事者間ニ契約ヲ為シ、之ニ依リ其ノ不動産ヲ以テ買主ヨリ売主ニ対スル債権ノ担保ト為シタルト経済上同一ノ効果ヲ得ルコトヲ目的トシテ為ス行為ヲ総称スルモノトス。従テ、不動産ノ売渡担保契約存スル場合ニハ、少クトモ不動産ノ売買契約ト共ニ其ノ売主ガ後日或ル条件ノ下ニ不動産ノ所有名義ヲ回復シ得べキ特約ノ存スベキハ当然ニシテ、其ノ特約ノ内容ハ各場合ニ依リ一様ナラザルベキモ、必ズヤ其ノ不動産ヲ以テ買主ヨリ売主ニ対スル債権ノ担保ト為シタルト経済上同一ノ効果ヲ生ズベキモノナラザルベカラズ。故ニ今或ル不動産ノ売買ト同時ニ売主ガ後日不動産ノ所有名義ヲ回復シ得べキ特約ノ存スル場合ニ、此ノ行為ガ所謂不動産ノ売渡担保ナルヤ否ヤヲ決スルニハ、右特約ノ内容ヲ調査シタル上、其ノ内容ガ其ノ不動産ヲ以テ買主ヨリ売主ニ対スル債権ノ担保ト為シタルト経済上同一ノ効果ヲ得べキモノナルヤ否ヤヲ判定スルコトヲ要スルモノニシテ、此ノ特約ノ内容ヲ確定セズシテ直ニ右行為ヲ売渡担保ニ非ズト断定スル能ハズ」(大判昭三・一〇・一三評論一八民法五五一)。

――(1)および(2)から、後に述べるように、譲渡担保の『信託行為』(fiduziarisches Rechtsgeschäft)としての性質が生まれる(三四参照)。

(3) 債権債務関係の存続――すでに述べたように(一一(二)参照)、融資者は、融資した資本の返還を請求する権利(債権)を失わないのであつて、この点に、『売渡担保』との根本的な差異が存するのである(なお五一参照)。

かようにして、『譲渡担保』とは、担保の目的たるべき財産権を移転することによつて信用授受の目的を達成する制度のうち、融資者が融資した資本の償還を請求する権利(債権)を有し、融資を受けた者がこれに応じない場合に目的物によつて満足を得ようとするものである、といつてよいであろう。

二　譲渡担保の有効性

一　虚偽表示として無効か

(一)　ドイツの普通法時代に譲渡担保の現象があらわれたときも、それを虚偽表示とする判例が一時出現したが(四宮「信託行為と信託」法協五九巻四号五九〇頁)、わが国でも、明治の末から大正の初めにかけて、譲渡担保に虚偽表示を見る見解が判例に出没している。この見解はすでに克服されているので、それ自体には重要性はない。ただ、若干の判例(判例の主流をなすものではないが)が譲渡担保虚偽表示論を克服していく過程は――それぞれの過程を代表する判例はかならずしも論理的展開の順序にしたがって生じたわけではないが――多少の興味をひくものがあるので、それをたどってみることにしよう。

（二）　虚偽表示と抵当または質の結合とみる判例　　初期の判例が譲渡担保を虚偽表示とする場合の推論のプロセスは、ほぼ次のようなものであろうとおもわれる。その当時譲渡担保は売買の形をとつたところから、まず譲渡担保を法律上の形式である売買と当事者が達成しようとした経済的目的である担保とに分析し、そのうえで、当事者の真意は抵当または質にあることを認定し、したがつて売買の部分は当事者の真意に基かない虚偽表示である、とするのである（大判明三九・一〇・一〇【8】、大判大三・一一・二〇【9】。なお、大判大一一・一〇・七【10】も、原審判決との関係から見ると、虚偽表示を肯定するようにおもわれる）。

【8】　Xはその所有地をY_1に売却し、明治二一年一月一二日に至り買戻すべく、右期日に買戻さない場合はY_1において適宜に処分すべき旨を約した。その後Y_1はこの土地を$Y_2$$Y_3$に譲渡。Xから、X$Y_1$間の売買は虚偽表示だと主張して、登記の移転を求める。原審も、本件の売買を虚偽表示とし、抵当権設定が真意である、としてXを勝たせたので、Yら上告し、原審が抵当権設定であるから債務の弁済によつてYらの権利が消滅する、といつたのを捉えて、債務完済の有無を判断しないのは理由不備である、と攻撃。

「原院ノ認定シタル所ニ依レバ、本件最初ノ売買ハ前ニ説示シタルガ如ク虚偽ノ意思表示ニシテ、其実本件地所ヲ抵当ト為スノ真意ニ出デタルモノニ係リ、又上告人Y_2及ビY_3ハ何レモ其事情ヲ知リテ之ヲ買受ケタルモノナリト云フニ在ルコトハ、判文ノ明示スル所ナリ。故ニ其最初ノ売買ニ仮装シタル意思表示ハ無効ニシテ、之ニ依リテ所有権移転ノ効力ヲ生ズルコトナク、又其無効ハXヨリ之ヲ以テ悪意ノ上告人Y_2及ビY_3ニ対抗スルコトヲ得ルモノナレバ、X及其先代等ガ借用金ヲ支払ヒタルト否トハ原判決ヲ為スニ付キ必要ナラザ

リシヤ自ラ明ナリ。然レバ原院ガ右借用金支払ノ有無ヲ判定セザリシハ当然ノ事ニシテ、本論旨モ其理由ナキモノトス」（大判明三九・一〇・一〇民録一二・一二三二）。

【9】　AがBから五〇円を借用し、建物を「売切抵当」にしたのだが、Bは自己の名義とせず、雇人たるCの名義とした。Aの特定承継人Xから、Cの特定承継人Yに対し、返還を訴求した。建物をCの名義とする行為が信託行為であるか虚偽表示であるかが問題となつた。原審は虚偽表示とする。Y上告し、それは有効な信託行為であると主張。大審院は、債権を確保するために財産を債権者の名義とする場合にも虚偽表示となる場合があることを説き、かつ、抵当権設定の意思ある旨の原審の事実認定がある以上、所有権移転の効果を認めえないとして、上告棄却。

「債務者ガ債権ヲ確保スル為メ其所有財産ヲ債権者ノ所有名義ト為スハ、種々ノ場合アリ。（一）債務者ガ弁済ヲ為サザルトキ債権者ヲシテ容易ニ処分ヲ為スコトヲ得サシムル為メ所有権移転ノ効果ヲ生ゼシムル意思ヲ以テ売買ノ手続ヲ為スコトアリ。或ハ（二）当事者ハ抵当権ヲ設定スル意思ヲ有スルノミナルニ拘ハラズ、売買ヲ為シタルモノノ如ク装フコトアリ。又ハ（三）抵当権ヲ設定スル意思アルニモ非ズ、単ニ債務者ニ於テ随意ニ処分スルコトヲ得ザラシムル為メ若クハ他ノ債権者ノ差押ヲ免ルル為メ、売買ヲ仮装シ債権者ノ所有名義ト為シ置クコト等アリテ、（一）ノ場合ハ当事者ガ所有権移転ノ効果ヲ生ゼシムル意思ヲ以テ売買ノ意思表示ヲ為スモノナレバ、其意思ト表示トハ一致スルモノニテ、信託行為トシテ法律上有効ナルモ、（二）（三）ノ場合ノ如キハ、当事者ニ所有権移転ノ効果ヲ生ゼシムル意思ナクシテ売買ノ意思表示ヲ為スモノナレバ、其意思表示ハ当事者ノ真意ニ副ハザルモノニテ虚偽ノ意思表示ナリ。故ニ原裁判所ガ係争建物ヲCノ所有名義ト為シタルハBノ債権ヲ確保スル為メナルコトヲ認メナガラ、Cノ所有名義トナリタル事由即チ売買ヲ虚偽ノ意思表示ト判断シタレバトテ、毫モ違法ニ非ズ。又証書ノ文意不明ニシテ或意義ニ解スルトキハ何等カノ効力ヲ生ジ他ノ意義ニ解スルトキハ何等ノ効力ヲ生ゼザルガ如キ場合ハ之ヲ効力ヲ生ズベキ意義ニ解釈スベキハ経験上ノ法則ナランモ、事実ノ認定ハ之ト異ナリ単ニ抵当権設定ノ意思アルニ過ギザルモノヲ以テ所有権移転ノ効果ヲ生ゼシムル意思アルモノト為スヲ得ズ。原裁判所ガCノ係争建物ノ所有名義人タリシ事由ヲ仮装ノモノト為シタルハ、畢竟其当事者間ニ該建物ヲ抵当ト為ス意思アリタルニ過ギザルコトヲ認メタルガ故ニ外ナラズ」（大判大三・一一・二〇民録二〇・九六七）。

【10】 Xは Yに対し、売買による所有権を主張し、単純な売買でなく、売買の名をかりた担保（売券担保）だとしても、Yが債務を弁済しない以上は、Xは所有権を主張しうるとして、所有権に基く物品の引渡を訴求した。原審は、当事者に「権利移転ノ意思」なきものと認め、「単純ナル売買ノ成立セザルハ勿論、権利移転ノ意思ヲ必要トスル所謂売渡担保モ亦成立スルノ理ナキ」ものとして、Xの主張を排斥。Xは上告して、少なくとも売券担保は認められるべきではないかと反論したが、大審院は事実認定の問題だとして、上告を棄却。

「取引上其所有名義ヲ移転スルコトニ依リテ或財産ヲ債務ノ担保ニ供スルハ現今屢々行ハルル所ニシテ、其取引ノ法律的性質ハ常ニ必ズシモ一定スルモノニアラズ。或ハ担保ニ供シタル財産ノ処分ヲ容易ナラシムルコトヲ目的トスル当事者間ノ信託行為ニ基因スルコトアリ。或ハ買戻ノ約款ヲ付シタル一種ノ売買契約ニ因由スルコトアリ。或ハ当事者ノ真意ハ其財産ヲ質物又ハ抵当物トスルニ在ルモ、事実上債権者ノ権利ヲ確保スル為メ、恰カモ其財産ノ売買アリタルモノノ如ク仮装シタル所謂虚偽ノ意思表示ニ過ギザルコトアリ。第一ノ場合ニ於テハ財産ノ所有権ハ第三者ニ対スル関係ニ於テ所有名義人トナリタル債権者ニ移転スルモ、当事者間ニ於テハ之ヲ担保ニ供シタル債務者又ハ第三者ニ於テ其所有権ヲ保有シ、第三ノ場合ニ於テモ亦当事者間ノ虚偽ノ意思表示ガ法律上其効力ヲ生ゼザル結果、担保提供者依然トシテ其権利ヲ有シ、唯善意ノ第三者ニ於テ所有権ノ債権者ニ移転シタルコトヲ主張スルコトヲ得ルニ止マル。故ニ当事者間ニ於テ完全ニ所有権移転ノ効果ヲ生ジ債権者ガ債務者又ハ第三者ニ対シテ其所有権ヲ主張スルコトヲ得ルハ、独リ第二ノ場合ニ限定セラルルモノナルヲ以テ、債務者ガ其所有財産ノ名義ヲ移転スルコトニ依リテ之ヲ其債務ノ担保ニ供シタル事実アリトスルモ、債権者ハ常ニ必ズ其財産ノ所有権ハ自己ニ移転シタルモノト主張スルヲ得ズ。従ヲ裁判所ハ前段ノ事実ヲ肯定スルニ依リテ後段ノ事実ヲ認定セザルベカラザル責務アルコトナク、却テ当事者ノ意思ハ第二ノ場合ノ如ク絶対ニ所有権ヲ移転スルニ在ルヤ、若クハ第一及ビ第三ノ場合ノ如ク之ヲ移転セザルニ在ルヤヲ確定スルハ、其職権上為サザルベカラザルノ債務アルモノナレバ、原院ガ本件ノ訴訟ヲ断ズルニ当リ、其判文ニ掲グル証拠ヲ綜合考覈シテ、当事者ニ於テ真実本訴目的物ノ所有権ヲ移転スルノ意思ナカリシ事実ヲ確立シテ、Xノ所有権ヲ否定シ敗訴ヲ言渡シタルハ相当ニシテ、上告論旨ハ其理由ナシ」（大判大一・一〇・七民録一八・八一五）。

この種の構成は次のような結果をみちびくものであることに、注意すべきである。

第一に、それは、虚偽表示の適用によつて、債権者の『所有権』を否定するものである（この点は、すぐ後に掲げる判例が、売買の形式をとる譲渡担保を虚偽表示と信託的譲渡との結合とみる結果、債権者の『所有権』を否定しないことと、対照せよ）。

第二に、それは、目的物が不動産である場合には隠匿行為として『抵当』を認定するであろうから、抵当直流の禁止された時代にあつては、弁済期限の経過によつて当然に所有権を確定的に債権者に帰属させる趣旨の譲渡担保当事者間の特約は、これを無効とすることになる（大判明三四・一二・二〇（後出【14】）、大判明四四・四・一五（後出【15】））。

第三に、それは、目的物が動産である場合には隠匿行為としておそらく『質』を認定するであろうから、占有改定または流質約款をともなう譲渡担保は、売買の仮装によつて、設定者による代理占有を禁止し・流質契約を禁止する民法三四五条・三四九条を回避しようとする脱法行為だ、との烙印をおされることになる可能性がある（たとえば、大判大五・九・二〇（後出【20】）は、質または抵当と同一の効果を発生させるために所有権の移転を仮装したものとみるべきでないことを理由として、設定者の代理占有を民三四五条の脱法行為でない、としている。その裏を考えよ）。

なお、この時代の判例が、当事者の真意の有無——したがって虚偽表示となるか否か——の認定は『事実問題』だとしていることも、注目に値する。たとえば、大判大三・一一・二〇(前出【9】)や大判大一・一〇・七(前出【10】)は、債権を担保するために財産を債権者の所有名義に移転する行為は理論上虚偽表示となることがありうるが、それは当事者の真意の有無によって決まることであり、そして当事者の意思の認定は事実の決定である、という理論のもとに、虚偽表示となるか否かの決定は事実審の専権に属するものとしているのである。

(三)　虚偽表示と信託的譲渡の結合とみる判例　上に述べた諸判例は、当事者の行為を全体的・実質的に観察することをしないで、法律上の形式たる「売買」と経済的目的たる「担保」とを別々に捉え、前者を虚偽表示、後者を隠匿行為と見るものであるが、このような判例と入りまじりながら、事態をもっと実質的に考察して次のような構成をとる判決も見られる。

それは、東京控判明四五・三・一四【11】が示したような、虚偽表示と信託的譲渡との結合とみる構成である。大判大五・一〇・一〇【12】が、当事者の意思は買主に一たん移った不動産登記の抹消を債務の弁済にかからせることにあるのだから、売買が虚偽表示で無効であっても、売主は登記の抹消を請求することはできない、とするのも、結局は、同じ趣旨に帰着するであろう。

【11】　Yは、その土地を売買名義でXの所有名義に移したが、それは、Xに対する債務を担保するためであり、また、XがYのためにA銀行から融資を受けるについて抵当権を設定する必要があることや、Yが債権者から差押等を受けるのを予防することを考えたためであった。Yは目的物を賃借する形をとっていたが、

Xから賃貸期限満了による明渡を訴求。本判決は、虚偽表示を理由として、Xを敗訴させた。上告審判決は【13】＝【24】。

「Yハ債権者ノ差押ヲ予防シ且ツA銀行ニ対スル抵当権設定ノ都合上、Xノ所有名義トナシ、当事者間ニ於テモ所有権移転シタル者ノ如ク装ヒタルハ、当事者相通ジテ為シタル虚偽ノ意思表示ニシテ無効ナレバ、又当事者間ニ於テハ所有権移転ノ効力ヲ生ゼザルモノトス。果シテ然ラバ、甲第六号証ノ買戻契約及ビ甲第一号証ノ賃貸借契約ハ、一方ニ於テハ右担保ノ為メニスル信託的譲渡ノ目的ヲ達セシムル一方法トシテ之レヲ為シ、他ノ一方ニ於テハ虚偽ノ意思表示ヲ蔽フ為メニモ之レヲ為シタルモノト認ムルヲ相当トス。何ントナレバ、売買契約ト買戻契約トヲ併セテ締結シタルトキハ、債権ノ消滅ヲ来サシメザル以上ハ、債権ヲ担保スル目的ヲ以テ之レヨリモ著大ナル効果ヲ有スル権利移転ヲ為シ且ツ債権弁済ノ場合ニ容易ニ之レヲ復旧スルコトヲ得ベキモノニシテ、能ク信託的譲渡ニ因ル担保ノ目的ヲ確実ナラシムルコトヲ得ベク、又買戻期間内賃貸借契約ヲ結ビ利息ニ相当スル金額ヲ賃料トシテ（甲第一号証ニ所謂賃料ニハ利息ノ外公課ヲ含ムコト後段説明ノ如シ）債務者ヨリ支払フトキハ、債権行使ノ方法ニ於テ遺憾ナキヲ以テ、本件当事者モ斯カル信託的譲渡ヲ為スノ意思ヲ有シ之ヲ為シタルモノニシテ、只之レ慣熟セザル結果、尚ホ之レヲ確実ニスル方法トシテ買戻契約及ビ賃貸借契約ヲ為シタルモノト解スベク（実ニ此二個ノ契約ヲ為サザルモ信託的譲渡ノミニテ担保ノ目的及ビ債権行使ノ目的ヲ達スルニ十分ナリト雖ドモ法律生活ニ熟セザル当事者ガ杞憂ヲ抱キテ之レヲ為シタルモノナリ）……」（東京控判明四五・三・一四新聞七八五・二二、評論一民法一四七）。

【12】　XはYに対する債務を担保するため、売買名義で不動産の登記をYに移した。Xからの登記抹消請求を、原審は、売買契約が虚偽表示だとの理由で容認。Y上告して、本件不動産が売買されたのではないとしても、「売渡抵当」として、少なくとも当事者間で内部的効力を有し、Xが弁済しない以上は登記抹消請求権は発生しないはずだ、と主張。大審院は上告を容れて破毀。

「原院ハXガYニ対シ負担スル債務ノ弁済ヲ確保スルノ方法トシテ当事者間ニ本件不動産ノ虚偽売買ヲ為シ

ソノ登記ヲ為シタルモノト認定シタリ。此認定ニ依レバ当事者ノ意思ハ名ヲ売買ニ藉リテ本件不動産ノ所有権ヲ移転シタルモノノ如ク装ヒ以テ其登記ノ存置ヲ以テ弁済確保ノ方法ト為スニ在ルモノト解シ得ベク、果シテ然ラバ当事者ノ意思ハ登記ノ抹消ヲ債務ノ弁済ニ繋ラシムルニ在ルガ故ニ、Xハ単ニ売買ガ虚偽ノ意思表示ニシテ無効ナリトノ理由ヲ以テ登記ノ抹消ヲ請求スルヲ得ザルモノトス。然ルニ原院ガ此理由ニ依リテYニ登記ノ抹消ヲ命ジタルハ自ラ認定シタル契約ノ趣旨ニ副ハザルモノニシテ理由矛盾ノ不法アルモノトス」（大判大五・一〇・一〇新聞一一八二・三〇）。

ここにはじめて、売買は虚偽表示とされつつも、隠匿行為の内容を信託的譲渡と見ることによって、債権者の『所有権』が確保され、譲渡担保によって当事者が達成しようとした目的（法的意図も含めて）が実現されうることになる。ここでは、虚偽表示の適用は『売買』という余計な causa を洗い落とす役割をいとなんでいるといえよう。

（四）　虚偽表示論の克服　上の東京控判明四五・三・一四（前出【11】）に対する上告審判決たる大判明四五・七・八【13】は、傍論ながら、控訴審判決の右の構成について、ひとつの売買行為を一面では信託的譲渡として有効と認め一面では虚偽表示として無効だと判示したのは、矛盾である、と批評し、信託行為の一種としての「売渡抵当」が成立するにすぎないと断定している。

【13】　【11】の上告審判決。本判決は、原審が虚偽表示とする部分を排斥したが、結局は、設定者（Y）が内部関係では所有権を保有すると説いて（外部的移転説）、原審の結論を支持している（この部分については後出【24】参照）。

「原院ハ係争ノ売買行為ヲ以テ売渡抵当即チ債権担保ノ為メニスル信託的譲渡及抵当権ノ設定並ニ差押予防

ノ目的ニ出デタル仮装的売買ノ二箇ノ意思表示ヲ包容スルモノト為シタルガ如シ。然リト雖モ、信託的譲渡ハ有効ノ法律行為ナルニ反シ、仮装的売買ハ無効ノ法律行為ニシテ、共ニ所有権移転ノ内容ヲ有スル此二箇ノ意思表示ハ互ニ矛盾シ到底両立スルコトヲ得ザル筋合ナルガ故ニ、原院ガ係争ノ売買行為ヲ以テ一面ニ於テハ信託的譲渡トシテ有効ナリト認メ、一面ニ於テハ虚偽ノ意思表示トシテ無効ナリト判示シタルハ、条理ニ反シ其当ヲ得タルモノニ非ズ。然レドモ、原院ノ此説明ハ係争ノ売買行為ヲ以テ如何ナル法律行為ト解スベキヤニ関スル法律上ノ見解ヲ示セルモノニシテ、縦令其解釈ニ正鵠ヲ得ザルモノアリトスルモ、其結果ニ於テ正当ノ解釈ト一致スルニ於テハ、結局相当ナルヲ失ハズ」（大判明四五・七・八民録一八・六九一）。

大判大八・一二・九（前出【2】）は、さらにその矛盾する理由をくわしく説明して「担保ヲ目的トスル信託行為ハ一面与信者（原文のまま）ヲシテ金員融通ノ途ヲ容易ナラシメ、他面受信者（原文のまま）ヲシテ債権ノ効力ヲ保全シ其弁済ヲ確実ナラシメントスルニ在ル」から、「担保物ノ処分及ビ優先弁済ノ効果」は確定的でなくてはならず、もし虚偽表示で所有名義を仮装するにすぎないなら、「弁済期ノ経過スルモ所有権ノ受信者（原文のまま）ニ移転スル為メニハ更ニ譲渡ノ意思表示ニ伴フ登記又ハ引渡ノ手続ヲ必要トスル」はもちろん、なお「担保物件ヲ処分スルニ当リテモ常ニ買受人ノ意思ノ善悪ニ依リ処分及ビ弁済ノ効果ニ動揺ヲ生ジ」、信託行為の目的を達しえなくなる、と述べている。

すなわち、虚偽表示を否定する判例は、『売買』を虚偽表示とすれば、売買にともなう『所有権移転』が否定され、譲渡担保の重要な構成要件が失なわれることになる、というのである（浜上「譲渡担保の法的性質」阪大法学一八号四五頁も、売買の登記がなされた場合には売買の登記は虚偽表示として無効であるとされるが、隠匿行為たる譲渡担保については《授権》的構成をとられるので、【2】や【13】の判決の非難はこれには当たらないわけである）。かようにして、譲渡担保は、売買の形式をとる場合にも、譲渡担保それ自体として把握されることになつたのである（以上の判例のほかに、

「売切抵当」「売渡抵当」が虚偽表示でない旨を傍論的にもせよ説くものは、少なくない。たとえば大刑判大三・七・七刑録二〇・一四三一、大判大三・一一・二(後出【18】)。

かようにして、虚偽表示と抵当または質の結合として構成された、売買の形式をとる譲渡担保は、単純な譲渡担保として構成し直されることになつたのであるが、このことは、債権担保のために財産権の売買が行なわれた場合に『虚偽表示』を認定するか否かの問題が、事実審の専権に属する事実問題(二(二)末段参照)ではなく上告審によつて判断されうる法律問題であることを、示すものということができよう。

二　脱法行為として無効か

(一)　ドイツの普通法時代における判例は、はじめ、譲渡担保のあるものについて、動産質に関する流質約款の禁止または占有改定の禁止を潜脱しようとする脱法行為だとして、その効力を否定しているが(四宮「信託行為と信託」法協五九巻四号五九〇頁)、わが国の初期の判例には、この点を問題とするものは少なくないけれども、無効としたものは見当たらないようである。ただ、かえつて、不動産を目的物とする譲渡担保について、民法施行前の抵当直流の禁止を適用するものが見られるにすぎない。

(二)　不動産の場合　すでに述べたように(二(二))、初期の判例は、売買の形式をとる譲渡担保を売買の虚偽表示と真意ある抵当または質とに分解する傾向にあつた。ところで、明治六年二月一四日太政官布告五一号および同年三月二七日司法省布達四六号は、明治五年二月一五日以前の取引にかかる分を除き、流地処分または抵当直流を禁止し「羅売ノ手続」を要求していたので、大審院判決録頭初のものには、この禁止を譲渡担保に適用するものが、少なくない(大判明二九・一二・九民録二・一一・五八、大判明三一・一〇・一二民録四・九・二五、大判明三四・一二・

二〇【14】、大判明四四・四・一五【15】）。

【14】　債務者は債務の一部につき建物を書入抵当とし、残部について宅地を「売切抵当」にし、売買を仮装して登記。債権者は売買であると主張し、債務者は、債務を弁済すれば返還請求しうる旨主張。

「原判決末段ノ理由ハ是亦法律ヲ不当ニ適用シタル不法ノ裁判ナリトス。如何トナレバ、売買ハ仮装ニシテ其実抵当貸借ノ契約ナリトスレバ、貸借ノ法則ヲ適用スベキモノトス。然ルニ、原判決ノ認ムル如ク、借用金ノ弁済ガ其期限ヲ失シタルトキニハ直チニ売買ノ効力ヲ確定セシムルコトヲ当事者間ニ於テ予メ約定シタルモノト為ストキハ、恰モ期限ニ弁済ヲ怠ルトキハ抵当物件ヲ以テ弁済ニ充ツベシト云フ如キ契約ハ裁判上有効ノ契約ト認メザリシ慣例ナリシヲ以テナリ」（大判明三四・一二・二〇民録七・一一・六五）。

【15】　Xは、Yに対する債務を担保するために土地を売買する形をとつた。Yが第三者に売却。Xは、所有権は自分にあると主張し、Yの行為を不法行為として、損害賠償を請求。Yは、これは、仮装売買の形で抵当権を設定し、弁済期徒過とともに当然に所有権をYに移すことを約したゆえに、Xが弁済を怠つた以上自分が所有権を取得しており、譲渡しても不法行為にならぬ、と抗弁。

「原院ノ確定セル所ニ依レバ、明治二六年若クハ同二七年中ニ於ケル当事者間ノ本訴ノ地所ノ売買ハ信託的行為ニ非ズ。全ク虚偽ノ意思表示ニシテ其真意則チ契約ノ本旨ハ、債務ノ弁済ヲ確保スル為メ該地所ノ上ニ抵当権ヲ設定シ、債務者タルX等ニ於テ元金返済ノ期限若クハ利息払入ノ期限ヲ怠リタルトキハ抵当地ノ所有権ヲ当然債権者タルYニ移転シテ債権関係ヲ消滅セシムルニ在リシ者ナレバ、当事者間ノ契約ハ抵当直流ト為スノ合意ナルコト更ニ言ヲ俟タズ。而シテ民法施行前ニ於テ斯ノ如キ契約ヲ条理上許スベカラザルモノトシ有効ノ契約ト認メザリシコト、本院ノ判例トスル所ナリ（明治三〇年（オ）第一三三号同年一二月八日言渡、明治三三年（オ）六〇〇号明治三四年一二月二〇日言渡）。然ルニ原院ガ民法施行前ニ於ケル当事者間ノ前示契約ヲ法律上有効ナリト判定シタルハ不法……」（大判明四四・四・一五民録一七・二三二）。

判例は、しかし、すでに明治の終りに民法上一般の流抵当を有効とした（大判明四一・三・二〇民録一四・三一三）。しかも、流質禁止の規定（民三四九条）さえ動産の譲渡担保に拡張すべきでないとされるのであるから（三二(2)参照）、まして、流抵当禁止の規定のない抵当権に準ずべき不動産の譲渡担保においては、流担保の許されるであろうことは、明らかであつた。次の大判大一〇・一一・二四【16】は、簡単ながら、これを確認した。

【16】Xは Yから借金し、担保として不動産を売買形式で移転し、登記した。そして、期限内に元利を支払わないと、対内関係ではXが留保している不動産をYに移転して債権を消滅させる約束をした。Xは期日までに弁済せず、Yは完全に所有権を取得したとして、Xとその母とが住んでいたその家を他に貸しつけた。Xは自己の所有権を主張し、Yに対して移転登記を訴求。Yは抗弁として、期間内にXが元利金を支払わないと、目的物を債務額に見積り、その代金を弁済に充てるべき約旨であり、したがつて期間の経過により所有権は当然にYに確定的に帰属したと主張。原審はYの主張を認めたので、X上告し、一、本契約は流質を禁止する民法の精神に反する。二、担保物の価格いかんによつては、利息制限法に反する、と主張した。上告棄却。第二点については後出【50】参照。

「原審ニ於テ採用シタル……ノ証言トX等ガ所有権移転登記後モ本件家屋ニ居住シ居タルコト並ニ弁済期限後本件家屋ガYノ管理ニ属シ同人ニ於テ之ヲ他ニ貸付ケ居タルコトノ、各当事者間ニ争ナキ事実トヲ綜合考覈スレバ、XハYニ対シ売買ノ形式ニ依リテ本訴不動産ヲ債権ノ担保ニ供シ、弁済期限経過後ハXニ於テ留保シタル該不動産ノ所有権ヲYニ移転シテ本債権ヲ消滅セシムル所謂代物弁済ヲナス旨趣ノ契約存在シタルコトヲ認メ得ラレザルニ非ズ。（中略）本訴契約ハ売渡担保ノ目的ニ供シタル不動産ヲ期限後ハ代物弁済トシテ其所有権ヲ移転スルノ約旨ナルコトハ、前点説明スル如クニシテ、当事者間ニ於テ斯ノ如キ法律関係ヲ設定スルコトハ法ノ禁ズル所ニアラズ」（大判大一〇・一一・二四民録二七・二一六四（田中誠二・判民一八七事件））。

流れ担保の特約が許されるとすれば、債務不履行のときは譲渡担保権者が任意に売却処分し、債務の弁済に充当できる旨の契約が、有効なのは、いうまでもない。次の大判昭一八・三・二六【17】は、右の特約を民法三四九条に違反するものでもないし、公序良俗にも反しないとしているが、もとより当然のことである。

【17】「原審ハ、上告人ガ訴外Aヨリ金四百円ヲ借受クルニ際リ、該債権担保ノ為本件土地ノ所有権ヲ右Aニ譲渡スルト同時ニ、若シ弁済期ニ右債務ノ履行ナキトキハAニ於テ前示土地ヲ任意他ニ売却処分シ其ノ代金ヲ貸金ノ弁済ニ充当シ得ベキ旨契約シタリトノ事実ヲ認定セルモノナルコトハ、原判文上洵ニ明白ナルガ故ニ、右契約ハ民法第三四九条ノ禁止規定ニ違反セザルハ勿論、固ヨリ所論ノ如キ公ノ秩序又ハ善良ノ風俗ニ反スル事項ヲ目的トスル法律行為ヲ以テ目スベキニ非ズ」（大判昭一八・三・二六法学一二・七八三）。

（三）　動産の場合

(1)　無占有質禁止規定との関係　民法は動産については無占有質を禁止している（三四四条・三四五条）ので、動産の譲渡担保において設定者が目的物を現実に占有する場合には、譲渡担保はこれらの規定を潜脱する脱法行為とならないかが、まさに問題となるであろう。

わが民法は、スイス民法のように譲渡担保における占有改定を禁止する規定――占有質の規定を回避する目的で、物が譲渡人にとどめられるときは、所有権の譲渡は第三者に対しては無効である、という趣旨の規定（七一七条）――をもつわけではないから、ことはもつぱら解釈の問題である。この点に関し判例は、こぞつて、これらの規定とくに民法三四五条の適用がない旨を力説している（大判大三・一一・二【18】、大判大五・七・

二【19】、大判大五・九・二〇、【20】、大判大六・一一・一五【66】)。売買形式をとる譲渡担保を虚偽表示と質または抵当との結合とみた古い判例の理論(一(二)参照)をすでに克服していたことも、譲渡担保について質に関する規定の適用を排斥するのに役立っていることに(大判大五・九・二〇【20】)、注意すべきである。

【18】　AはXに建物および動産を「売渡抵当」とした。Aの債権者Yがその動産を差押えたので、Xは動産の所有権を主張して異議の訴を提起。原審は「売渡抵当」は不動産については有効だが、動産の売渡抵当は脱法行為で無効だから所有権はXに移転しない、とした。X上告。後出【122】と同一判決。

「民法ニ於テハ不動産ニ付テハ抵当権ノ設定ヲ認ムルモ動産ニ付テハ之ヲ認メズ、債権担保ノ為メ動産上ニ設定スルヲ得ベキ物権トシテハ単ニ質権ヲ認ムルニ過ギザルコト、原院判示ノ如シト雖モ、質権ノ設定ニハ債権者ニ其目的物ノ引渡ヲ為スコトヲ要シ、質権者ハ質権設定者ヲシテ自己ニ代リ質物ノ占有ヲ為サシムルコトヲ得ザルガ故ニ、動産ヲ以テ担保ト為スニ非ザレバ金銭ヲ借入ルルコト能ハザル者ガ其動産ヲ占有シテ之ヲ利用スルノ必要アルトキハ質権ヲ設定スルニ由ナシ。此ニ於テカ債務者ハ其動産ヲ債権者ニ売渡シ置キ、若シ債務ヲ弁済セザルトキハ債権者ニ於テ之ヲ処分シテ弁済ニ充当スルヲ得ルコトトシ、即チ債権ヲ担保スル為メ所有権移転ノ効果ヲ生ゼシムル意思ヲ以テ売買譲渡ヲ為スハ、経済上ノ必要ニ因リ通常世間ニ行ハレ、俗ニ売渡抵当ト称セラルル信託的行為ニシテ、目的物ノ不動産タル場合ト同ジク法律上有効ナルコト本院判例ニ於テモ是認スル所ナリ（明治三九年(オ)第三七六号同年一〇月五日言渡、明治四五年(オ)第一三二号同年七月八日言渡、明治四五年(オ)第一六六号大正元年一〇月七日言渡判例参照)。蓋シ斯カル場合ニ於テ当事者ノ目的トスル所ハ債権ヲ担保スルニ在ルモ、担保ノ方法トシテ所有権移転ノ効果ヲ生ゼシムル意思ヲ以テ売買譲渡ヲ為スモノナレバ、其意思表示ガ虚偽ニ非ザルハ勿論ナルノミナラズ、質権抵当権若クハ其他ノ物権ヲ設定スル趣旨ニ出ヅルモノニモ非ズ。又斯カル行為ヲ禁ズル所ノ法規アルニモ非ザルヲ以テ、之ヲ無効ト為スベキ理由ナケレバナリ」（大判大三・一一・二 民録二〇・八六五）。

【19】　XはAに対する債権の担保として動産を譲渡担保にとり、Aに占有させていた。Aの債権者Yがこれを差押えたので、Xが異議の訴を提起。原審がこれを認めたので、Y上告し、一、担保動産を債務者に占有させるのは民法三四四条・三四五条に反して無効である。二、Xは債務不履行によってはじめて目的物の交付を受けうるにとどまり、しかも物の返還を目的とする債権関係もないから、間接占有も有せず、したがつて、所有権について対抗要件を備えないはずだ、と主張した。第二点については、後出【45】参照。

「売渡担保ニ因ル信託的所有権譲渡行為ハ、当事者間所有権移転ノ形式ニ従ヒ少クトモ第三者トノ関係ニ於テ所有権移転ノ効果ヲ生ズル方法ニ依リ債権担保ノ目的ヲ達セントスル意思表示ニシテ、所謂質権設定ノ如キ毫モ斯ル効果ヲ示サザルモノト異ナルヲ以テ、民法第三四四条、第三四五条ノ適用ヲ受クベキ行為ニアラズ」（大判大五・七・一二 民録二二・一五〇七）。

【20】　Yは債権者Xに家屋と動産を「信託売買」し、Xから賃借し、借用金と賃料を弁済期限までに支払えばXはYの買戻の請求に応じ目的物をYに売りもどすべき旨、賃料不払一月以上に及べばXは即時に賃貸借を解除しうる旨を特約。Y賃料を払わず、Xは賃貸借を解除、家屋の明渡・動産の返還を請求。原審は内外共移転を認定してXの請求を支持。Yは、上告して、一、譲渡担保は当事者間では質にすぎず、民法三四九条、三四五条に反する。二、原審が内外共移転を認定したのは、信託行為の効力はその目的によつて定めるべきであるという法則に反するものである、と主張。

「当事者間ニ於テモ所有権移転ノ効果ヲ発生セシムル趣旨ヲ以テ信託売買ヲ為シタル場合ニ於テハ、債権者ガ其売買ノ目的物ヲ債務者ニ賃貸シ賃借料ヲ収ムルガ如キ、債務者ガ弁済期ニ至リ其債務ヲ弁済セザル場合之ヲ処分スルガ如キハ、何レモ所有権行使ノ当然ノ結果トシテ固ヨリ適法ナルノミナラズ、如上信託売買ノ場合ニ於テハ、当事者ノ意思真正ニ所有権ヲ譲渡スルニ在リテ、単ニ質権又ハ抵当権設定ノ場合ト同一ノ効果ヲ発生セシメンガ為所有権ノ移転ヲ仮装シタルモノト観ルベキニ非ザルガ故ニ、債権者ガ債務者ヲシテ其債務弁済ニ至ル迄右売買ノ目的物ヲ自己ニ代リ占有セシムルモ民法第三四五条ノ禁止規定ノ適用ヲ避脱センガ為メニスル不正行為ヲ以テ目スベキモノニ非ズ。」

「債権担保ノ目的ヲ以テスル信託的所有権譲渡行為ニ在リテハ、第三者トノ関係ニ於テノミ所有権移転ノ効果ヲ発生スベク、当事者内部ノ関係ニ於テハ同一ノ効果ヲ発生セザルモノト為スヲ通常トスト雖モ、当事者間特別ノ意思表示ヲ以テ外部関係ニ於ケルト共ニ内部関係ニ於テモ所有権ヲ移転スベキモノト為スヲ妨ゲズ。蓋シ債権担保ノ為メニスル信託売買ハ債務者ガ其債務ノ弁済期ニ至リ之ガ履行ヲ為サザル場合ニ於テ、債権者ヲシテ容易ニ売買ノ目的物ヲ処分シ之レニ依リテ完全ナル弁済ヲ受クルヲ得セシメンガ為メニ為スモノニ外ナラザレバ、此目的遂行ノ便宜ノ為メ当事者間ニ於テモ所有権移転ノ効力ノ発生スベキモノト為スガ如キハ其有効ナルコト、契約自由ノ原則ニ照シ毫モ疑ヲ容レザレバナリ」(大判大五・九・二〇民録二二・一八二一)。

けだし、質権における占有改定禁止の規定(民三四五条)は、質権の留置的作用(債務者からとくに使用価値のある物をとりあげて、弁済を間接に強制する作用)に基くものと解すべきであるが、譲渡担保においては、債権者は、はじめからこの留置的作用のない担保手段を得ようというのであるから、民法三四五条の規定とはなんらの関係もないといわなければならない。のみならず、目的物の利用を依然として担保提供者のもとにとどめながらそれを金融手段として利用するということは、現代における生産信用においては、もっとも合理的な要求にほかならないのである(これらの点を指摘するは、我妻「判例売渡抵当法」松波還暦四四二頁註一六)。

(2)　流質禁止規定との関係　譲渡担保においては、債務者が債務を弁済しないと、譲渡担保権者は完全に目的物の所有権を取得し、しかも債権額との間に清算を行なわない趣旨の定めがなされることが少なくない。目的物が動産である場合には、かような趣旨の特約は、流質契約を禁止する規定（民三四九条）を潜脱するものとして、無効とすべきでないかが、問題となる。

この問題についても、判例は譲渡担保に対する民法三四九条の適用を否定している（大判大八・七・九【21】、大判大一〇・三・二三【22】、大判昭二・一二・二四（後出【99】）等）。

【21】 電話加入権の「売渡担保」で、債務者が一定期日までに元利金を弁済しないと加入権は完全に債権者に移転し、債務者はその使用権の返還を請求する権利を失なう旨の特約の効力が問題となる。原審は有効と判示。後出【94】と同一判決。

「上告代理人ハ動産又ハ本件電話使用権ノ如キ債権ヲ担保ノ目的ト為スニ当リ叙上ノ如キ特約ヲ為スハ民法第三四九条流質契約禁止ノ法規ヲ潜脱セントスル脱法行為ナリト論述スルヲ以テ、進デ此点ニ付キ審按スルニ、若シ動産又ハ債権ヲ担保ノ目的ト為サントスルニハ民法ニ規定セル質契約ヲ以テスルノ外絶対ニ他ノ方法ニ依ルコトヲ禁止スルノ法意ナリトセバ、叙上ノ特約ハ或ハ民法第三四九条流質契約禁止ノ法規ヲ潜脱スルノ行為ト称スルコトヲ得ベシト雖モ、担保ニ供スルノ目的ヲ以テ動産ノ所有権ヲ移転シ又ハ債権ノ譲渡ヲ為スノ行為ハ金融ヲ計ルノ一方法トシテ社会経済ノ必要上従来広ク世上ニ行ハルル所ニシテ、之ヲ民法ノ規定ニ徴スルモ這種ノ契約ヲ無効タラシメザルベカラザルノ理由アルコトナシ。加之民法第三四九条ハ唯質権ニ関スル規定ニシテ現ニ抵当権設定ノ場合ニモ其適用ナキコトハ疑ヲ容レザル所ニシテ、即チ同法条ハ之ヲ以テ広ク担保ニ関スル一般的禁止規定ヲ設ケタルモノト解スルコト能ハザルガ故ニ、該法条ヲ援用シテ直ニ本問売渡担保ノ効力ヲ云為セントスルハ妥当ナル見解ト云フヲ得ズ。之ヲ要スルニ、担保ノ目的ヲ以テスル動産ノ売渡又ハ権利ノ譲渡ヲ一種ノ信託行為トシテ其効力ヲ是認スル以上ハ、当事者ノ自由意思ヲ以テ弁済期限ヲ経過シタル場合ニ於ケル担保物件返還請求権ノ喪失ニ関スル叙上ノ特約ヲ為スコトヲ妨ゲザルモノト解スルハ当然ノ帰結ナリト云ハザル可カラズ」（大判大八・七・九民録二五・一三七三）。

【22】 Aは、自己所有の鉱山に備えつけたレール・パイプ等の機具を債権者Xのために「売渡担保」とし（X占有）、Aが弁済期を徒過すればXは所有権を完全に取得し、Aはもはや債務を弁済して返還を請求することができない旨を、特約した。弁済期徒過後、Aは第三者Yに、YがAのXに対する債務を支払えば目的物をYに売渡すべき旨を約した。Yは債務額を供託し、目的物の引渡を受けるため鉱区の明渡仮処分を申請し、Aを代理人として立ち会わせ、執達吏に明渡を執行させた。XからAの使用者としてのYに損害賠償を訴求。仮処分命令執行の際、目的物がすでにXに属していたか否か、したがって流質約款の効力が問題となる。

「民法第三四九条ハ質権ニ関スル規定タルニ止マリ、一般ノ担保ニ関スルモノニ非ザレバ、動産ノ売渡担保ニ於テ担保物ノ所有権ガ外部関係ニ於テノミ債権者ニ移転スル場合ト雖モ、当事者ガ特約ヲ以テ弁済期限ヲ経過シタルトキハ債権者ハ其物ノ所有権ヲ完全ニ取得シ債務者ハ爾後其物ノ返還ヲ請求スルコトヲ得ザル旨ヲ約シタルトキハ期限経過ニ依リ債務者ハ返還請求権ヲ喪失ス可キコトハ当院判例ノ認ムル所（大正八年七月九日第三民事部判決）ニシテ、如上ノ特約アルトキ弁済期限ノ経過ト共ニ債権者ガ担保物返還ノ義務ヲ免ルルハ敢テ其所有権ガ内外共ニ債権者ニ移転シタル場合若クハ担保ノ目的物ガ不動産ナル場合ニ限定ス可キモノニアラズ」（大判大一〇・三・二三民録二七・五七〇（末弘・判民四四事件））。

右の大判大八・七・九【21】は、その根拠として、動産または債権を担保の目的とするのに民法の質によらなければならない理由なく、そして、質に関する規定（民三四九条）がひろく担保一般に適用されるとは解されないことを、指摘している。けだし、動産譲渡担保に対する近代経済界の需要を無視することは許されず、しかも、質についてさえ当否を批判されている流質契約禁止規定は、近時の経済界における動産金融にこれを無条件に適用すべきものではないのである。

かように、とくに質について暴利行為を禁止しようとする流質契約禁止規定は、流質契約の禁止というそのままの形では、譲渡担保に適用すべきではない。しかし、譲渡担保においても、流れ担保契約がたまたま公序良俗違反禁止という一般条項にふれる程度の暴利行為となる場合には、民法九〇条によつて無効とされなければならない（これは動産を目的とする場合であると不動産を目的とする場合であるとを問わない）。この点については、すぐ後でふれるであろう（五参照）。

三　物権法定主義に反して無効か

一般に、譲渡担保は、法律の認めない新たな担保物権として、物権法定主義（民一七五条）に反し無効となるであろうか。

大判明三九・一〇・五【23】は、債務を担保するために石炭を売買名義で債権者の所有に移した場合に関し、当事者は債権の担保として売買名義をかりて動産の所有権を移し、弁済があれば回復しうる旨の約束をしたうえで、目的物の占有を債権者に移さなかつたものであつて、動産について法定以外の物権を設定したものではない旨を、判示している。

【23】　AはXに対する債務を担保するため石炭を売買名義でXの所有に移し、YがAの連帯保証人となつた。石炭の一部滅失のためXはYに弁済を請求。Yは、Xに動産質権を取得させるAX間の契約は物権法定主義に違反して無効だと主張。

「当事者ノ意思ニ依リテ法定以外ノ物権ヲ設定スルヲ得ザルコトハ法ノ明定スル所ニシテY所論ノ如シト雖モ、原院ハ本件当事者間ニ於テ係争ノ石炭ニ付法定以外ノ物権ヲ設定シタリト判示シタルニ非ズシテ、本件ノ石炭ハAガXヨリ借リタル金員ノ担保トシテ売買名義ヲ以テ仮リニXニ其所有権ヲ移シXニ対シ貸金ノ弁済アリタルトキハ之ヲAニ回復スルコトノ約定アリタルモAガ石炭ノ占有ヲXニ移サザル事実ヲ認メタルノミ。而シテ債務者ヲシテ債務ノ履行ヲ確実ナラシムル為メ売買名義ヲ以テ担保物ノ所有権ヲ一時債権者ニ移スガ如キ契約ハ法ノ禁ズル所ニ非ザルモノニシテ、此法律関係ノ名義ハ売買ナルモ其実一種ノ担保タルニ過ギザルモノニシテ固ヨリ法定ノ質権ニ非ザルヤ疑ナシ」(大判明三九・一〇・五民録一二・一一七二)。

譲渡担保は、実質は、担保の制度であるが、元来は、当事者の経済的目的にこたえる適切な法的手段がないために、《所有権移転》の形式をかり、担保の趣旨は債権者に対する《債権》的拘束によつて果たそうとする、一種の《自救行為》である。したがつて、譲渡担保は、一般には、新たな物権を創造しようとするものではないのである。ただ、裁判所が、担保の趣旨を合目的的に実現するために債権者の《所有権》者的地位を《物権》的に制限しようとするとき、はじめて物権法定主義との衝突が問題となるのである。

この意味で物権法定主義との関係が問題となるのは、なんといつても、まず、判例のいわゆる「外部的移転」の構成であろうが(外部的移転の構成については後述三二参照)、判例はこの構成をも次のように正当化している。たとえば大判明四五・七・八【24】は、法律行為の効力について人によつて権利関係を異にすることは、民法にその例がとぼしくなく、かえつて当事者の意思に合し、実際の事情に適する、というのである。

【24】 【13】と同一判決。

「之ヲ要スルニ、本件係争ノ売買行為ハXノ債権ヲ担保スルガ為メ所有権ヲXニ移転スルヲ以テ其内容ト為シ、之ニ依リ同時ニ他ノ附随ノ目的ヲ達センコトヲ希図シタルモノニシテ、所謂売渡抵当即チ信託行為ノ一種ニ外ナラズ。信託行為ハ当事者ガ其目的トスル所ヨリモ大ナル効力ヲ生ズベキ意思表示ヲ為シタル場合ニ成立スルモノニシテ、法律行為ヲ為ス意思存スル点ニ於テ、虚偽ノ意思表示ト異ナリ、公ノ秩序又ハ善良ノ風俗ニ反スルコトナキ有効ノ法律行為ナリ。今之ヲ売渡抵当ニ付テ言ヘバ、当事者ハ所有権ヲ移転スル意思ヲ有シ之ヲ表示スルモノニシテ、虚偽ノ意思表示ニ非ザルコト勿論ナリト雖モ、其目的トスル所ハ之ニ依リ債権担保ノ実ヲ挙ゲントスルニ在ルガ故ニ、譲受人ハ此担保ノ目的ニ従ヒ其所有権ヲ行使セザルベカラザル制限ヲ受ク。詳言スレバ、当事者間ノ債務関係ハ此譲渡行為ニ因リ直ニ消滅スルモノニ非ズシテ、債務者ガ其債務ヲ弁済セザルトキハ債権者ハ其譲受ケタル目的物ヲ処分シ其弁済ニ充当スルコトヲ得ベシト雖モ、債務者ガ弁済ヲ為シタルトキハ債権者ハ之ヲ債務者ニ返還スルニ必要ナル手続ヲ為スコトヲ要シ、弁済期限ニ在リテハ自由ニ目的物ヲ処分スルコトヲ得ザルモノトス。此ノ如ク売渡抵当ハ所有権移転ノ効果ニ制限ヲ加ヘ之ニ依リテ債権担保ノ目的ヲ達セントスルモノナルガ故ニ、所有権ノ移転ハ此目的ヲ遂行スルニ必要ナル範囲内ニ於テ其効力ヲ生ズルモノト為サザルベカラズ。而シテ之ヲ為スニハ、所有権ハ第三者ニ対スル外部関係ニ於テハ債権者ニ移転スルモ、当事者間ノ内部関係ニ於テハ移転スルコトナク、債務者ハ依然所有権ヲ有スルモノト為スヲ至当トス。何トナレバ、債権者ハ債権ノ弁済ヲ得ザルトキ有効ニ目的物ヲ処分シ得ベキ権能ヲ取得スルヲ以テ足レリトシ、債務者ニ於テモ絶対的ニ所有権ヲ債権者ニ移転スル意思ヲ有スルモノト看ルヲ得ザレバナリ。唯此ノ如ク解スルトキハ所有権ノ所属ニ付キ内外ノ関係ヲ区別スルニ至ルト雖モ、法律行為ノ効力ニ付キ人ニ依リテ権利関係ヲ異ニスルコト民法ニ其例乏シカラザレバ、売渡抵当ニ付キ叙上ノ解釈ヲ為スモ決シテ不当ニ非ザルノミナラズ、却テ能ク当事者ノ意思ニ合ヒ実際ノ事情ニ適スルモノト言フベシ。然ラバ原院ガ係争ノ売買行為ヲ以テ信託的譲渡及ビ所有権移転ノ虚偽表示ヲ包容スルモノト為シ説明ヲ為シタルハ失当ナリト雖モ、目的物ノ所有権ガ当事者間ノ関係ニ於テハ依然Xニ存スルモノト判示シタルハ正当ニシテ本論旨ハ結局其理由ナシ」（大判明四五・七・八民録一八・六九一）。

判例の「外部的移転」の構成は、《関係的所有権》を認めるものであるとし、そしてこれを是認する態度を示す学者もあるが（石田・担保物権法論下巻五九三頁以下）、多くの学者は、権利の《相対的、関係的帰属》を認めることは許されないとし、判例の「外部的移転」は、当事者間における債権的効力がとくに強い場合を比喩的に表現するものにすぎない、としている（我妻・担保物権法【九七】二、勝本・担保物権法下巻二五二〜三頁、柚木・担保物権法（法律学全集）三九五頁）。

たしかに、それは、大審院が譲渡担保の種々の問題を《担保》目的にふさわしく解決するために用いたテクニックであり、ある判決（大判昭八・四・二六（前出【4】））もいうとおり、「一ノ説明（寧ロ譬喩）」にすぎないものであろう。また、後にくわしく述べるように（三二・三・四参照）、外部的移転の構成は、実質上解消しつつあり、外部的移転の構成によって追求されようとした目的は他の手段（「担保目的」に直接訴える方法、精算型・処分権取得型の推定など）によっても達成されつつある。しかし、名目はともかく、判例が譲渡担保に与えたもろもろの法的効果を綜合するときは、そこに《所有権》とその《債権的拘束》との結合によっては把握しきれないものを、発見するのである（三四参照）。それは、《信託行為》としての譲渡担保が、自己に内在する運動力の展開によって、信託者（債務者）の権利の増大、その反面における受託者（債権者）の権能の縮小を来したことを、示すものにほかならない。譲渡担保の目的物は——名義は債権者に属しているにもかかわらず——実質的には債務者と債権者とに特殊な仕方で分属している、ともいうべきで、そこに、慣習法上の新しい物権（債権者の担保物権、債務者の信託受益権）の生成するのを予想することはできる。

ただ、現在の判例法のもとでは、それはまだ物権法定主義に反する物権とされるには値しないであろう。けだし、対第三者関係では、なお債権者が所有権者として取り扱われているからである（三四（三）六参照）。

ただ、債権者が破産した場合に、破産法八八条の存在にもかかわらず、債務者が弁済すれば譲渡担保の目的物を取りもどすことができるとされる点は（大判昭一三・一〇・一二（後出【127】））、問題になろう。しかし、この場合にも、その根拠は、弁済によつて債権者の不当利得を生ずる点に存するのであつて、債務者に特殊な新しい物権が認められるわけではないのである。

四　信託法九条に反して無効か

譲渡担保は、債権担保の目的を達するために、この目的を越えて、財産権そのものを相手方に移転するものであるから、そこに広義の《信託》が成立しているといえる。ところで、信託に関しては、わが国には信託法が制定されており、信託法九条によれば「受託者ハ共同受益者ノ一人タル場合ヲ除クノ外何人ノ名義ヲ以テスルヲ問ハズ信託ノ利益ヲ享受スルコトヲ得ズ」となつている。もし、譲渡担保にも信託法が適用され、そして、譲渡担保の受益者は譲渡担保権者のみだとすれば、譲渡担保は信託法九条に反して無効だということになる（青木・信託法論三六六頁以下は、かような見解をとる）。

この問題に関し、大判昭一九・二・五【25】は、譲渡担保は信託法の信託に該当せず、したがつて信託法九条のために無効となることもない、としている。

【25】XはYに対する債務を担保するため、不動産を「売渡担保」とし、債務を完済したので、移転登記を請求。原審で敗訴したYは、上告して、譲渡担保は信託法九条に反する無効の契約であると主張した。

「信託法第一条第四条及第九条ニ依レバ、同法ニ信託ト称スルハ、財産権ノ移転其ノ他ノ処分ヲ為シ他人ヲシテ一定ノ目的ニ従ヒ財産ノ管理又ハ処分ヲ為サシムルヲ謂ヒ、受託者ハ信託行為ノ定ムル所ニ従ヒ信託財産ノ管理又ハ処分ヲ為スコトヲ要シ、共同受益者ノ一人タル場合ヲ除クノ外何人ノ名義ヲ以テスルヲ問ハズ自ラ信託ノ利益ヲ享受スルコトヲ得ザルモノナリ。故ニ信託ニ於テハ信託財産ハ、委託者ト受託者トノ間ハ勿論第三者ニ対スル関係ニ於テモ、受託者ニ絶対ニ移転スルモノニシテ、其ノ信託財産ヲ受託者ガ他人（受益者）ノ為ニ管理又ハ処分スベキモノタルコトハ信託成立ノ一要件ナリ。然ルニ所謂売渡担保ニ在リテハ、其ノ内容ハ当事者ノ約旨ノ如何ニ依リ、或ハ売渡担保ノ目的タル財産権ガ売渡担保契約当事者間ノ内部関係ニ於テハ移転セズ、唯第三者ニ対スル外部関係ニ於テノミ譲受人（売渡担保権者）ニ移転シ、或ハ又前記ノ財産権ガ右外部関係ノミナラズ内部関係ニ於テモ絶対ニ譲受人ニ移転スルコトアリト雖、右両場合中其ノ前者ナリトセバ、目的タル財産権ガ絶対ニ譲受人ニ移転スル信託ト全ク異ルコト多言ヲ要セザル所ナリ。又後者ナリトスレバ、財産権ガ絶対ニ譲受人ニ移転スル点ニ於テハ信託ト同一ナリト雖、凡ソ売渡担保ニ於テハ譲受人ノ財産権ニ対スル管理又ハ処分ハ自己ノ債権担保ノ為ニ之ヲ為スモノナルニ反シ、信託ニ於テハ譲受人ハ他人ノ為ニ管理又ハ処分ヲ為スモノナルヲ以テ、此ノ点ニ亦両者ハ観念ヲ異ニス。故ニ売渡担保ハ右何レノ場合ニ於テモ信託法ニ所謂信託ニ該当セザルモノト解スルヲ相当トス」（大判昭一九・二・五民集二三・五三（伊藤・判民二三事件））。

かように、右の判決は、譲渡担保が信託法九条違反による無効とはならない理由として、譲渡担保が信託法の信託でないことを力説しているが、この理由づけはかならずしも正当でなく、また、譲渡担保が信託法の信託でない根拠としてあげるところも、物足りない。判例の結論には異論がないが、以上の二点について若干の説明を加え、この機会に、譲渡担保と信託法の信託との関係を一応明らかにしておくことにしよう。

第一、信託法九条は、財産に関するすべての利益を享受しうる単独受益者がその財産の唯一の受託者である場合には、信託は成立しえないという趣旨であり（大阪谷「判例に現われた信託の観念」民商一三巻六号九二六頁、四宮・信託法（法律学全集）四六頁、四宮「信託法第九条の意味内容」（高柳・古稀祝賀論文集所収予定）参照）、それはひろい意味における『信託』一般の本質上の限界を示したものである（大阪谷・前掲九二八頁）。したがつて、譲渡担保にも妥当すべき原則である。ただ、譲渡担保において受益者と目されるべき者は、債権者のみではない。大刑判大一四・一二・二三（新聞二五二五・九評論一五刑二九）などは、「信託法上ヨリ観察スルトキハ債権者ハ受益者タルト同時ニ受託者タルノ地位ニ在ル」ことを理由として、譲渡担保は信託法の信託行為でないとしているが、目的物に関する管理処分の計算は債務者に帰属し、また債権者が移転を受けた財産権を担保の目的以外に行使してはならぬ義務に対応して、債務者は債権者に対してそのような行為をしてはならぬことを要求する権利を有するわけであるから、債務者もまた受益者と考えなければならない。したがつて、譲渡担保において受益者に当たるのは、債権者と債務者とである。譲渡担保が信託法九条の精神に反しないのは、まさにそのためである（伊藤・判民昭和一九年度三事件評釈のように、譲渡担保に担保の面と委託（信託）の面の二面を認め、信託の面では債権者は受託者たるにとどまる、として、九条の趣旨に反しないと説明することも可能であろう）。

第二に、譲渡担保は信託法の信託から区別されるべきであるが、右の判決のあげる根拠は充分でない。というのは、まず、譲渡担保の外部的移転型は、信託財産が絶対的に移転する信託（狭義）と異ること多言を要しないとして、もつぱら内外共移転型の譲渡担保について信託との区別を論ずるが、信託との類似性はむしろ外部的移転型にあることを看過すべきではない。つぎに、内外共移転型譲渡担保と信託との区別を、ドイツの学者が試みたように、非純正信託と純正信託との対立によつて説明しようとする点は、それ自体としては誤りというべきでないが、判決の説明では、一方では譲渡担保も信託的要素を含み、他方では信託でも受託者が受益者の一人になることが認められているのに、なにゆえになお両者が区別されなければならないかが、不明である。譲渡担保権者が共同受益者の一人たる受託者と異なるのは、共同受益者の一人となつた受託者は、信託財産の管理者と受託者個人というまつたく異なる二つの資格において、受託者であり受益者であると考えられるのに対し、譲渡担保権者の場合には、受託者としての地位と担保権者的地位が不可分に結合して一つの財産上の地位を構成している（したがつて、たとえば信託法一五条と異なり、その地位は相続される）、と考えられるからなのである。

五　暴利行為による無効

さきにもふれたように、担保物の価格が被担保債権額をあまりにも越えているのに、債権者が債務者の窮迫・軽卒等に乗じて流れ担保の特約をさせた場合は、暴利行為（Wucher）として、公序良俗違反となる。たとえば、担保物の価格が債務額の二倍にあたり、しかも三カ月後に借金の倍額を返さないと債務者は買い戻すことができない、という条件の譲渡担保が、借主の窮迫・軽卒・無経験に乗じて設定された場合（大阪高判昭二四・一一・二五【26】）、担保物の価格が債務額をあまりにも超過する譲渡担保が債務者の窮迫に乗じて締結された場合（朝鮮高等法院判昭三・五・四【27】）には、公序良俗違反となる。これに反し、債務者にとつて酷なほど不利益でない場合（大判昭一七・七・一三【28】）や、債務者が融資を受けることによつて巨利を得ようとする場合（神戸地判昭一六・七・一八【29】）には、公序良俗に反しないとされるのである。

【26】　「本件和解は有効であるかと云うと、原審の認定した事実によれば、直ちにそう断定することも困難である。なぜかと云うと、本件の貸金は前記のように十五万円であるのに、担保の目的で売渡した物件の買戻金額は三十万円に費用を加えたものとなつて居り、即ち借受の三ケ月後には貸金の倍額を提供しなけれ

ば買戻ができないことになるのであるから、もしその物件の価格が三十万円もしくはそれ以上であるならば、貸主は貸付後僅か三ケ月にして、借主から貸金の倍額又はそれ以上の財産的給付を為すことを約束させたことになり、これは著しく過当なものと云わねばならない。そしてもしこのような約束が借主の窮迫、軽卒又は無経験から出たものであり、貸主がこれを利用して右のような著しく過当な利得を得ようとしたものであるならば、このような法律行為は被上告人が主張しているように、善良の風俗に反することを目的とするものであつて、無効と云わねばならない」（大阪高判昭二四・一一・二五民集二・三・三〇九）。

【27】「本件ハ流抵当特約ノ附随セル売渡担保契約ニシテ、原判決ガ流抵当特約ヲ無効ト判断シタルハ、担保ノ価格ガ債務額ヲ超過スルコト余リニ甚シキト、債務者ノ窮迫ナル事情ニ乗ジ締結セラレタル事実トニ徴シ、公序良俗ニ反スル無効ノ契約ナリト断定シタルモノナルガ故ニ、無効トナルベキモノハ該特約ノ部分ノミニシテ、売渡担保契約其ノモノハ無効ト為ルベキモノニ非ズ」（朝鮮高等法院判昭三・五・四評論一七民法七五五）。

【28】「前示ノ如キ消費貸借ニ附随シタル売買契約ノ内容ガ暴利ヲ招キ公序良俗ニ反スルヤ否ヤヲ判断スルニハ、契約締結当時ノ事情並ニ契約ニ於テ予定セラレタル各種ノ場合ヲ全体的ニ観察シテ之ヲ決スルコトヲ要シ、単ニ契約ニ於テ予定セラレタル一場合ヲ把ヘ、又ハ契約締結後ノ事情ノミヲ標準トシテ之ヲ論ズルコトヲ得ザルモノト解スベキトコロ、本件売買契約ニ於テハ建物完成シタル場合ノミヲ予定セズ、建築未完成ニ終リタル場合ヲモ顧慮セラレタルコトハ、前示ノ如クナルヲ以テ、借主タル上告人ノ不履行ニヨリ既ニ完成シタル建物ノ所有権ガ貸主タル被上告人ニ移転シタル場合ヲ把ヘ、専ラ右建物ノ時価相当賃料額建築費等ヲ基準トシテ右所有権取得ガ暴利ヲ結果スルヤ否ヤヲ論ゼントスルハ、既ニ其ノ前提ニ於テ誤レルノミナラズ、原審ノ確定シタルトコロニ依レバ、右貸金ノ期限ハ一応四月二五日ト定メラレタルモ、上告人ノ責ニ帰スベキ事由ニ依リ竣工ガ遅延セザル限リハ建物竣工マデハ期限ハ猶予セラルベク、又竣工後ト雖モ上告人ガ返済ノ為金策ヲ講ジ且其ノ間元利金ノ支払ヲ怠ラザル等信義ヲ示ス以上ハ時宜ニ応ジテ相当期間ノ猶予ガ与ヘラルル旨ノ暗黙ノ合意アリタリト云フニ在リテ、以上ノ各事実ニ鑑定人……ノ各鑑定ノ結果ヲ綜合スル

トキハ、本件売買契約ノ内容ニハ場合ニヨリ上告人ニ相当ノ利得ヲ齎ラスベキ可能性ヲ包蔵スルモノトハ云ヘ、之ヲ全体的ニ考察スルトキハ、未ダ上告人ニ対シ酷ナル程度ニ不利益ナルモノト断定スルコトヲ得ズ」（大判昭一七・七・一三新聞四七八七・七、評論三一民法三三六、法学一二・二四八）。

【29】「右売買契約締結に至つた事情は、Yの長男AがXに金二〇、〇〇〇円の融通方を依頼したところ、Xは貸金業者ではないから貸借の形式をとることは困るとて、元金二〇、〇〇〇円と利息五、〇〇〇円合計二五、〇〇〇円の債権を担保する趣旨で、これを売買代金として前記買戻約款付売買契約を締結し、Yに金二〇、〇〇〇円を交付したことが明らかであるから、右売買はYの主張するように所謂売渡担保であると解すべく、その約定は、実質的にみれば、元金二〇、〇〇〇円に対する二日間の利息として金五、〇〇〇円という苛酷な高利を含んでおり、又鑑定の結果によれば、本件家屋の空家としての価格は少くとも一〇〇、〇〇〇円を下らないことが明らかであるから、その売買代価は、家の価格と対比して著しく不均衡に低廉であり、僅かに二〇、〇〇〇円をもつて、又僅かに二日の買戻期間の徒過をもつて、かかる不動産の所有権を喪失せしめる約定は、取引の実験則上、客観的には、苛酷であるとの非難を免れ得ない。しかしながら、……Yは、その長男Aにおいて、Xより借り受けた金二〇、〇〇〇円をいわゆる見せ金として利用し、麻薬の密売買を摘発し、所轄官庁より少くとも報償金六〇、〇〇〇円を直ちに取得し得るものと確信し、これにより元利金を返済した上巨額の利益を得ようと企図したものであり、XはY側の意図を詳かには知らなかつたとはいえ、少くとも右金員を資金として莫大な利益をあげようと考えていたことを感知しており、その資金を供与する趣旨であつたことが認められる。この事実によれば、Yは、前記のような不利益な約定で、売渡担保の形式で金借を敢えてしてもこれを利とする特別の事情があつたため、Xの要求に応じたものであるから、Y側に存する右の事情を目して窮迫した事情とは解し得ないし、Y側はその報償金取得の確実さに対する考慮においてやや欠けるものがあつたとはいえ、より多大な利益のため多少の不利益を甘受したに過ぎず、これをもつて、直ちに軽卒無思慮であるとは速断できないし、更にまた、契約内容が取引の経験上著しく苛酷

であることにより原告においてＹの窮迫軽卒乃至は無思慮に乗ずる意図を有したものであるとの推定も、前記認定事実からすれば一応これを覆さざるを得ないし、他に右認定を左右にしてＹの主張事実を裏付けるに足る資料がない。しからば、本件売買は、これを目して公序良俗に反する暴利契約であるとは断じ得ないから、Ｙの前記主張は採用し得ない」(神戸地判昭二六・七・一八下級民集二・七・九一〇)。

もっとも、違法性が流れ担保の特約のみに存する場合には、その部分が無効となるにすぎない(朝鮮高等法院判昭三・五・四【27】)。

六　債権者取消権による取消

譲渡担保が設定されると、債務者の一般債権者は、譲渡担保債権者の所有に帰した目的物にかかっていくことができない(後述六二(二)参照)。しかも、債務者が動産について譲渡担保を設定する段階においては、債務者には他にとりたてていうほどの財産がないのが、通常である。かように、譲渡担保は債務者の債権者から一般担保財産を奪うことによつてかれらに損害を与える可能性をはらんでいるのであるが、債務者は、この可能性を、単独であるいは特定の債権者と共謀して、現実に債権者詐害に利用することが、まれではない。その場合には、債権者取消権(民四二四条)が発動することになるわけである。

しかし、判例には、そもそも債権者取消権を問題とするものがきわめてとぼしく、しかも、取消を認めたものは見当らない。

すなわち、大判昭五・三・三【30】は、弁済資力を得る唯一の方法として、財産を譲渡担保として事業資金を調達するのは、詐害行為とはならないとし、大判昭五・一〇・四【31】は、債務者が厳重な督促を受けた結果、その弁済資金を借り入れ、不動産持分をその価格以上の金額で譲渡担保に供した場合に関し、他に特別の事情がないかぎり、他の債権者を害する意思があつたとはいえない、としているのである。

【30】「別段ノ主張立証ナキ限リAハ漁船ヲ担保ニ供スルノ外出漁資金ヲ調達スルノ途ナク又其ノ債務ヲ弁済ス可キ方法ヲ有セザリシモノト認ム可キハ当然ニシテ、此ノ資金ヲ調達スルハ軈テ漁船建造ノ目的ヲ遂行スル所以タルト共ニ惹テハ其ノ債務ヲ弁済ス可キ資力ヲ得ル唯一ノ手段タリシモノト謂フベク、此ノ場合ニ於テAガ右漁船ヲ売渡担保ニ供シ上告人ヲシテ出漁資金ノ融通ヲ約セシメタルガ如キハ事業ノ運用上当然ノ手段ニ外ナラザレバ、特ニ反対ノ事情ノ存スルナキ限リ、之ヲ以テ債権者ヲ詐害スル行為ナリト云フヲ得ザルノミナラズ、初ヨリ所要金額ノ確定セザル可キ事情アル本件ノ如キ場合ニ於テハ、金額ヲ一定セザル根抵当ノ形式ニ依リタレバトテ該抵当権ニ依リテ担保セラルベキ債権ガ前示出漁資金ノ範囲ニ限定セラルルモノナル以上、金額ノ不定ヲ以テ直ニ必要ノ度ヲ超脱シタルモノト為スヲ得ザルハ勿論ナリトス」（大判昭五・三・三新聞三一二三・九、評論一九民法六五〇）。

【31】「債務者ガ或ル債権者ニ対スル債務ヲ弁済スル為、相当ノ価格ヲ以テ不動産ヲ売却シタルトキハ、特ニ他ノ債権者ヲ害スルノ意思ナキ限リ、之ヲ以テ詐害行為ト為スコトヲ得ザルハ、夙ニ本院判例ノ存スル所ナリ（大正一二年（オ）第六九一号同一三年四月二五日第一民事部判決参照）。本件ニ付原判決ノ確定セル事実ハ、Aガ本訴不動産ノ持分ヲYニ売渡担保ト為シタルハ、B外一名ノ債権者ヨリ厳重ナル弁済ノ督促ヲ受ケ、止ムナク之ガ支払ニ充ツル為Yヨリ其ノ価額以上ノ金額タル金二千六百円ヲ借受ケ、之ガ売渡担保ト為シタルモノナリト云フニ在ルノミナラズ、特ニ他ノ債権者タルXヲ害センガ為ニ為シタルニ非ズ、ト判定セシモノナルコトモ亦右判示ニ依リ自ラ明ナルガ故ニ、Aノ行為ヲ以テ詐害行為ト為スベカラザルコト、叙上ノ判例ニ徴シ明白ナリトス」（大判昭五・一〇・四新聞三一九六・九、評論二〇民法一六）。

三　譲渡担保に関する判例の基礎理論

一　契約自由の原則

判例が譲渡担保を規律する際にまつさきに適用する原則は、契約自由の原則である。

譲渡担保の内容が各場合における当事者の意思表示によつて定まる旨を説く判決は、枚挙にいとまがないが、その代表として、大判大四・一二・二五(後出【33】)、大判大正九・三・二六(後出【102】)、大刑判昭六・一一・一五(後出【112】)などをあげることができよう。

けだし、譲渡担保は当事者の経済的目的にこたえる担保物権が存しないために、当事者が《契約自由の原則》を利用して自らの目的を達しようとする一種の自救行為である。むろん、裁判所は法の理想に照らしてかような自救行為に対して否定的価値判断を下だすことも可能である。しかし、裁判所は、さきに述べたような事情に基いて、無占有質禁止規定(民三四四条三四五条)や流質契約禁止規定(民三四九条)を譲渡担保に適用せず(二二参照)、当事者の自治に放任する。当事者の意思不明の場合に問題解決の基準となる、かの『外部的移転』『内外共移転』の構成にしても、その究極の根拠は当事者の意思に求められるのである。すなわち、譲渡担保が単純に外部的移転と構成する判決(大判明四五・七・八【前出24】)も、それが「能ク当事者ノ意思ニ合」うことに根拠を求めており、また、外部的移転と内外共移転とを区別する時代に入つてからも、そのいずれであるかは当事者の意思によるものとされるのである(二二(一)(2)参照)。

かように、譲渡担保は契約自由の原則が支配する領域に置かれているのであり、ただ、債務者保護のために暴利行為（Wucher）が問題とされ（二五参照）、債務者の一般債権者を保護するために債権者取消権が問題とされるにすぎない（二六参照）。

二　外部的移転と内外共移転の区別

（一）　具体的問題について当事者の約旨が不明な場合に問題解決の基準を提供する判例理論として、もっとも重要な機能をいとなんで来たのは、『外部的移転』と『内外共移転』の区別である。

(1)　もっとも、判例は当初、譲渡担保を外部的移転として構成した。そのリーディング・ケースは大判明四五・七・八（前出【24】）である。

この判決は、「売渡担保」を《信託行為》として捉え、「売渡抵当ハ所有権移転ノ効果ニ制限ヲ加ヘ之ニ依リテ債権担保ノ目的ヲ達セントスルモノナルガ故ニ、所有権ノ移転ハ此目的ヲ遂行スルニ必要ナル範囲内ニ於テ其効力ヲ生ズルモノト為サザルベカラズ」とし、そして、これをなすには、所有権が外部関係では移転するが内部関係では債務者が保有するものとなすべきである、とするのである。そして、さらにその根拠を説いて「債権者ハ債権ノ弁済ヲ得ザルトキ有効ニ目的物ヲ処分シ得ベキ権能ヲ取得スルヲ以テ足レリトシ、債務者ニ於テモ絶対的ニ所有権ヲ債権者ニ移転スル意思ヲ有スルモノト看ルヲ得ザレバナリ」と述べている。

したがつて、外部的移転の構成の主眼点は、信託行為としての譲渡担保の法的効果をできるだけその経済的目的（担保目的）に即応させようとしたことに、とくに、債務不履行に際して債権者は目的物を処分してその換価金を債務の弁済に充てることができさえすれば足りると考えたことに、存したのである。この外部的移転の構成は、しばらくのあいだ、判例を支配した（債務者に留保された内部的所有権に重点を置くものとして、たとえば大判大五・一一・八（後出【132】＝【152】）、大判大七・七・一六（後出【155】）。債権者の外部的所有権に重点を置くものとして、たとえば大判大二一・一〇・九（後出【117】）、大判大三・一一・二（後出【122】）、大判大四・六・二（後出【153】）、大判大五・七・一二（オ）四一九号（後出【45】））。

(2)　しかし、譲渡担保を外部的移転と構成する判例は、徐々に、内外共移転の場合もありうることを説く判例に、席を譲るようになつた。

この時期の判例には、従来の外部的移転の構成を尊重して、通常は外部的移転だが、特約で、所有権が当事者間でも移転する内外共移転も認められる、とするもの（大判大五・九・二〇（前出【20】））もあるが、大勢としては、所有権帰属に関しては「一定ノ法則」――外部的移転の構成――は存せず（大判大六・一一・二五（後出【65】））、外部的移転であるか内外共移転であるかは、当事者の意思により自由に定めうるものである（大判大四・一二・二五（後出【33】）、大判大六・一一・一五（後出【66】））、と説くのである。

判例がかように『内外共移転』をも認めるにいたつたのは、あるいは、名義と実体との分裂の許されない財産権（当時の漁業権）の譲渡担保を可能にするため（大判大四・一二・二五（後出【33】））、あるいは、流質型（少なくとも当然帰属型）を認めるため（大判大五・九・二〇（前出【20】））、あるいは、債務者が担保物を依然利用する目的で締結された賃貸借契約を有効とするため（そしてその解除を理由とする債権者の引渡請求を認めるため）（大判大六・一一・二五（後出【65】）、大判大六・一一・一五（後出【66】）――この事情をはっきり示すものとして東京地判大一〇・一二・一三【32】参照）であつた。

【32】　債権者Xの賃貸借解約による目的物の返還請求に対し、債務者Yは、外部的移転であるから賃貸借は無効であり、また、目的物についてYはまだ引渡を受けていない点からも無効であると主張。賃貸借契約の存続期間は大正九年二月一六日から同年四月一五日までだつた。本判決は、次に掲げるように、内外共移

転を認めたうえ、Yは簡易の引渡を受けたものとし【63】、さらに、賃貸借は二度更新され、その三度目の賃貸借の終了後、同年八月二七日にXはYに対して解約の通知をしたから、その到達した日の翌日すなわち八月二九日から賃貸借契約は解約されたことになるとして【68】、Xの請求を認めた。

「若シ控訴人（Y）主張ノ如ク本件信託的売買契約ハ其内部関係ニ於テ其所有権ヲ移転セザル約旨ナリトセバ、該賃貸借契約ハ当然無効ナルコト論ヲ俟タザル所ナルガ故ニ、特殊ノ事情ナキ限リ斯ノ如キ無用ノ手続ヲ為ス必要ナキヲ以テ、特殊事情ノ存在セル事実ヲ認メ得ザル事件ニ於テハ、Y及Xハ本件賃貸借契約ニ付テハ其効力ヲ発生セシムベキ目的ヲ以テ之ヲ締結シタルモノト解セザルヲ得ズ。従テ該事実ヨリ推考スレバ本件信託的売買契約ハ其内部関係ニ於テモ亦其所有権ヲ移転スベキ意思ノ下ニ締結セラレタルモノト解スルノ外ナシ」（東京地判大一〇・一二・一三評論一〇民法一二七六）。

(3)　かように内外共移転の存在意義を強調する判例群につづいて、内外共移転を推定する連合部判決（大連判大一三・一二・二四（後出【106】））が誕生することになる。これは、譲渡担保判例法においてきわめて重要な地位を有する判決であるから、煩をいとわず、その事案と判旨とを紹介しておくことにしよう。

債務者XがYに対して負担する債務につき一〇年間の均一年賦弁済を約するとともに、不動産を「売渡担保」に供し、Yに引渡したが、Xは第一年度の年賦金しか支払わないので、Yは担保設定から一〇年目に担保物の建物をとりこわした。Xは、本件では所有権は外部的にしか移転していないから、Yの行為は他人の所有権を侵害するものだとして、損害賠償を請求する（Yの主張によると、当事者は再売買の予約をなし、特約によって、Xが支払を遅延すれば催告しないで予約は当然解除しうべきことになっており、YはXの不履行により予約を解除したとのことである）。原審は、とくに反証のない以上、所有権は内部的にも移転したものと解すべきだとして、Xの請求を棄却したので、Xが上告した。これに対し、判決は、「権利ガ利害関係人ノ異ナルニ従ヒ其ノ所属ヲ異ニシ或者ニ対シテハ甲ガ権利者タリ他ノ者ニ対シテハ乙ガ権利者タルガ如キハ、異例ニ属ス」るものとし、異例の事態は当事者が「通常其ノ生ゼシメザル所ナルガ故ニ……其ノ何レナルヤ当事者ノ意思明ナラザル場合ニ於テハ、其ノ意思ハ内外共ニ財産権ヲ移転スルニ在リト推定スルヲ相当トス」と判示して、上告を棄却したのである。

この判決の具体的事案に対する意味は、譲渡担保権者が弁済期前に担保物を毀損しても、原則として、債務者の所有権を侵害する不法行為とはならない（したがつて、債権者が債務者に対して負担する信託義務に違反する債務不履行となるにすぎない）、という点に存するのであるが、その前提となつた抽象的理論（内外共移転の推定）が譲渡担保判例法において、きわめて重要な地位を占めることになつたのである。

（二）外部的移転と内外共移転の区別の主要な効果　判例が外部的移転に対して与える効果と内外共移転に対して与える効果とはどのように異なるのであろうか。その差異が問題となる主要な場合を、次に列挙して、簡単な説明を加え、あわせて、連合部判決の影響の及んだ範囲を検討することにしよう。

(1)　担保物を占有する権限は、外部的移転なら、債務者が内部的に留保した所有権に基き債務者に存するが（大判大八・六・二四（後出【55】））、内外共移転なら、債権者が内部的にも取得した所有権に基いて債権者に帰属する（千葉地判大六・八・七（後出【56】））。そして、連合部判決後の判決（大判昭九・一〇・五（後出【57】））は、あきらかに連合部判決の影響のもとに、内外共移転の推定を根拠として、債務者は特約なきかぎり債権者に対して担保物を引渡す義務がある、とするのである。

しかし、この原則に対して重大な例外を認める判決（大判昭六・一〇・一六（後出【58】））の存することに、注意しなければならない。この判決は、内外共移転の場合でも、債務者が自己の居住する家屋や自己の使用する物品の所有権を移転した場合には、特別の事情がないかぎり、債務者に使用収益を許容するものと認めるべきである、とするものである。

譲渡担保はかような自己の使用する物について設定される場合が多いので、この判決の結果、内外共移転の場合でも、原則として、債務者に使用収益の権限が与えられることになり、したがつて、外部的移転の場合と同一の結果となる。ただ、債務者が従来使用していなかつた物について譲渡担保が設定された場合にのみ、内外共移転と外部的移転の区別によつて目的物を占有する権限の所在が決せられることになるわけである。その結果、上の問題を解決するのに内外共移転と外部的移転の区別を用い、そして連合部判決に従つて内外共移転を推定することは、譲渡担保の存在理由（債務者が目的物を利用しながら担保に供することができるという特色）から考えて妥当ではないことになる。

(2)　債務者が賃貸借名義で担保物を利用する場合、判例は、外部的移転については、賃貸借を無効として、債権者が賃貸借の解除または期間満了を理由として引渡を請求するのを拒否し（大判大八・六・二四（後出【55】）、大判明四五・七・八（前出【13】＝【24】）、大判大四・一・二五（後出【64】））、内外共移転については、賃貸借は有効で、債権者は賃貸借の解除または期間満了を理由として引渡を請求することができるものとする（大判大五・九・二〇（前出【20】）、大判大六・一一・一五（後出【66】）、大判大五・七・一二（後出【67】））。そして、連合部判決の影響によつて、抽象論としてではあるが、反証なきかぎり内外共移転になるとして、賃料滞納による解除を認める判決(大判昭八・九・二〇(後出【69】))が、出現している。

しかし、近時の下級審判決のなかには、内外共移転でも賃料は実質上利息だから、特別の事情のないかぎり賃料不払を理由として解除することは許されないとし(高松高判昭三三・七・一〇(後出【70】))、また、特殊な事情を考慮して信義則を援用するものではあるが、賃貸借期間の満了を理由とする債権者の引渡請求に対し、請求を否定して(仙台高判昭二六・一二・七(後出【72】))、事実上、外部的移転の場合と同一の結果を認めるものが見られる。他方、外部的移転の場合に関しては、賃貸借契約自体を無効とすることなく、しかも、通常の賃貸借とは異なつた取扱いをしている下級審判決(盛岡地判昭二九・三・一五(後出【98】))が、現われている。判例は、内外共移転の場合の結果を外部的移転の場合に近づけつつ、しかし、実は、内外共移転、外部的移転いずれの場合にも、譲渡担保に特有の担保物利用関係に即した効果を付与する方向に進んでいる、と考えられるのである。

(3)　*目的物に関する費用*を——特約のない場合に——内部関係でどちらが負担するか、の問題について、下級審判決のなかには、内外共移転なら債権者、外部的移転なら債務者と考えているように見られるものがある(東京控判大五・二・九(後出【77】)、前橋地高崎支判大一四・四・二二(後出【78】))。たしかに、目的物の権利帰属だけを考えるなら、このような結果になるであろう。

しかし、大審院判例の態度は、かような形式的な基準によつて費用の負担者を決定することをせず、目的物の利益が実質上債務者に帰属するかぎり、内外共移転の場合にも、債務者が費用を負担すべきものとしているようにおもわれるのである（大判昭二・二・二八（後出【76】）、大判昭八・一二・一九（前出【5】））。

(4)　債権者が弁済期到来前に目的物を処分・毀滅した場合に関し、連合部判決以前の判例は、不法行為の成立を認める傾向にあつた（大判大九・六・二一（後出【104】）、大判大一〇・五・三〇（後出【88】）、大判大一三・三・二六（後出【105】））。それは、外部的移転の構成を前提し、右のような行為は債務者が内部的に留保した所有権を侵害するものと考えるからであつた（大判大一三・三・二六【105】はこの点をかなりはっきり述べている）。連合部判決は、実は、内外共移転を推定しつつ、この従来の判例の態度を修正しようとするものであつた。そして、その後も、おそらく連合部判決の影響のもとに、契約（転売しないという約束）に反する期前処分についてではあるが、債務不履行による損害賠償請求を認めた判決が現われている（大判昭六・四・二四（後出【111】））。これらの判例からは、外部的移転なら不法行為、内外共移転なら債務不履行とするのが判例の態度であると考えられるのである。

もつとも、刑事判決のなかには、外部的移転の場合に債権者の不当処分を横領罪とするもの（大刑判昭一一・四・六（後出【111】））のほかに、背任罪に擬する判決（大刑判昭六・一一・一五（後出【112】））──それは、民事責任に移せば、外部的移転の場合に債務不履行を認めるのに相当する──も存し、さらに、最近の最判（最判昭三五・一二・一五（後出【110】））は、──明確ではないが──債権者の期前処分を一般に債務不履行とするものとも解されるような判示をしている。これらは、この問題に関して外部的移転と内外共移転との区別が抹消されていくことを示すものではなかろうか。

(5)　債務が弁済された場合に債務者が債権者に対して目的物の返還を請求しうる根拠に関して、判例は、外部的移転の場合なら、債務者が内部的に留保した所有権に基いて返還請求するものと考えているように見える(大判大五・一一・八(後出【132】)――この判旨の解釈は困難だが、かような趣旨をふくむようにも解されるのである)。これに対し、内外共移転の場合に関しては、傍論的であるが、弁済によつて債務者に当然に復帰する場合と債権者が移転義務を負う場合がある、とするものがある(大判大一五・八・三(後出【139】))。

ただ、内外共移転において、弁済により債権者は目的物を債務者に返還すべき旨が契約された場合にも(そして、かような約旨は、譲渡担保につねに含まれていると考えられる)、債権行為によつて原則として物権的効果が発生する、という理論をとるわが国判例のもとにおいては、弁済によつて所有権が当然に債務者に帰属することになるであろう。そうだとすれば、内外共移転と外部的移転との差異は事実上ほとんど存しないことになるであろう。

(6) 弁済期の定めのない場合に債務者が弁済して目的物を取りもどす権利は、時効にかかるか。判例は、弁済期の定めのない場合に関して、かような権利を想定し、それが消滅時効にかかるかどうかを問題とし、その際、やはり、外部的移転と内部的移転との区別を援用する。すなわち、連合部判決前の一判決は、抽象論ながら、外部的移転の場合にはこの権利は時効にかからない趣旨を判示している(大判大五・一一・八(後出【132】))。これに対し、連合部判決後の一判決は、契約の内容――外部的移転か内外共移転か、後者のうち、弁済によつて当然に債務者に復帰するか、移転義務が発生するにすぎないか――を確定しなければ、この問題を判定しえない、とする(大判大一五・八・三(後出【139】))。これは、連合部判決を援用する上告を容れたもので、連合部判決の影響下にある判決のひとつに数えることができよう。

だが、連合部判決後のもうひとつの判決は、債務の時効消滅を理由とする債務者の担保物返還請求事件において、担保物回復請求権自体の時効消滅を理由として請求を棄却した原審判決を破毀して、債権が消滅する以上担保物件を返還すべきは当然としている（大判昭二・一二・一七（後出【136】））。理論上も、内外共移転の場合でも、担保物を取りもどす権利は債務弁済の効果として捉えるべきで、弁済期の定めのない場合に関し弁済して取りもどす権利なるものを想定して、その時効を論ずべきではない、といわなければならない。この結論は、債務者が目的物を取りもどす権利が失なわれないとする点で、内外共移転に対して外部的移転と同一の効果を与えることになるが、結局は、この問題自体が外部的移転・内外共移転の構成とは無関係だということになろう。

(7)　外部的移転・内外共移転という権利帰属による構成は、もともと、債務不履行の際の弁済充当方法の態様と密接な関係にあつた（そもそも譲渡担保が財産権の移転の形をとるのは、優先弁済を確保することが大きな主眼である。このことを説くものとして、大判大八・一二・九（前出【2】））。すでにふれたように、外部的移転の構成をはじめて明確にした明治四五年の判決（前出【24】）は、外部的移転の構成をとる主要な理由として、「債権者ハ債権ノ弁済ヲ得ザルトキ有効ニ目的物ヲ処分シ得ベキ権能ヲ取得スルヲ以テ足」ることをあげており、内外共移転の場合をも認めるにいたつた初期の判決（大判大五・九・二〇（前出【20】））も、少なくとも当然帰属型おそらくは流質型と考えられる場合に関して内外共移転を認めるに際し、不履行の場合における債権者の処分の便宜のために当事者でも所有権移転の効力が発生するものとなす必要がある旨を説いているのである。判例の外部的移転と内外共移転という権利帰属の態様を借りた構成は、弁済充当の方法における処分権取得型（精算型）と当然帰属型（原則として流質型）との区別に対応するものだつたのである。

しかるに、判例は、連合部判決の出現する以前すでにその対応を破つて、傍論ながら、外部的移転と流質の特約との結合も可能であるとし（大判大一〇・三・二三（前出【22】））、さらに、外部的移転の場合はもちろん内外共移転の場合をふくめて譲渡担保一般につき処分精算型を推定するにいたつた（大判大八・七・九（後出【94】）、大判大一〇・三・五（後出【49】＝【93】）、大判大一〇・五・三〇（後出【88】））。けだし、「債権者ガ其移転ヲ受ケタル所有権ヲ担保ノ目的以外ニ行使スルコトヲ許サザルハ当然」だから、というのである（大判大八・七・九（後出【94】））。そして、上の原則は連合部判決後も変らず、内外共移転でも外部的移転でも、特約がなければ代物弁済となしえないとする判決（大判大一五・一一・一一（後出【95】））をはじめ、幾分抽象論としてではあるが、譲渡担保一般について同じ趣旨を説く判決は少なくない（大判昭二・五・一〇（後出【96】）、大阪高判昭二七・一二・二六（後出【101】））。しかも、逆に、処分精算を約束した場合についても内外共移転を推定するもの（大判昭八・九・二〇（後出【69】））や、当然帰属を約した場合に精算を推定する下級審判決（東京区判昭一五・八・六（後出【97】）、盛岡地判昭二九・三・一五（後出【98】））さえ出現しているのである。

結局、内外共移転・外部的移転の構成と弁済充当方法とのあいだには、いまのところ、なんらの関係も見られず、推定に関しては、かえつて当初とは逆の関係にさえなつているのである。このことは次の二つのことを意味するものとして、きわめて注目すべきことである。

第一に、それは、内外共移転・外部的移転の区別自体がその重要な適用の場面を失なつたことを意味する。けだし、外部的移転・内外共移転の区別、とくに外部的移転の構成の実益・動機の主要なものは、それによつて弁済充当の方法を規定する点にあつたのに、いまや、弁済充当の方法（処分精算型と流質型）は、外部的移転・内外共移転の区別とは無関係に、したがつてまた連合部判決の影響圏外において、独自の存在意義を有することになり、しかも、後に示すように、弁済期徒過後の問題の解決は原則としてこの弁済充当の方法の区別に依存することになつたからである(三参照)。

第二に、それは、実質的には『外部的移転』の『内外共移転』に対する勝利を意味する。けだし、外部的移転に対応するものとされていた処分精算型の方が推定されることになつたからである。

(8) なお、判例は、外部的移転の場合について、(イ) 設定者から目的物を譲り受けた者に法定代位弁済権を事実上認め(大判大九・六・二(後出【115】))、(ロ) 共有譲渡担保権者間の持分の譲渡によつては債務者に対する信託的拘束を脱することはできないものとし(大判大八・六・二四(後出【120】))、(ハ) 譲渡担保権者の地位の譲受は設定者の同意を必要としないとする(大判大八・六・二三(後出【130】))。これらのなかには、その結論を、外部的移転の構成とかかわりなく、譲渡担保の特性からみちびくものもあるが((イ)の場合)、いずれも、所有権的構成=債権的制限説(内外共移転の構成)をそのままに適用することによつて得られるものでないことは、たしかである。しかし、それにもかかわらず、これらは、内外共移転の場合にも認められるべき結果であり(一九六頁・一九九頁・二二三頁)、外部的移転の構成を足場として将来ひろく譲渡担保一般について認められるにいたるものとおもわれる。

(三) 以上の検討によつて、われわれは次のことを知ることができる。

(1) 判例は外部的移転と内外共移転とを区別し、この区別によつて譲渡担保の主要な問題を解決する基準としたが、それにもかかわらず、判例の動向からすれば、両者の区別が妥当する領域は漸次せばめられつつある(我妻・聯合部判決巡歴I三四九頁も、二つの型が現在無力となつている事実を指摘される)。

(2)　連合部判決が内外共移転を原則とみてこれを推定したにもかかわらず、右の判例の動向は、譲渡担保の各種の効果が、実質的には、かつて外部的移転型に認められたと同じような効果に統一される方向に進んでいることを、示している（（二二）の(1)(2)(3)(6)(7)――ただ、（二二）(4)は例外をなすようにも見える。しかし、判例がつねに債務不履行のみを認めるものと解しうるか、疑問であるのみならず、つねに債務不履行のみを認めること自体にも疑問がある、一八二―三頁参照）。

(3)　判例の動向からみて、二つの型の区別がまだはっきり残されている領域は、債務者が従来使用していなかった物について目的物を占有する権限が債務者と債権者のどちらに存するかを判定しなければならない場合（二二）(1)だけであろう。しかし、外部的移転と内外共移転の効果における差異がほとんど抹消されようとしているとき、この領域のみがこの区別に依存するものと考えることは、妥当ではない。外部的移転・内外共移転の区別は、種々の問題について認められる法的効果の対立を集中的に把握するための構成にほかならず、単に目的物を占有する権限についてだけならば、むしろ、この問題に即した合目的な解決をはかる方が、賢明だからである。そうだとすれば、この問題に関しては、譲渡担保の存在理由にかんがみ、特約のないかぎりは、債務者が占有する権限をもつものと考えなければならない。そのように考えることが許されるとすれば、この問題に関しても、外部的移転について認められた法的効果を原則とすべきことになるわけである。

さらにつけ加えるなら、二つの型の区別が考えられる領域として――判例は外部的移転の場合しか明らかにしていないのだが――（二二）(8)に掲げた三つの場合がある。しかし、これらの場合も、譲渡担保の実体に即して考えるかぎり、外部的移転型に認められる効果を与えるべきものである。

三　精算型と流質型の区別、処分権取得型と当然帰属型との区別

（一）　判例は、一般に、譲渡担保を精算型と流質型とに区別する。判例は、かつては、この区別を外部的移転型と内外共移転型との区別に対応させたが、その対応は連合部判決の出現する以前にすでに破れていることは、上に述べたとおりである（学者のなかには、まだ、対応関係を認めるものがある。たとえば、柚木・担保物権法（法律学全集）三九五頁、三九六頁、三九八―九頁。我妻・民法講義Ⅲ〔九七〕二、〔一〇二〕二。――ただし、我妻教授は、聯合部判決巡歴Ⅰ三五一頁以下では、この解釈を改めておられる）。

（二）　判例も、学説も、弁済充当方法を精算型と流質型とに二分して考えるのが常であるが、判例をくわしく検討すると、この区別だけでは不充分であることを発見する。

弁済充当方法については、債務不履行により目的物が当然に債権者に帰属するか（当然帰属型）、債権者は目的物を処分する権能を取得するにすぎないか（処分権取得型）の区別と、目的物の価値と債務額とのあいだに精算を行なうか（精算型）、行なわないか（非精算型）の区別が、存するはずであり、判例にも、次第に、次のような、両者の組み合わせによる種々の態様が現われるようになつているのである。

(1)　精算型

（イ）　処分精算型（債権者は目的物を換価処分してその換価金と債務額とのあいだに精算を行なわなければならない場合）――判例は、精算型として主にこの場合を考えており、そして、すでに述べたように譲渡担保一般についてこれを推定する（二(二)(7)参照）。

（ロ）　帰属精算型（目的物は債権者に当然に帰属するが、その価格を評価して債務額とのあいだに精算を行

なわなければならない場合）――下級審判決（東京区判昭一五・八・六（後出【97】）、盛岡地判昭二九・三・一五（後出【98】））のなかには、当然帰属を約した場合に精算すべきことを命ずるものが、見られる。

（ハ）　純粋精算型（債権者は目的物を換価して換価金を弁済に充当することも、目的物の価格に対応する債権の代物弁済として充当することもできるが、ともかく精算を要する場合）――判決のなかには、そのような事案もあらわれている（大阪地決昭三二・二・一一（後出【151】））。

(2)　非精算型（流質型）　非精算型のなかには、処分権取得型はありえない。債権者が目的物に対して処分権を取得するにとどまるというのは、債務額とのあいだに精算することを前提とするものたからである。したがつて、非精算型は当然に当然帰属型であり、一般に流質型と呼ばれるものは、この二つの性質をもつているのである。

(三)　精算型と非精算型、処分権取得型と当然帰属型のあいだでは、それぞれ、前者（精算型、処分権取得型）が推定される。判例は、すでに述べたように（二(二)(7)）、これを、処分精算型を推定すべきだとか、特約がなければ代物弁済となしえないとか、当然帰属を約した場合にも精算を推定すべきだとか、という形で、認めている。

(四)　これらの区別は、債務者が遅滞におちいつた時以後の譲渡担保関係を支配する。そして、債権に関連する問題については精算型と非精算型（流質型）の区別が、目的物に関する問題については処分権取得型と当然帰属型の区別が、それぞれ利用されることになる。

(1)　被担保債権の利息について利息制限法の適用があるかの問題に関し、一般には適用があるが、ただ、流質型において流質となる場合だけは、事実上、その適用は問題にする余地がない、と考えられる（五二(一)参照）。

(2) 目的物が債権者のもとで保険金に転化したような場合、保険金が被担保債権額に不足しても、流質型においては――債務者は流質とすることもできるのだから――不足額を支払う必要がない、と考えられる（五二(二)(2)参照）。

(3) 債権者の担保権の実行と債権に基く執行との関係については、（イ） 債権に基いて債務者の一般財産にかかつていくことができるかどうかの問題は、――債権に関する問題だから――精算型であるか否かにより、（ロ） さらに、債権に基いて債務者の一般財産にかかつていける場合（精算型の場合）に、まず担保物によつて弁済を得べきか否かは、――目的物に関する問題だから――当然帰属型（この場合には、まず目的物によつて弁済を得たのち、はじめて不足額について一般財産にかかつていける）か処分権取得型（この場合には、かならずしも最初に目的物によつて弁済を受けねばならぬことはない）かの区別に依存することになる（五五(二)(2)参照）。

(4) 譲渡担保権実行のための債権者の目的物引渡請求権（債務者が占有している場合）の根拠は、当然帰属型の場合は所有権、処分権取得型の場合には処分権ということになる（五五(二)(4)参照）。

(5) 遅滞後債務者は弁済して目的物を取りもどすことができるか、の問題は、目的物の帰属の問題だから、当然帰属型か処分権取得型かが基準となる（五五(二)(5)参照）。

四　信託行為の理論

（一） 以上あげた基礎理論（一・三・二）は、実をいえば、《信託行為》の理論からみちびかれた第二次的な原則であり、譲渡担保に関する判例の基礎理論のすべてをおおうものではないのは、もちろんのこと、それら自体、その基底を支える《信託行為》の理論に促がされて漸次変容していくものである。譲渡担保判例法を支配する究極的な理論は、《信託行為》の理論である、といわなければならない。《信託行為》の理論というのは、次のようなものである（くわしくは、四宮「信託行為と信託」法協五九巻一―四号、七号参照）。

信託行為は、数多くの判決が譲渡担保に関して述べているように、経済的目的（譲渡担保の場合は債権担保）を越える法的手段（譲渡担保の場合は所有権の移転）に訴える行為である。だから、当初は、法的効果と経済的目的とのあいだにいちじるしい矛盾が見られるわけだが、信託者は受託者を信じて、あえて経済的目的を越える法的権能を受託者に与えるのである。譲渡担保にあつては、債権者が《所有権》者とみられ、ただ、その所有権を担保目的以上に行使してはならない《債権》的拘束を受けるにすぎない、ということになる（このような行為も《契約自由の原則》からは当然に認められてよいわけであり、そして、受託者たる債権者に加えられる債権的拘束の内容も、契約自由の原則にしたがつて、原則としていかようにも定めうるわけである）。だが、信託行為はかような状態にそのままとどまるものではなく、上の矛盾を原動力として運動を開始する。そして、その結果、信託行為の目的とされる経済的需要が社会的承認を得るにつれて、次第に経済的目的に適合した法的効果が認められるようになる（外部的移転の構成、精算型の推定などそのあらわれである）。そして、最後には、立法によつて、経済的目的に即応した法的制度が確立されることになるのである。――したがつて、わたくしが信託行為の理論といつたのは、信託行為の発展法則にほかならない。

(二)　譲渡担保に関する判例法の歩んできた道も、――逆行もあったが、結局は、――この信託行為の発展法則の指向する道であった。とくに顕著な現象を指摘して、若干の説明を加えることにしよう。

(1)　まず、大判明四五・七・八(前出【24】)の創始した『外部的移転』の構成があげられなければならない。《担保》という経済目的に適合した法的効果を創るために、所有権の帰属を当事者間の内部関係と対第三者の外部関係とに二分するという構成は、弾力性を欠いたあまりにも形式的な構成であるといわなければならないが、それでも、所有権が内外共に債権者に移転し、債務者は単に債権者が担保目的を越えないことを要求する債権しか有しない、と構成する場合よりも、はるかに信託行為の理論に適合するものといえよう。

(2)　外部的移転の構成あるいは外部的移転と内外共移転との区別の、主要な根拠をなしていた弁済充当の方法の区別が、かえってまず最初に、内外共移転・外部的移転の区別のわくから脱落していき、しかも、外部的移転に対応すると考えられた処分権取得型(精算型)が推定されるにいたった(しかもそれは、内外共移転を推定する連合部判決が出現しても、変わらなかった)ことも、信託行為の発展法則の現われである。けだし、この事実は、次のような事情から生まれたものと考えられるからである。すなわち、それは、判例が外部的構成のほかに内外共移転の態様をも認めるにいたったものの、債務不履行に際して処分精算すべき拘束は、担保目的による拘束のなかでももっとも重要なものであるところから、外部的移転の場合のみならず、内外共移転の場合においても作用すべきものとする必要があったことによるものと考えられるのである。

しかも、上の事実は、譲渡担保判例法のその後（といっても連合部判決後ということになるが）の発展にとつて重要な意味をもつことになつた。というのは、それは、譲渡担保に関する問題の解決にとつて、内外共移転・外部的移転の構成がかならずしも絶対的な標準ではなく、譲渡担保に関する問題がこの二つの基本的な型とは独立に解決されうる可能性を有するものであること、そして、その場合に、問題解決の指針は、外部的移転について認められていた効果の方向に存するものであることを、教えているからである（(3)参照）。

(3)　連合部判決が内外共移転を推定したことは、金融者を保護しようとしたのであろうが、信託行為の発展法則には逆行するものである。

この判決が、法律的形式の点で異例だからという理由で外部的移転を譲渡担保の契約の解釈の点でも異例としたのは、法律構成の《技術》としての使命を忘れたものであり、むしろ、譲渡担保の経済的目的（担保目的）にしたがつて、担保目的に必要な限度での移転すなわち外部的移転をこそ推定すべきであつた。このことは、学者のつとに指摘したとおりである（末弘・判例民事法大正一三年度一一〇事件評釈、我妻「判例売渡抵当法」松波還暦四二五頁以下とくに四九七頁以下）。

連合部判決による内外共移転の推定は、そのようなものとして、信託行為に内在する運動のエネルギーに対する強力な《抵抗》となつたことは、いうまでもないことである。だが、皮肉なことに、——いや、むしろ、当然の結果というべきであろうが——その運動エネルギーと抵抗との摩擦は、裁判所にいっそう信託行為の発展法則を自覚させる作用をいとなむことになったのである。すなわち、その後の判例は——むろん連合部判決に追随するものも少なくはないが——(2)で述べた現象のうちにすでに現われていた傾向を漸次おし進めているのである。言いかえると、譲渡担保に関する種々の問題を、内外共移転・外部的移転の構成に拘泥することなく解決しようとし、そして、その際、内外共移転の内容自体を外部的移転の場合に近づけようとする傾向を示しているのである(二参照)。

(4) 判例は、経済目的(担保目的)に譲渡担保の法的効果を近づけるのに、外部的移転の構成に訴えるとともに、それよりもむしろしばしば、——そのような法律構成を媒介とすることなく——端的に《担保目的》に訴える。

かようにして、譲渡担保の担保権的性格(ひろい意味の《附従性》といってもよいであろう)が次の諸点について承認されている。

(イ) 債権不成立の場合には、譲渡担保の目的物は不当利得として債務者に返還されなければならない(大判昭一三・一〇・一二(後出【127】)(傍論))。

(ロ) 債務が消滅した場合は譲渡担保権は消滅し、債務者は担保物返還請求権をもつ(大判昭二・一〇・二六(後出【87】)、大判昭二・一二・一七(後出【136】)(時効消滅の場合))。ただ、弁済によって当然に担保物が物権的にも復帰する場合と、債務者が返還を請求する債権を有するにとどまる場合がある、とするのが、判例の考え方のようであるが(大判大一五・八・三(後出【139】)(傍論))、単に所有権を返還すべき旨の約束された場合にも、物権行為の独自性を認めない判例理論のもとでは、弁済によって当然に所有権の復帰を生ずるはずであるから、原則としてつねに担保物は弁済によって当然に債務者に復帰することになるであろう(八二(四)参照)。——さらに、弁済に際しての譲渡担保権の附従性が、破産法八八条の明文の規定にもかかわらず、譲渡担保権者が破産した場合にもつらぬかれていることは(大判昭一三・一〇・一二(後出【127】))、きわめて重要である。

(ハ)　債権が譲渡された場合には、特約なきかぎり譲渡担保権もそれに随伴する(大判明三八・九・二九(後出【141】))。

(ニ)　債権のみの譲渡が行なわれた場合には、譲渡担保権は消滅し、債務者は担保物の返還を請求することができる(大判明三八・九・二九(後出【141】))。

(ホ)　債務者(高松高判昭二九・二・二六(後出【103】))や第三者(大判大一二・七・一一(後出【128】))が担保物を侵害した場合、債権者が請求しうべき損害賠償額は、目的物の価格そのものではなく、被担保債権額によって限界づけられる。

(ヘ)　大審院は、弁済充当のために債権者が目的物の引渡を訴求しても被担保債権の時効を中断する効力はない、としているが(大判昭二・九・三〇(後出【137】))、近時の下級審判決のなかには、傍論ながら中断の効力を認めるものがあり(大阪地判昭三三・五・一七(後出【138】))、判例もやがては後者に落ち着くのではないかとおもわれる。

(ト)　債務者からの目的物の譲受人が信託行為における「当事者間ノ内部関係ニ於ケル特約」を自ら譲渡担保の当事者に対して主張するのは妨げられないとして、——外部的移転の事案に関してではあるが——譲受人に事実上法定代位弁済を認めているのも(大判大九・六・二(後出【115】))、《担保目的》に法的効果を与えた一例といえよう。

(チ)　借地上の建物について譲渡担保が設定された場合に関し、かつて、大審院判決(大判昭一五・三・一(後出【147】))は、敷地賃借権の処分をもともなうから、賃貸借解除事由(民六一二条)になる、と判定した。しかし、最近の下級審判決の傾向としては（東京地判昭三四・六・一一（後出【148】）、東京高判昭三五・五・一一（後出【149】）、東京地判昭三六・五・一二（後出【150】））、目的物の使用収益が債権者に移らず、依然として債務者（賃借人）にとどめられている場合には、賃借人に賃貸人との信頼関係を破壊するような不信行為はまだ存在しないものとみて、解除を否定しようとしている。債務者に占有の留保される譲渡担保の設定は、抵当権設定に類するものと考えられようとしているわけであり、ここにも、譲渡担保の《担保性》が漸次認められていくのを見ることができる。

以上のような譲渡担保の効果（《担保的性格》）は、譲渡担保の目的物が完全に譲渡担保権者に帰属していると考える債権制限説＝所有権的構成とはかならずしも相容れないものである。信託行為は、最初の発展段階では、かような債権制限説＝所有権的構成によつて把握されるのにふさわしいものであるが、次第に、そのような構成によつて把握しきれない法的効果、すなわち、信託行為の経済的目的（債権担保）に適合する法的効果を与えられていくのである。以上の判例の成果はこれを実証するものにほかならない。

(三)　上述のように、判例は信託行為の理論にみちびかれて、担保制度にふさわしい法的効果を譲渡担保に与えることに努力してきた。しかしながら、譲渡担保がとつている法的形式（所有権の移転）はなお譲渡担保の《担保》としての完成をはばんでいる。わが判例上、譲渡担保はまだ充分に担保制度としての醇化をとげているとはいえない状態である。

(1)　第一に、さきに、信託行為の理論に適合した結果が得られているように述べたもののなかには、まだそのことを確認する大審院または最高裁判所の判決が出現していないものも、少なくない。

(2)　さらに、対第三者関係では、所有権的構成がなおつよく残っている。

（イ）　債務者が目的物を処分した場合は、同種の権利（所有権）の二重処分となり、債権者が対抗力を有するかぎり、譲受人は所有権を取得しえない（刑事判決だが大刑判大三・七・七（後出【44】））。――もっとも、すでにふれたように、譲受人に事実上法定代位弁済の認められることは（大判大九・六・二（後出【115】））、この場合の譲受人の地位を担保物権を負担した目的物の第三取得者の地位に近づけるものとして、注目に値する。

（ロ）　債権者から担保物を譲り受けた者は、悪意でも、完全に所有権を取得する（大判大九・九・二五（後出【118】）、大判大一一・六・三（後出【119】））。

（ハ）　債務者の一般債権者が目的物を差押えた場合、譲渡担保権者は第三者異議の訴を提起することができる（大判大三・一一・二（後出【122】）、大判大五・七・一二（後出【67】）、大判昭六・一二・二二（前出【3】））。――もっとも、下級審判決のなかに、債権者は異議の訴を提起しえず（東京区判昭一一・八・八（後出【124】）、東京区判昭一二・一二・一一新聞四二二七・一四）、優先弁済権は主張しうる（福岡区判昭九・一二・二七（後出【125】））、とするものがある。

（ニ）　債務者の破産の場合に関しては、適確な判例がないが、破産管財人の処分を違法とする下級審判決がある（山口地判明四三・三・八（後出【126】））。

（ホ）　債権者破産の場合には、債務者の取戻権を否定するものとおもわれる破産法八八条がある――ただし、判例が譲渡担保権の附従性を認めつつ、この規定を事実上空文化していることは（大判昭一三・一〇・一二（後出【127】））、注目に値する。

――ドイツの判例が、債務者破産の場合（二の場合）に債権者に別除権的保護しか与えず、債権者破産の場合（(ホ)の場合）に債務者に取戻権を、債権者の一般債権者の執行に際して債務者に異議権を、それぞれ認めている（六二の(二)(三)(四)参照）のにくらべて、信託行為理論の利用においてまだ不充分なうらみがある、といえよう。ただ、《公示の原則》との関連において困難な問題の存することは、否定することができない。将来に残された重要にして困難な問題である。

(3)　譲渡担保の目的物に関する所有者利益を被保険利益として保険契約を締結することが、債務者には認められず（岐阜地判昭三四・三・二三（後出【54】））、逆に債権者に認められる（大判昭一一・六・一八（後出【53】））ことも、対第三者関係に準ずる場合の特例として理解することができよう。しかしながら、これは経済的利害関係たる《被保険利益》の本来の観念に反することであり、問題の解決は将来に残されているといわなければならない。

(4)　譲渡担保では、時として、目的物を債権者に移転しないで第三者に移転することが、行なわれる。これが可能とされるのは、譲渡担保が所有権移転という法形式をとり、担保物権の附従性にわずらわされないことによるのであろう（大判昭五・一〇・四（前出【31】）も、とくに「信託行為ノ場合ニハ」という限定をつけて、右の行為の有効なことを述べている）。この意味では、譲渡担保の附従性は不完全だということになる。――しかし、担保物権についても、附従性を緩和してそれのみの信託を認めるべきであり（四宮・信託法五〇頁参照）、そうだとすれば、この点は譲渡担保に特有のものと考える必要はない。

(四)　上に述べた未解決の問題（(三)参照）についても、判例は信託行為の理論にしたがつた努力をつづけていくであろうが、いずれは立法による明確な解決を必要とするであろう（譲渡担保立法化の研究は松本財団財産立法研究会によつて行なわれており、その中間報告の一部は筆者によつてすでに発表されている。四宮「譲渡担保法要綱（改訂第二試案）解説」立教法学二号・三号）。

四　譲渡担保の設定

一　目的物

（一）　譲渡担保の目的物は、譲渡することのできるものでなければならない。もし譲渡に条件が必要なものであれば、それについて譲渡担保を設定するにも、その条件を充たさなければならない（大阪高判昭二九・一二・一八（後出【157】）は、電話加入権につき、電話公社の承認を受けない譲渡担保は無効だとする）。逆に、譲渡することのできる財産権なら、何でもよい。不動産であると動産であるとを問わないし、物権・準物権であると債権や株式であるとを問わない。

名義者と実体的権利者との分裂が許されないような財産権については、どうであろうか。大判大四・一二・二五【33】は、漁業権を債権担保のために譲渡した者が、その行為について、漁業原簿の名義と漁業権の所在との不一致を許さない旧漁業法に抵触する無効のものである、と主張したのをしりぞけて、内外ともに移転したものと判断した原審判決を支持している。これは、譲渡は可能だが名義人と実体的権利者との分裂が許されないような財産権についても、判例のいわゆる内外共移転型の譲渡担保なら設定することが可能である趣旨をふくむものと解することができるが、当否は疑問である。

【33】　XはYに対し、漁業経営の必要上債務を負担するにいたったので、漁業権を「売渡担保」とし、引きつづき賃借、弁済期に弁済がないので、特約により漁業権は確定的にYに帰属。しかるに、Xは、「売渡担保」では内部的には権利の移転なしと主張し、漁業権の名義回復を訴求。原審は、信託行為によりいかなる法律関係を生ずるかは、当事者の意思による、として、内外共移転を認定し、Xの請求をしりぞけたので、

X上告し、旧漁業法は漁業権の所在と漁業原簿の名義とをつねに一致させる趣旨だから、漁業権の信託的譲渡（そこでは内部関係と外部関係とが分裂する）は不能を目的とする無効の行為である、と主張。

「権利ノ信託的譲渡ハ常ニ同一ノ効力ヲ有スルモノト謂フベカラズ。権利ノ信託的譲渡ハ一定ノ目的ヲ達スルノ手段トシテ其目的ニ超過スル権利譲渡ノ形式ヲ取リタル意思表示ニシテ独リ手段ノミガ意思表示ノ内容ヲ成スモノニアラズ。其意思表示ノ内容ハ正ニ目的ト手段トニ適応スルモノタルコトヲ要スルモノナルガ故ニ、権利ノ信託的譲渡ノ内容ハ目的ニ差異アルニ従ヒ差異アルベキハ数ノ免レザル所ニシテ、権利ノ信託的譲渡ノ内容ハ或ハ第三者ニ対スル外部関係ニ於テノミ権利ヲ移転シ当事者間ノ内部関係ニ於テハ権利ヲ移転セザルノ意思表示ナルコトアルベク、或ハ全然権利ヲ移転セズ唯特定ノ場合ニ於テ権利処分ノ権限ヲ受信者ニ付与スルノ意思表示ナルコトアルベク、或ハ全然権利ヲ移転シ唯一定ノ制限ヲ超エテ其権利ヲ行使スベカラザルノ債務ヲ受信者ニ負担セシムルノ意思表示ナルコトアルベシ。然リ而シテ意思表示ノ法律上ノ効果ハ一ニ意思表示ノ内容ニ依リ定マルモノナルガ故ニ、権利ノ信託的譲渡ノ効力ハ常ニ一定スルコトナク、箇々ノ場合ニ就キ其意思表示ノ内容如何ヲ観テ之ヲ判定スルノ外ナキモノトス。本件ニ於テ原院ハ係争ノ契約ヲ以テ内部関係ニ於テモ外部関係ニ於テモXヨリYニ漁業権其他ノ権利ヲ移転シ唯Yヲシテ担保ノ目的ヲ超エテ権利ノ行使ヲ為サズ且期限内弁済アリタルトキ担保ノ目的物ヲ返還スルノ債務ヲ負担セシメタル契約ナリト解釈シタルモノニシテ、是レ固ヨリ権利ノ信託的譲渡ニ相当スルモノナルコトハ右ノ説明ニ依リ明カナレバ、之ヲ以テ権利ノ信託的譲渡ナリト為シタル原院ノ説明ハ正当ナリ」（大判大四・一二・二五民録二一・二二二二）。

（二）　譲渡担保の法律関係は、その目的物が何であるかによつてほとんど異らないが、若干の差異は免かれない。そして、譲渡担保が担保制度としてもつとも威力を発揮するのは、いうまでもなく動産を目的物とする場合である。したがつて、本稿では、便宜上、まず、動産を中心として譲渡担保の法律関係を一わたり叙述し、そのあとで、不動産その他の目的物についてそれぞれの特殊点を指摘する、という方法をとることにする。ただ、――やはり便宜の考慮によるのだが――右の方針に二つの例外を認めなければならない。

一つは、右の動産のなかから、在庫商品というような『集合物』を除外することである。集合物については特殊の問題があり、別箇に考察するのが便宜だからである。

もう一つは、動産を中心として譲渡担保の法律関係を叙述するというとき、素材となる判例は、かならずしも動産に関するもののみに限られないということである。不動産その他の目的物に関するものであつても、動産に関するものと異ならないと考えられる場合には、動産を中心とする判例譲渡担保法の素材として利用することが許されるであろうし、またその方が便宜でもあるからである。

したがつて、結局、以下**八**までの叙述は、動産を中心とする譲渡担保一般法に関するものであることになるわけである。

二 被担保債権

(一) 譲渡担保は債権を担保するために設定されるものであるが、その債権が存在しなかつた場合には、譲渡担保はどのような影響を受けるだろうか。

大判昭一三・一〇・一二(後出【127】)は、――債権者が破産し、債務者に弁済した場合に関し――傍論的に「被担保債権成立セザル」ときは、「担保ノ目的ハ不到達ニ終リ財産権ノ譲渡ハ其ノ原因ヲ欠クニ至ルベキヲ以テ、破産財団ハ譲渡人ニ対シテ不当利得ヲ為ス」旨を述べている。

右の判旨の判例価値は存しないわけだが、これによると、被担保債権が成立しなかつた場合には、譲渡担保の設定を受けた者は譲渡された財産権自体を不当利得したものとして、これを設定者に返還しなければならない、ということになるであろう。民法上の担保物権の場合なら、債権がはじめから成立しないときは、担保物権設定契約も無効で、担保物権ははじめから存在しないとされるのであつて（抵当権につき大判昭一一・三・一三民集一五・四二三）、これと対比して、譲渡担保の成立における附従性はまだ完全とはいえないわけである。

しかし、債務の消滅に際しては、譲渡担保権は消滅し、債務者は担保物返還請求権をもつものとされ（大判昭二・一〇・二六（後出【87】）大判昭二・一二・一七（後出【136】））しかも、単に所有権を返還すべき旨の約束がなされた場合にも、物権行為の独自性を認めない判例理論のもとでは、原則として、弁済によつて当然に所有権の復帰を生ずるものと考えられる、とすれば（八二(四)）、そもそも最初から債権が成立しなかつたような場合には、はじめから譲渡担保権の成立がなかつたものと考えなければならないといえよう。

（二）　譲渡担保を設定しうる債権

(1)　譲渡担保権によつて担保される債権は、すでに存するものでもよいし、譲渡担保と同時になされる消費貸借によつて発生するものでもよい。譲渡担保が売買の形式をとる場合は、後者に属するわけだが、その場合、売買契約成立後に代金の授受が行なわれても、譲渡担保契約の成立に差しつかえはない【34】。

【34】　「売渡担保契約ノ成立スルガ為ニハ所論ノ如ク先以テ消費貸借ノ要件タル金銭授受ヲ前提トスルヲ

要スルモノニ非ズ。前認定ノ如ク売買契約成立後ニ至リ代金ノ授受ヲ為シ以テ其ノ目的ヲ達成スルコトヲ妨ゲザルモノトス」（大判昭一七・一・二二法学一一・九六三）。

したがつて、「将来ニ於テ主タル債権ノ成立ス可キ事ヲ予想シ其債権ノ為メニ予メ債務者ヨリ其担保ヲ供与スルハ、決シテ無効ノ行為ト云フ可ラザル」ことになる（大阪控判大四・一一・七新聞一〇六四・二七）。

さらに進んで、増減変動の予想される債務のために、根担保として、譲渡担保を設定することも、認められている。すなわち、大判昭五・三・三（前出【39】）の大審院判決は、出漁資金や漁船代金をうるために漁船を譲渡担保とした行為が債権者詐害行為に該当しない旨を判示する際、「初ヨリ所要金額ノ確定セザル可キ事情アル本件ノ如キ場合ニ於テハ、金額ヲ一定セザル根抵当ノ形式ニ依リタレバトテ、該抵当権ニ依リテ担保セラルベキ債権ガ前示出漁資金ノ範囲ニ限定セラルルモノナル以上、金額ノ不定ヲ以テ直ニ必要ノ度ヲ超脱シタルモノト為スヲ得ザルハ勿論」として、傍論ながら、根担保としての譲渡担保を認めている。大判昭一三・一〇・一二（後出【127】）も、株式の清算取引上の債務を担保するために、白紙委任状をつけて株券を取引員に差し入れた場合に関するものである（もつとも譲渡担保の効力は、問題となつていない）。

(2)　被担保債権は、ふつう金銭債権であるが、金銭債権でなくてもよい。大判大二・一〇・九（新聞九〇二・二七）は、もみ米を借りうけ、その弁済を担保する目的で山林を売り渡すこととした場合に関し、「売切抵当」を認めている。

三　設定契約

(一)　当事者

(1) 担保提供者（譲渡担保設定者） 譲渡担保の設定者は、通常は債務者であるが、債務者以外の第三者が物上保証人として譲渡担保を設定することは、許されないか。

直接これを問題とした判例は見当らないが、大判昭五・一〇・八（後出【36】）は、父が子の債務のために担保を提供した例である。物上保証人を認めることに問題はないであろう（民三五一条・三七二条参照）。そして、物上保証人が弁済しまたは担保権の実行によって財産権を失なった場合には、質や抵当の場合（民三五一条・三七二条）と同じように、民法の保証に関する規定に従って債務者に求償することができるものと解すべきことも、いうまでもないであろう。

(2) 担保を取得する者

（イ） 譲渡担保権を取得するのは、通常は債権者だが、債権者以外の第三者に財産権を譲渡することによって譲渡担保を設定することは可能か。

大判大三・一一・二〇（前出【9】）は、かような事案を虚偽表示とした原審判決を、事実認定の範囲内のこととして支持した。しかし、その後の判例は、問題を肯定しており【35】【36】【37】、そのなかのひとつ（大判昭五・一〇・八【36】）は、担保提供者が債務者と別人である場合にも、譲渡担保権取得者が債権者と別人であることをも（この場合には関係人は四人となる）、認めている。

【35】 XはAに対する債務を担保するために、AおよびAの子であるYとの契約で、その所有地をYに信託的に譲渡した。のち、Xは債権消滅を理由に、Yに対して売買登記抹消を訴求。

「本件事実ノ如ク債務者ガ自己ト債権者ト第三者トノ三人合意ノ上債権担保ノ目的ヲ以テ土地ヲ第三者ニ信

託的ニ売渡ス契約ハ、之ニ因リ債務者ヲシテ其債務ノ弁済ヲ為スニ非ザレバ第三者ヨリ土地ノ返還ヲ受クルコトヲ得ザラシメ、以テ当事者ノ目的トスル債権担保ノ実ヲ挙グルコトヲ得ルモノナレバ、固ヨリ公序良俗ニ反スルコトナク、適法ナル信託行為ノ一種ニ属シ、契約自由ノ範囲内ニ在ル有効ノ法律行為ナリト謂ハザル可カラズ」（大判大七・一一・五民録二四・二一二二）。

【36】Xの実子AがBから借金する際、担保としてXから第三者Yに債権を譲渡した。Xは、債権担保のために他人の債権を譲渡する信託行為の場合には、その譲受人は被担保債権者であることを要する、と主張し、Yに対し契約不存在確認の請求をした。原審は請求を認めず、X上告。

「債権担保ノ為他ノ債権ヲ譲渡スル信託行為ノ場合ニハ、其ノ譲受人ガ被担保債権者ナルコトヲ要スト解スベキ根拠アルコトナク、譲受人ガ第三者タル場合ト雖右ノ譲渡ニ因リテ債権担保ノ目的ヲ達シ得ベキモノナルトキハ、其ノ信託行為ハ即有効ナルモノト解セザルベカラズ」（大判昭五・一〇・八評論二〇民法一九）。

【37】甲が乙に借金の周旋を頼み、乙が丙に金融を頼み、丙が甲に金融した場合に、担保として甲の不動産を乙名義に移転した。乙が虚偽登記の疑いで刑法一五七条の罪に問われる。次に掲げる判文は、それに関する刑事判決の傍論の部分である（乙は他の事由で有罪とされている）。

「因テ案ズルニ、甲ガ乙ニ金借ノ周旋ヲ依頼シタルニ、乙ハ更ニ丙ニ金融ヲ頼ミ、同人ヲシテ甲ニ金員ヲ借用セシメタル場合ニ、甲ガ其ノ債務ヲ約定ノ期日マデニ返済スベキ確証トシテ、其ノ所有ノ不動産ヲ乙ニ売買名義ニ因ル所有権移転仮登記ヲ為シタルトキハ、甲ハ右債務ノ返済ヲ為スニ非ザレバ乙ヲシテ右仮登記ヲ抹消セシムルコトヲ得ザルヲ以テ、債務ノ履行ヲ確証セシムル実ヲ挙グルコトヲ得ルモノナレバ、適法ナル契約ノ一種ニ属シ、契約自由ノ範囲内ニ在ル有効ナル法律行為ナリトス」（大判昭九・九・一四新聞三七八一・一六）。

要するに、第三者に財産権を移転しても、設定者は債務の弁済がなければ返還を請求することができない旨を約するのであるから、それによつて充分担保の実をあげることができるのであるから、適法な信託行為であり、契約自由の範囲にある有効な法律行為だというのである。

質権や抵当権では、担保物権の附従性から、担保権者は、担保附社債信託法のような特別の規定（同法七〇条）がある場合を除けば、かならず債権者でなければならない、とされる。しかし、譲渡担保の場合には、当事者は財産権移転という法形式を担保の手段として利用しているにすぎないから、当事者は、担保物権の附従性にわずらわされることなく、自由に財産権の名義者をえらぶことができる（植林「譲渡担保の法律構成に関する若干の疑問」法学雑誌四巻六号五一六頁も、第三者への財産権の移転が可能なことを、譲渡担保に附従性のないことから、みちびいている）。前出【36】が、第三者への移転を有効とする際に、「債権担保ノ為他ノ債権ヲ譲渡スル信託行為ノ場合ニハ」と限定をつけているのは、かような趣旨と考えられるのである。

かように、第三者への移転が可能なのは、所有権移転の形式をとる譲渡担保の、担保物権に対する特異性とみることもできるのである。しかし、担保物権の附従性を緩和して、その第三者への信託も認めるべきだとすれば（信託法学者には、これを認めるものが多い。四宮・信託法五〇頁参照）、そして、他方、譲渡担保の債権に対する附従性が他の部分でひろく認められていることをおもえば（三四(二)参照）、上の点をとくに譲渡担保の特色とみる考え方は、もう清算すべきではないであろうか。

（ロ）　担保物が第三者に移転された場合の法律関係はいかに解すべきか。これは困難な問題であり、判例の考え方もほとんど不明である。

(a)　譲渡担保の目的たる財産権を第三者に移転する場合の法律構成としては、二つの態様が考えられる。ひとつは債権者を受益者とする譲渡担保権の信託、他は、担保提供者・債権者の双方を受益者とする財産権自体の信託である。財産権移転の形をとる第三者への移転が、譲渡担保権の信託となりうる、というのは、不可解のように見えるが、財産権移転の形をとる譲渡担保が、すでに述べたように(四三)、担保的性格を濃厚にしている以上、財産権移転の形をとりながら、譲渡担保権を信託することは、——信託もまた財産権移転の形をとるものであるから(信託法一条)——可能だといわなければならないのである。

そして、設定者が依然として目的物を占有する場合は、債権者のために譲渡担保権者としての地位が信託されると解される。第三者への名義移転が債権者の希望で行なわれた場合や、第三者が債権者と親密な関係にある人だつた場合などにも、同様の関係が成立するものと推定してよいであろう。

これに反し、設定者と債権者との希望によつて信託が行なわれ、受託者が目的物を占有する場合は、設定者・債権者双方のために財産権自体が信託されたと解されよう。

(b)　さらに、いずれの場合にも、信託の性格は信託法の信託かそれとも民法学上のいわゆる『信託行為』(fiduziarisches Rechtsgeschäft) かが、問題となる。本来信託法の信託と考えるべきところだが、譲渡担保に付随して行なわれる第三者への信託であるから『信託行為』の概念で捉えることも、不自然ではない。ただ、そのように解するにしても、そこには、『純正信託』として管理信託が成立している事実を忘れてはならない。

(c)　全財産権の信託の場合は別段の問題を生じないが、譲渡担保権者としての地位が信託されたと考えられる場合には、種々の問題を生ずる。ここで詳論すべき性質のものではないので、問題点のみを指摘しておこう。

第一に譲渡担保権者としての地位しか有しない受託者は、債権内容の満足を受けることができるか。

第二、受託者が譲渡担保権者としてなすべからざる行為をした場合に、その行為の結果は債権者に及ぶか。ことに、受託者が目的物に関して違法行為を行ない設定者に対して損害賠償責任を負う場合に、その損害賠償請求権と設定者が債務者として債権者に対して負つている債務とを、債務者は相殺することができるか（我妻教授は「判例売渡抵当法」松波還暦四四四頁でこの問題を提起しておられる）。

上の二つの問題については、信託の法理からいえば、——結果の当否は別として——問題は否定されるほかないであろう。もつとも、最判昭三四・九・三（後出【135】）は、債務者Yが債権者Aの子Bに所有権を移転したところ、Bがそれを勝手に第三者に処分し、転々としてXにいたつた場合に、YはABに対する損害賠償請求権につき留置権を有するかが問題となつた事案に関して、留置権を否定する際、「損害賠償請求権は訴外ABに対して存するは格別」、Xには対抗しえないと述べており、受託者の不法行為につき債権者の責任を認めるもののようである。だが、これは傍論でもあり、また、ABは親子関係にあるから共謀の認められた場合であるかも知れない。とにかく、一般の場合には、受託者の違法な行為によつて受益者たる債権者の責任を認めえないとすれば、——この型の信託の場合には設定者や債務者の意思は本来問題とならないはずだが——債務者・設定者の意に反してこの種の信託を行なうことは許されないと解しなければならないであろう。大判大七・一一・五（前出【35】）は、「債務者ガ自己ト債権者及ビ第三者ノ三人合意ノ上……第三者ニ信託的ニ売買スル契約ハ……有効」といっているが、それが上のような趣旨であるかどうかは、かならずしも明らかではない。

（二）　意思表示の内容

(1)　譲渡担保設定契約における意思表示の中核は、次の二点である。

（イ）　財産権の移転　判例のなかには、債務不履行を停止条件とする所有権移転をも「売渡担保」だとするものも見られるが、それは異数の例外であり、判例としては、少なくとも外部的関係においては財産権の移転の行なわれるものを売渡担保とみていること、そして、財産権の移転は売買の形式をとる場合でも差しつかえないことは、すでに述べたとおりである（一二(1)、一(二)(2)参照）。

上の原則のわくのなかで特殊なケースとみられるものを、二、三あげれば、白地式譲渡証書と処分承諾書を添えて記名株式を交付し、債務不履行の場合には債権者は株券を適宜処分して債務に充当することができる旨を約するのは、特別の事情のないかぎり、「譲渡担保の一態様」である、とするもの（大阪地判昭三〇・一一・二五下級民集六・一一・二四二九）、採掘の特許がないために書入（抵当）のできない鉱区を債権者と債務者との共同名義にしたのを、「債権担保ノ為ニスル信託行為ノ一種」とするもの【38】、実質的には債務者から債権者へ財産権の移転が行なわれたとみられるのであるが、いったん債務者から債権者に移転したうえで、債務者があらためて買い受け、その際売主たる債権者が所有権を留保する、という複雑な形をとる場合を「売渡抵当」と称するもの【39】、などがある。

【38】　「Xハ明治三四年四月一日Yヨリ借受ケタル金一万円ノ担保トシテ、已ニ採掘特許有リタル数箇所

ノ鉱区及未ダ採掘出願中ナリシ本件鉱区ニ関スル権利ニ付第一番ノ書入ヲ為スベキコトヲ約シタル処、当時施行セラレタル鉱業条例二〇条ノ規定ニ依レバ特許ヲ受ケタル鉱物ノ採掘権ニアラザレバ書入ヲ為スコト能ハザリシニヨリ、明治三五年二月一日X及Y協議ノ上第一番ノ書入ヲ為ス以前ニ於テ本件鉱区ヲ右債権ノ担保ニ供スル方法トシテ、採掘出願人中ニYヲモ加入セシメテ其特許ヲ受ケ、X及Y共同名義ヲ以テ採掘権ノ設定ヲ鉱業原簿ニ登録シ、Yハ外部関係ニ於テ純然タル共同鉱業権ノ主体トナリ、只其内部関係ニ於テXハ鉱業権ノ全部ヲ保留シ、採掘登録ノ右Yハ鉱業原簿ヨリ自己ノ名義ヲ除去シXヲシテ内外ノ関係ニ於テ完全ナル単独鉱業権ヲ取得セシメタル上、第一番書入ヲ為スベキ趣旨ノ契約ヲ為シタル事実ヲ認メ得ベク、右ハ所謂債権担保ノ為ニスル信託行為ノ一種ニ属シ、鉱業条例及鉱業法ノ規定ニ抵触シ若シクハ公ノ秩序ニ反スル処ナキヲ以テ、契約自由ノ原則ニヨリ素ヨリ有効ナルモノト認メザルベカラズ」(熊本地判大六・一一・一二評論六民法一二二六)。

【39】「債務ノ弁済方法トシテ建物ノ所有権ヲ一応移転シタル上改メテ之ヲ買受ケ代金完済後建物所有権ヲ移転シ右代金ヲ月賦払トシ月賦金支払ヲ三回以上怠リタルトキハ売買契約ハ当然解除セラレル旨ノ契約ハ、債権担保ノタメノ売渡抵当ト解スベク、右ノ場合ニ月賦金ヲ三回怠リ売買契約が解除セラレタルトキハ、貸金債権及其ノ担保関係ハ消滅シ、建物所有権ハ永久ニ債権者ノ所有ニ帰スベキモノトス」(大判昭一八・七・二六法学一三・一九九)。

(ロ) 担保の目的で財産権を移転すること

(a) 譲渡担保であるためには、当事者の意思表示は、財産権の移転に向けられていると同時に、その財産権の移転が債権担保のためである旨を示すものでなければならない。この趣旨を説く判決は多数あつて、とくにあげる必要はないとおもう。ここでは、売主が後日目的物を回復しうる旨の特約が存する場合には、それを債権の担保としたのと同一の経済的効果をうべきものであれば、譲渡担保となりうる、という趣旨の判決(大判昭三・一〇・一三(前出【7】))をあげておくにとどめる。

(b)　財産権を移転する行為のなかに、担保の目的ではなくて、管理ないし保管の目的でなされるものもあることは、周知の事実であるが、次の判決【40】は、信託売買における特約が債権担保の趣旨か目的物の保管を託する趣旨かを確定しない判決は違法だとしている。

【40】　Xが父の財産を相続した折、弱年（成年になったばかり）で不身持だったところから、親族等の提案で家族の一人Yに家政一切を担当させ、土地（数十筆）も売買に仮装してYに所有権を移転し、実はそれによって無償寄託をした。Xはこう主張して、登記の抹消、土地の返還をYに訴求。原審は特約つきの信託的売買であるとして、Xを敗訴させた。原審は、なお、YがXのために負債を支払いかつ生計費を補助した旨を、判示している。X上告し、原審は売渡質とみたのかも知れないが、負債や生計費のために支出した額は五、六百円を越えず、しかもYはXの全財産の収益をえているはずで、それはすでに償却されているはず、と抗争した。

「Xガ本訴ニ依リ不動産ノ返還及売買ニ因ル所有権移転ノ登記抹消手続ヲ求ムルハ、本件ノ不動産ハ現ニXノ所有ニ属シY名義ノ登記ハ無償寄託ノ目的ノ為ニ売買ヲ仮装シタルニ過ギザルコトヲ理由トスルモノナレバ、縦令当事者間ノ売買契約ガ仮装ノ契約ニ非ズシテ信託売買ナルコト明白トナレリトスルモ、直ニXノ右請求ヲ排斥スルコトヲ得ルモノニ非ズ。蓋シ信託売買ノ内容ハ各場合ニ依リ異リ、或ハ債権担保ノ目的ニ出ヅルコトアリ、或ハ目的物ノ保管ヲ託スルガ為ニ為サルルコトアリテ、其ノ内容ハ必ズシモ一定セザルモノナレバ、本件当事者間ニ成立シタル契約ガ信託売買ナリトテ其ノ内容ヲ究ムルニアラザレバ、果シテXガ現ニ所有権ヲ有シ右ノ如キ請求ヲ為シ得ルヤ否尚不明ニ属スレバナリ。然ルニ原判決ハ単ニ何等カノ特約ヲ附シアル信託売買ナリト認定シアルノミニテ其ノ特約ノ内容ニ付キテハ所論ノ如ク何等確定スル所ナク、漫然Xノ為シタル前記請求ヲ排斥シアルガ故ニ、叙上ノ理由ニ因リ違法ノ判決タルコト寔ニ明ニシテ全部破毀ヲ免レズ」（大判昭三・四・二八新報一四八・一二）。

しかし、管理信託が譲渡担保の形式をとる場合について、それが当然に譲渡担保であることを前提としている判決(大判大一五・八・三(後出【139】))も、見られる。これは、浪費者の不動産を、財産保全の目的から、親族の一人に七五円で売渡名義によつて譲渡し、その代金を弁済すればいつでも返還する旨を約した事案において、原所有者の取戻権が時効にかかるかどうかが問題となつた際に、譲渡担保にも種々の態様があるから、内容を具体的に判示する必要がある、としたものである。この場合は、実質に着眼して、管理信託と解すべきではなかろうか。

(ハ)　債権を存続させること　譲渡担保にあつては、『担保』というのは、単に経済的な意味においてではなく、債権を存続させながらそれを担保するものであることが、必要である。『売渡担保』とは、この点において異なるものであること、どちらか疑わしい場合には『譲渡担保』を推定すべきであるにもかかわらず、判例にはかような推定を認めた形跡の存しないことは、すでに述べたとおりである(一(二)参照)。

(2)　譲渡担保の意思表示であるかそれとも他の契約の意思表示であるかを認定する基準

(イ)　売買との判別　売買との判別に際しては、代金(買主の給付すべき金額)と目的物の価格との比較が、重要な判断材料となる。

明治年間に時価九〇六円の立木を売り渡して一五〇円を受けとつたという事案では、立木が売主の家宝だつたことや、当時立木に対する抵当の登記のなかつた事実のほかに、売買代金が価格の五分の一にも達しなかつたことが重要視されて、担保を売買に仮装したものと判定されている(東京控判明四二・一〇・二八最近判五・二七八）。

また、時価二五〇〇円の土地を売却して五〇〇円の給付を受ける契約をした事案でも、買主の給付すべき額が目的物の価格の五分の一にすぎず、しかも、売買の成立すべき特別の事情のあることを認めるに足るものがない以上、「売買以外ノ所謂売渡抵当其ノ他ノ契約成立シタルベシトノ疑ヲ容ルル余地アルモノトス」と判示されている【41】。

【41】「当事者ノ一方ガ金銭ヲ給付スルコトヲ約シ相手方ガ之ニ財産権ヲ移転スルコトヲ約シ之ヲ通俗ニ売買ト称スル場合ニ於テモ、其ノ金額ニシテ財産権ノ目的物ノ価格ニ比シ格外ニ低廉ナルトキハ、特別ノ事情ナキ限リ、当事者ノ意思ハ財産権ノ移転ト金銭ノ給付トヲ対価的関係ニ置キタルニ非ズシテ、売買以外ノ所謂売渡抵当其ノ他ノ契約成立シタルベシトノ疑ヲ容ルル余地アルモノトス」（朝鮮高等法院判昭二・五・二〇評論一六民法一〇〇七）。

（ロ）『売渡担保』との判別については、すでに述べた（一（二））。

（ハ）質・抵当との判別については、後述参照（九二（一）(1)、三（一））。

（ニ）代物弁済予約との区別　譲渡担保契約には、時として、代物弁済の予約が付加される（その場合の代物弁済の予約は流質約款としての機能をいとなむ（五五(3)（ハ）(b)参照））。その点、譲渡担保は、担保目的でなされた停止条件つき代物弁済または代物弁済の予約とまぎらわしい。ことに、債務不履行を理由とする債権者の代物弁済予約完結権の行使によって目的物の所有権が債権者に移転するが、それで債務は消滅せず、清算のうえではじめて消滅する趣旨の契約（代物換価弁済の予約）がなされた場合には、債権者が所有権を取得すれば、特別の事情のないかぎり、特約の効力として、換価処分のために目的物（不動産）の明渡を請求しうるものとする判決があり(大阪地判昭三五・六・八金融法務事情二四八・六)、譲渡担保との類似性は顕著である(右の判決と同じ趣旨を説く譲渡担保に関する判決として、大阪高判昭二七・一二・二六(後出【101】)参照)。

しかし、停止条件つき代物弁済または代物弁済予約の場合には、財産権の移転が行なわれない点で、譲渡担保と、少なくとも法律上は、根本的な差異が存する。当事者が抵当権設定と代物弁済の予約との双方を採用した場合に関し、ある下級審判決(東京高判昭三五・二・二九金融法務事情二三八・八)は、停止条件つき代物弁済または代物弁済の予約が担保の目的でなされたからといつて、譲渡担保契約とはならない、といつている。当然のことである。

なお、譲渡担保と代物弁済予約との判別については、後述参照(九二(一)(2)三(二))。

四　譲渡担保を設定する約束で消費貸借をしたのに、これを設定しなかつた場合

譲渡担保が売買形式でなされ、金銭の交付はあつたが、譲渡担保の設定が不可能となつた場合に関し、次の判決【42】は、債権者が債務者に支払われた金銭の返還を請求するのに、売買契約の解除に基く代金の返還として請求して差しつかえない、としている。

【42】　YAB三人が鉱業権・試掘出願権を共有中、YがAから持分を譲り受ける資金をXから借用するにあたり、便宜上YAB三名からXへの「売渡担保」の形をとつた。しかし、Aは自分の持分譲渡の登録を承知せず、売渡担保の実があがらないので、Xは売買契約を解除し、代金の返還を訴求。

「売渡担保ト称スル取引ハ現行法上一箇独立シタル法律行為ニハ非ズ。甲ガ乙ニ或財産権ヲ移転シ乙ハ其対価タル金円ヲ甲ニ交付シ、以テ此財産権ノ売買ヲ為スト共ニ、当事者間ニ於テ契約ヲ締結シ、他日甲ガ右ノ対価若クハ之ニ利息ヲ加算シタルモノニ相当スル金円ヲ乙ニ支払フトキハ、前記財産権ハ玆ニ再ビ甲ニ復帰

スベキ旨ヲ定メ、以テ終局ノ結果ニ於テハ前記ノ対価ニ相当スル金円ノ消費貸借ヲ為シ且前記ノ財産権ニ対シ物上担保権ヲ設定シタルト同一ノ目的ヲ達セントスルモノヲ謂フ。而シテ右ノ財産権復帰ノ点ニ関スル契約モ其性質必ズシモ常ニ一ナラズ。或場合ニハ民法ニ所謂買戻ト解スルヲ当レリトスルコトアリ。或場合ニハ売買ノ予約ト観ルヲ可ナリトスルコト有リ。抑亦或場合ニハ甲ガ乙ニ金円ヲ支払フト云フ解除条件附ニテ当初ヨリ売買ヲ為シタルモノト認メラルルコトモ有リ。之ヲ要スルニ売渡担保ナル取引ニハ其ノ一面ニ常ニ売買ヲ包含ス。唯之ト附加シテ他契約ガ存スルト云フニ過ギズ。然ルニ、原裁判所ハ、本件ノ事実ハ元来売渡担保ニ基因スルモノナルガ故ニ、本訴金円ハ貸金ノ返済トシテ之請求ス可キニ拘ラズ、売買ノ解除ニ基ク原状回復トシテ其支払ヲ請求スルハ失当ナリトノ理由ニ依リ、X敗訴ノ判決ヲ為シタルハ畢竟売渡担保ナルモノヲ以テ売買トハ全然別異ナル法律行為ナリト解シタルニ出デタルモノニシテ、此点ニ於テ法律ノ違背ヲ免レズ」（大判大一〇・六・二四民録二七・一一六三〔平野・判民一〇〇事件〕）。

譲渡担保を設定する約束で消費貸借をしたのに、債務者がこれを設定しない場合には、債務者は期限の利益を失なうから（民一三七条三号）、貸主は、交付した金銭の返還を請求することができるようになるわけだが、そのほかに、契約の解除を理由として返還を請求しうるものと解すべきであろう。けだし、譲渡担保契約は、それだけでは、双務性・有償性をもつといえないが、譲渡担保を設定する約束で消費貸借をした場合には、譲渡担保の設定は消費貸借に対して――従的のものではあるが――反対給付としての意味をもつから、消費貸借と譲渡担保との牽連関係をある程度認めるべきであり、譲渡担保を設定しない場合には、債権者に解除権が発生するものというべきである。譲渡担保の設定が売買の形式をとつて消費貸借と同時に行なわれる場合には、上のような牽連関係が存するものと考えてよいとおもう（Blass, Die Sicherungsübereignung im Schweizerischen Recht (1953), S. 90 も、スイス法に関するものであるが、債権者が担保設定に関連してのみ給付を行なう場合、あるいは、債務の履行猶予とか利息引下とかを反対給付として意思表示をした場合は、譲渡担保設定契約は有償契約となり、債務者がわの不履行により債権者は解除することができるものとしている）。右の判決はこのような趣旨に理解することができよう。ただ、そこで、「売渡担保ナル取引ニハ其一面ニ常ニ売買ヲ包含ス。唯之ト附加シテ他ノ契約ガ存スト云フニ過ギズ」（傍点筆者）というのは、――少なくとも現在の譲渡担保理論を前提するかぎり――不正確であることは、いうまでもない。譲渡担保はかならずしもつねに消費貸借と同時になされるとは限らず、また同時になされる場合にも、「売買」の形式をとるとは限らないからである。

五　譲渡担保権取得の対抗要件

（一）　動産に関する譲渡担保取得の対抗要件は、むろん、占有である。次の刑事判決【43】が、詐欺罪の成否を問題とするに際して、傍論的にではあるが、目的物を譲渡担保権者Aに引き渡さないで自ら占有する設定者がさらにそれを第三者Bに入質した場合には、その信託売買は第三者に対しては「所有権移転ノ効ナク」、したがって、Bは所有者から目的物を質にとったことになる、と説いているのは、Aには占有という対抗要件がないから、その譲渡担保権取得を第三者に対抗することができない（民一七八条）、という趣旨であろう。そこには、動産に関する譲渡担保権取得の対抗要件は占有であることが、当然のこととして、前提されているのである。

【43】　この判決は、被告はBを欺罔したこと、Bには損害を与えなかったが（この部分が次に採録する判文である）、Aに損害を被らせたことから、結局は詐欺罪の成立を認めるもの。

「被告ハAニ金屏風ヲ引渡サズシテ占有中、之ヲBニ入質シタルモノナレバ、Aニ対スル信託売買ハ、第三者タルＢニ対シテハ所有権移転ノ効ナク、従テＢハ所有者タル被告ヨリ金屏風ヲ質ニ取リタルモノニシテ、該物件ノ上ニ質権ヲ有シ、毫モ損害被ムルコトナキモノトス」（大判大四・五・二七刑録二一・六八二）。

（二）　しかし、占有の移転は占有改定でも差しつかえない。大刑判大三・七・七【44】は、やはり二重の譲渡担保設定を詐欺罪とするものであるが、譲渡担保権者は「賃貸借等ノ関係ヲ利用シ現実ノ引渡ニ代ヘテ占有ノ改定ニ依リ被告ヲシテ代理占有ヲ為サシムベキヲ以テ、……其所有権ヲ第三者ニ対抗シ得ベキ地位ニ在ル者」である、と判示しているのである。かようにして、設定者が依然として目的物の現実の占有・利用を継続しながら、債権者に対抗力ある譲渡担保権を取得させることが、可能となるわけであり、譲渡担保が動産抵当としての機能をいとなむことができることになるのである。

【44】　「Ａハ現実ニ被告ヨリ物ノ引渡ヲ受ケザルモ、賃貸借ノ関係ヲ利用シ現実ノ引渡ニ代ヘテ占有ノ改定ニ依リ被告ヲシテ代理占有ヲ為サシムベキヲ以テ、Ａハ其所有権ヲ第三者ニ対抗シ得ベキ地位ニ在ル者ナレバ、何人モ被告トＡトノ間ニ前示ノ如キ信託行為ノ存在スルコトヲ了知セシナラバ重ネテ被告ト同一ノ物ニ付キ債権担保ノ目的ヲ以テスル信託的所有権移転ノ行為ヲ為ス者ナカルベキ事情ナルニ拘ハラズ、被告〔ハ〕Ａニ対スル信託行為ヲ隠秘シテＢニ対シ同一ノ物ヲ被告ノ所有ナリト詐リ債権担保ノ目的ヲ以テ信託的ニ其所有権ヲ移転スベキ旨ヲ告知シテ、Ｂヲシテ真実ニ其物ノ上ニ信託的所有権移転ノ効果ヲ生ゼシメ得ベキモノト誤信シ代金名義ヲ以テ被告ニ金円ヲ貸渡サシメタル以上ハ、被告ノ行為ハ当然詐欺罪ヲ構成スト謂ハザルベカラズ」（大判大三・七・七刑録二〇・一四三二）。

しかも、判例は、漸次、占有改定による譲渡担保権者の占有取得を可能なかぎりひろく認める傾向を示している。

前出【44】も外部的移転の場合に関するものであつたが、外部関係においてのみ権利の移転する場合には、内部関係では設定者は依然として目的物の所有者だから、設定者が譲渡担保権者から目的物を賃借する契約があつても、それは自分の所有物を賃借する契約ということになつて、虚偽表示として無効である、というのが、判例である(五三(二)(2)参照)。したがつて、賃貸借が無効なら、譲渡担保権者は占有改定による占有をも取得することができないのではないか、という疑問を生ずる。

この疑問に答えて、大判大五・七・一二【45】は、譲渡担保権者は外部関係において有する権利に基いて、債務者不履行の場合に交付を受けて処分しうるのであるから、設定者の占有は自己のためにする占有であると同時に譲渡担保権者を代理して占有するものである、として、やはり占有改定を認めたのである。本判決は、賃貸借が無効である場合にも占有改定があるとするものであり、そして、事実、無効な賃貸借契約のうちにも占有改定の意思の表明を読みとることは、たしかに可能だといわなければならない。

【45】【19】と同一判決。

「原審ノ認定ニ係ル売渡担保ニ基ク信託的所有権譲渡行為ニ在テハ、第三者トノ関係ニ於テノミ当事者間ニ所有権移転ノ効果ヲ生ズベク、当事者内部ノ関係ニ於テハ同一ノ効果ヲ発生セズト雖モ、之ニ依リテ担保セラレタル債権ノ弁済ヲ受ケザルトキハ、債権者ハ外部関係ニ於テ有スル権利ニ基キ相手方ノ占有スル目的物ノ交付ヲ受ケ之ガ処分ヲ為シ得ベキ権利ヲ有スルモノナルガ故ニ、債務者ガ譲渡ノ目的物ヲ占有スルハ、一面内部関係ニ於テ自己ノ為メニ占有スルト同時ニ、他ノ一面ニ於テハ将来其債務不履行ノ場合ニ於テ債権者ニ交付スルガ為メ債権者ヲ代理シテ之ヲ占有スルモノト謂ハザルベカラズシテ、債務不履行ノ事実到来ニヨリテ始メテ代理占有ノ関係ヲ認ムベキモノニアラズ」（大判大五・七・一二大正五（オ）四一九民録二二・一五〇七）。

右の判決は、無効にもせよ賃貸借契約の存する場合に関するものだつたが、その理論的根拠は、債権者が外部関係において有する所有権である。ところで、ここで外部的所有権というのは、後に述べるように（五五(二)(4)(ロ)）、債務不履行に際して譲渡担保権者が目的物を処分しうる権能にほかならないと考えられる。その詮索はしばらくおくとしても、右の判決のいわゆる外部的所有権は、すべての債権者に与えられるものであり、したがつて、右の判決が譲渡担保権者の間接占有を基礎づけた事由は、いわば譲渡担保自体に内在する契機である。この理論からすれば、譲渡担保権者の占有改定による占有取得は、占有改定の意思の表明や賃貸借契約その他目的物の占有・利用に関する特殊な取りきめを必要とせず、設定者が目的物の占有をつづける譲渡担保から、当然にみちびかれることになるはずである。次の最高裁判決【46】は、きわめて簡単でその理由づけは明らかでないが、設定者が目的物を占有する譲渡担保においては、譲渡担保権者は当然に占有改定によつて占有を取得する、との趣旨を示すものであり、そして、これは、上述のような判例理論の当然の帰結といつてよいであろう（於保・（判例批評）民商三三巻五号六九六頁は、「大審院の先例を再確認したものであつて、正当である」とする）。

【46】　XはAに金銭を貸与し、その債権担保のため動産（映写機と付属品）を「売渡担保」にとり、期日までに弁済がないと所有権は当然にXに帰属することを約した。債務不履行の結果Xが所有権を取得したが、占有は従来どおりAがつづけていた。ところが、右動産の代金支払に窮したAはYに未払代金を払ってもらうとともに、右動産の所有権をYに譲渡し、Yが占有するにいたつた。Xは所有権に基いてYに対しその

46

引渡を求める。原審は、「売渡担保」の際、AがXのために占有する意思を表示して占有改定による引渡をしたと認められる証拠がなく、目的物はXの所有に帰したにしても、まだ引渡を受けないあいだに、Yがさらにこれを譲り受け引渡を受けたのだから、Xは所有権の取得をYに対抗しえない、と判示して、Xの請求を棄却した。X上告。

「売渡担保契約がなされ債務者が引き続き担保物件を占有している場合には、債務者は占有の改定により爾後債権者のために占有するものであり、従つて債権者はこれによつて占有権を取得するものであると解すべきことは、従来大審院の判例とするところであることも所論のとおりであつて、当裁判所もこの見解を正当であると考える。果して然らば、原判決の認定したところによれば、Xは昭和二六年三月一八日の売渡担保契約により本件物件につき所有権と共に間接占有権を取得しその引渡を受けたことによりその所有権の取得を以て第三者であるYに対抗することができるようになつたものといわなければならない」（最判昭三〇・六・二民集九・七・八五五）。

判例の到達したこの理論は、ドイツの判例・学説が、譲渡担保権者に間接占有を取得させる基礎的法律関係（ド民九三〇条）としては譲渡担保契約で充分であるとするのと（Enneccerus-Kipp-Wolff, Sachenrecht, § 180 II 3. Westermann, Sachenrecht, § 43 II 2. 植林・前掲法学雑誌七巻二号七八頁参照）、軌を一にするものであつて、興味ぶかい。

(三)　以上のような判例の発展は、譲渡担保の実態が、設定者に利用権を確保するのに、賃貸借という既成の契約の型を借用することから、譲渡担保に独自的な利用関係を設定する方法に醇化するにいたつたこと、一般的にいえば、譲渡担保そのものが売買という既存の形式を借りることなく、譲渡担保という特殊な財産権移転の方法をとるにいたつたことの、反映であるといつてよいであろう。ただそのために、譲渡担保権の対抗要件としての占有は、まつたく観念化してしまつたわけである。

五　譲渡担保の対内的効力

一　債権の存続

債権を担保するために譲渡担保が設定された場合には、その債権は消滅するものではない（大判明四五・七・八（前出【24】）（傍論）、大判大七・四・一一【47】、大判昭一五・一一・一【48】）。既存の債務を担保するために、目的物が売買名義で内外ともに債権者に移転された場合でも、同様である（大判昭一五・一一・一【48】）。

【47】　債務者Yは漁業権を債権者Aに「売券担保」とした。Aの承継人Xは、Yを相手として、漁業権を主張。Yは、担保関係（消費貸借関係）の存在をもつて抗弁。原審は、「売券担保」であるとしながら、AY間に消費貸借関係がないとして、Xの請求を認めたので、Y上告。

「売券担保ハ売渡担保或ハ売渡抵当トモ称セラレ、信託行為ノ一種ニシテ、売買ノ意思表示ニ依リテ成立スルモ、債権担保ノ実ヲ挙グルコトヲ本旨トスルモノナリ。従テ買受人ハ債務者ガ弁済ヲ怠リタルトキハ目的物ヲ処分シテ弁済ニ充当スルコトヲ得ベシト雖モ、弁済期前ニ於テハ自由ニ処分スルコトヲ得ザルノミナラズ、債務者ガ弁済ヲ為シタルトキハ之ヲ債務者ニ返還スル手続ヲ為サザル可カラザルモノニシテ、当事者間ノ債権関係ハ決シテ売券担保ノ提供ニ因リ消滅スルモノニ非ザルナリ」（大判大七・四・一一民録一八・六九一）。

【48】　AがYに対する三千円の債務を担保するために、まず電話加入権に質権を設定したが、さらに増担保として土地と動産について売買名義で譲渡担保を設定し、不払のときはYにおいて目的物を処分して元利に充当し、剰余はAに返す約旨であつた。Yから電話加入権を買い受けたXがYを訴求。原審で敗訴したXは上告して、右の譲渡担保によつてAから不動産が売買名義で内外ともにYに譲渡された以上、YのAに対す

る債権は消滅するはずである。原審は貸金債権と売買代金との関係を釈明審理すべきである、と主張した。「前示貸金債権担保ノ為本件電話加入権二口ニ対スル質権ノ設定ヲ受ケタル後更ニYニ於テ前示宅地及動産ヲ各売買名義ヲ以テ其ノ所有権ノ譲渡ヲ受ケタルトスルモ、被担保債権ハ其ノ弁済ナキ限リ依然存続シ、所論ノ如ク右譲渡ニ因リ当然消滅スベキモノニ非ザルコト論ヲ俟タザルトコロニシテ、爾余ノ所論ハ畢竟原審ガYニ於テ本件貸金債権担保ノ為右宅地及動産ノ所有権ヲ売買名義ヲ以テ譲渡ヲ受ケタル旨ノ認定即チ所謂売渡担保ノ趣旨ヲ正解セズシテ、之ヲ批議スルモノニシテ、論旨第一点ハ其ノ理由ナシ」（大判昭一五・一一・一一判決全集七・三六・五）。

もっとも、譲渡担保とは、財産権移転の形式をとる担保のうち、債権の存続するものをいうのであり、そして、財産権移転の形をとる担保において、債権が存続するかどうかは、当事者の意思解釈からみちびかれるものであることに（一一(二)(2)参照）、注意しなければならない。

二　譲渡担保の効力がおよぶ範囲

(一)　担保すべき債権の範囲（利息制限法の問題）

担保すべき債権の範囲に関して問題となったのは、被担保債務の利息について利息制限法の適用があるかどうかである。

(1)　精算型と流質型とで区別があるか。

(イ)　精算型の場合に関しては、判例は、かなり早く、同法の適用を認めた【49】。

【49】　AはYから一四三〇円を年一割八分の利息（賃貸料名義）、期限は五年として借り入れ、その担保として土地をYに譲渡するとともに、五年内に元利弁済したときは土地をYからAに売り戻すべき特約をなし、土地は賃借することにした。Aは賃貸料名義で計一六〇円支払つたが、右期間内に弁済しないので、Yは九千円で土地を売却。Aは差額返還請求権を主張し、それをXに譲渡。XはYを訴えて、差額を請求。原

審は、本件の事実関係について、Yの主張するような買戻特約つき売買ではなく、土地の所有権は内部関係ではAに留保せられ、不履行の場合にYが処分して弁済に充当しうる特約をなしたものにすぎない、と認定し、未済の債務元金とそれに対する年一割二分の利息とを九千円から控除した額を支払うべき旨を、Yに命じた。Y上告し、土地譲渡の性質と利息の計算に際し利息制限法を適用した点とを問題にする。第一点については後出【93】参照。

「利息制限法所定ノ利率ニ超過シタル利息ヲ支払フベキコトヲ約定シタルトキ、之ヲ制限内ニ引直シ計算スベキモノニアラザル場合ハ当事者ガ任意ニ既ニ之ガ授受ヲ了シタル場合ニ止リ、本件ニ付キ原院ノ認メタルガ如ク、債権者タルYガ当事者間ニ成立シタル売渡担保ニヨリ之ガ権利ノ実行トシテ其ノ目的物ヲ売却シ、其代金ヲ以テ自己ノ債権ノ弁済ニ充ツル場合ニ於テハ、同法所定ノ利率ニ超過スル利息ハ之ヲ制限内ニ引直シ計算スベキモノナルヲ以テ、原院ガ之ト同旨趣ノ下ニ計算ヲナシタルハ相当ナリトス（但シ一六〇円ノ分ヲ除ク）」（大判大一〇・三・五民録二七・四七五（末弘・判民三三事件））。

債務者が元利を支払つて担保物を取りもどす場合について利息制限法の適用を認めることには、なにびとにも異論がないであろう。

これに反し、債務者が弁済しないために、債権者が譲渡担保権を実行し、目的物を処分して債務の弁済に充当する場合には、換価額と元利合計額との差額を算出する際（精算型ではそれが要求される）、利息の算定について利息制限法を適用すべきかは、ひとつの問題である。それは、旧利息制限法下の判例は、民法七〇八条または旧利息制限法二条（後段）の文言（「此限ヲ超過スル分ハ裁判上無効ノモノトシ」）を根拠として、同法の制限を越える利息でも、債務者が異議をとどめないで支払つた場合には、もはや取りもどすことができない、としていたので（大判明三五・一〇・二五民録八・九・一三、大判明四二・七・三民録一五・六四九）、担保物が債権者のもとで金銭化される右の場合にも、この判例理論が適用される可能性がないとはいえないからである。上の【49】は、この理論の適用を「当事者ガ任意ニ既ニ之ガ授受ヲ了シタル場合」に限定し、精算型譲渡担保における精算の場合に未払の利息について上の理論を適用することを否定するものである（すでに任意に支払った利息については上の理論の適用があることは、いうまでもない）。

この判決の結論は、利息制限法の効果を半減するような右の判例理論に反感をもつ学者たちの、注目と賛同をえたことであった（末弘・判例民事法大正一〇年三三事件評釈、我妻・担保物権法【九九】一(イ)）。その判例理論は新しい利息制限法（一条一項）に明文化されたが、それは、【49】の判決の結論をも考慮に入れて、「超過部分を任意に支払ったとき」のみ返還を請求することができない、という形で規定されているので、新利息制限法のもとでも、【49】の結論は変わらないであろう。

(ロ)　流質型の場合は、問題である。

(a)　まず、流質型の場合に関して、目的物の価格と被担保債権額の差額が大きいときでも、その余剰は利息に充当されるものではない、という理由から、同法の適用を否定した判決【50】がある。

【50】　【16】と同一判決。

「本訴契約ハ、売渡担保ノ目的ニ供シタル不動産ヲ期限後ハ代物弁済トシテ其ノ所有権ヲ移転スルノ約旨ナルコトハ、前点説明スル如クニシテ、当事者間ニ於テ斯ノ如キ法律関係ヲ設定スルコトハ法ノ禁ズル所ニアラズ。又代物弁済ニ於テ引渡スベキ物件ノ価格ガ債務額ヨリモ多クシテ余金ヲ生ズトスルモ、之ガ為メニ代物弁済ノ性質ヲ変ズルモノニ非ズ。従テ該余金ハ利息ニ充当セラルルモノニ非ザルガ故ニ、本訴契約ガ利息制限法ノ規定ニ反スルモノト云フヲ得ズ」（大判大一〇・一一・二四民録二七・二〇一六四（田中誠二・判民一八七事件））。

この判旨は次のように根拠づけることも可能である。――すなわち、判決は、目的物の価格と債権額の差額（余剰）が利息に充当されるわけではないことを理由とするが、利息制限法の規定（旧四条、新三条）によれば、実質上利息に該当するものなら、名称のいかんを問わず同法の適用を受けるべきものだから、右の場合にも、本来は余剰金は利息とみるべきである。ただ、流抵当を認める以上、譲渡担保における流質を不可とすべきでなく、また利息制限法の社会的作用は少ないから、同法の適用を排除すべきであり、その結果、判旨のような結論になるとも考えることができるのである（かような考えは、本判決に対する田中誠二氏の評釈（判民大正一〇年一八七事件）に見ることができる）。

右の解釈は、目的物の価格と債務額の差額（余剰）を利息とみなすことを前提するものである。しかし、次のようにも考えることができる。――この差額は、流質の効果が発生する場合でも、利息のみをカヴァーするものではない。それは、流質特約の機能から見て、目的物の価値の不可分的一部として、被担保債権額全部に対応するものというべきである。したがつて、それは、譲渡担保契約全体の社会的妥当性を問題とする際に考慮されるにはふさわしいが、ただちに利息制限法の適用の対象となるには適しないものである。【49】は、ただかような趣旨を述べているにすぎないと考えられるのである。

(b)　それでは、真正の利息の場合はどうだろうか。上の判決は真正の利息に関するものではないから、そこから判例の態度をみちびくことは、無理である。しかし、譲渡担保の型を区別することなく（事案は、買戻約款つき売買の形式がとられ、流質型である可能性もある場合である）利息について利息制限法の適用を認めるもの【51】も、見られるのである。

【51】　買戻つき売買の形をとつた譲渡担保において、利息を賃料名義でとつている場合に（一万五千円の元金に対し、賃料一ヵ月三四五円）、債権者Yが四ヵ月分の賃料について強制執行したので、債務者Xが請求異議の訴を提起。原審は、名は賃料でも実質は利息であるとして、利息制限法違反を理由に異議を全面的に認めたので、Y上告し、全部の請求を退けたのは不当だと争う。「原判決ヲ査スルニ……本件ノ賃料ハ貸金一万五千円ニ対スル利息ノ支払ノ為ニ定メラレタルモノニシテ、其ノ実質ニ於テハ利息ナルガ故ニ、利息制限法ニ規定セル制限ニ従フベキコト勿論ニシテ、従テYハ一箇年金一千五百円（一ヵ月金百二十円）ノ限度ニ於テノミ強制執行ヲ為シ得ベキ旨判示セリ。果シテ然ラバ、本件ノ強制執行中其ノ限度ヲ超過スル部分ハ許スベカラザルモノニシテ、Xノ本訴請求異議ハ右ノ部分ニ於テ理由アルモノト謂ハザルベカラズ」（大判昭七・六・二九裁判例六民二〇〇）。

ともかく、流質型譲渡担保の利息について利息制限法の適用を否定した判例は、見当らないのであり、この点は、判例にとつて将来に残された課題である。

ところで、流質型譲渡担保にあつては、債務者がなんらの履行もしないで、その結果として債権者が流質の効果を享受する場合には、どれほど利息が高率であつても、債務者は流質によつてすべての債務を免かれるのであるから、その場合には、事実上、利率を問題にする余地は存しない。そのために、流質型の場合には利息制限法を適用する必要がないように見えるのである（柚木・担保物権法（法律学全集）三九六頁は、「流質的特約の存する場合には、債権額のいかんを問わず目的物の全担保価値が債権者に把握されている」ことを理由として、利息が利息制限法に反するか否かは問題にならない、とするが、これは流質の効果の発生した場合を考えているのであろう）。しかし、債務者が目的物を受けもどすには、利息を加えたものを弁済しなければならないのであるから、その利息について同法を適用する余地があり、そして、この場合に同法を適用することは、消費信用や中小企業のための生産信用の分野において債務者を高利金融業者の手から護ろうとする同法の立法精神に合するものと考えられるのである（結果同旨、勝本・担保物権法下巻二六一頁）。判例が今後この方向に進むことを、ここに希望しておきたい。

(2)　賃貸料名義の場合　前出【50】にあつても【51】にあつても、利息制限法を適用されたのは、当事者間で賃貸料として約束されたものである。譲渡担保が売買の形式をとる場合には、しばしば、利息の約束をせず、そのかわりに、債務者が目的物を利用する関係を賃貸借と称して、賃貸料を約束するのであるが、この賃貸料が経済的・実質的に利息であることは、いうまでもない。それは、利息制限法の規定（旧四条、新三条）からいつても、同法の適用があるというべきである。戦後の一下級審判決【52】は、そうでないと同法は容易に回避されることになることを理由として、賃借料名義の場合にも及ぶものと解している。

【52】【71】と同一判決。

「賃料額が相当であるかどうかは本件家屋の価格を基準として見るべきでなく債権額を基準としてその当否を決すべきであり、一般に売渡担保においては債務の弁済のない場合担保物権を換価しないで取得するような特別の場合を除いて、被担保債権の利息である賃借料にも利息制限法が適用されるものと解するのが相当である（賃借料名義であれば、利息制限法を超過してもよいというのでは同法は容易に脱法されることになり、利息制限法の法意に反することになる）」（東京地判昭三二・一一・二六下級民集八・一一・二一八九、判時一四四・四〇九〇）。

学説が、利息を賃借料名義で支払う場合は利息制限法の適用がない、とするのは（勝本・担保物権法下巻二六〇頁、我妻・民法講義Ⅲ【九九】一（八））、設定者が目的物を利用する関係を譲渡担保固有の利用関係とみずに当事者が「賃貸借」と称するときは一応「賃貸借」そのものとしての性格を有するものとみた考え方の名残りにほかならない。

(3) 利息制限法違反の場合の効力　大判昭七・六・二九（前出【51】）は、原審が原告の利息の請求を全部しりぞけたのに対し、一部無効を認めるものであるが、それは当然のことである。

(二) 目的物の範囲

(1) 目的物の範囲に関しては、集合物（在庫商品など）の場合がとくに問題となるが、これは後述に譲る（九一参照）。

(2) 物上代位（物上代位についてはなお八七参照）

(イ) 保険金に対する代位

譲渡担保の目的物が滅失・毀損した場合には、譲渡担保権は保険金請求権または保険金に及ぶか。

(a) 大判昭八・一二・一九（前出【5】）は、『売渡担保』の買主が火災保険にかけていた家屋が焼失し保険金を受領した場合に関し、「火災保険金ハ則チ経済的ニハ之ニ代ハルモノ」だから、売主は債務額と――保険料が買主の計算で支払われていたのなら――保険料とを支払えば保険金を取得しうべく、したがつて、保険金から右の金額を控除した差額を請求することができる旨を、述べているが、これは、その反面に、『売渡担保』権が担保物の代物（Surrogat）たる保険金に及ぶことを、認めるものである。この事案は、裁判所によつて『売渡担保』と認定されたものではあるが、実際は『譲渡担保』に属するとも考えられる場合であり（二(二)参照）、しかも、判決は、『譲渡担保』の場合も同様である旨を注記しているので、この判旨は、『譲渡担保』に援用して差しつかえないであろう。

(b)　学説としては、保険金ないし保険金請求権のうえに担保権が当然に及ぶことを否定するものがある。それらは、目的物の滅失・毀損によつて当然に生ずるものではなく、別個の有償契約としての保険契約に基いて生ずるものだから、担保物の代位物ではない、というのである（大森「保険法」（法律学全集）一八七頁）。これによれば、譲渡担保設定後、設定者が自己を被保険者として保険契約を締結した場合には（そのような保険契約が有効かは問題であるが（ロ）参照）、その点はしばらくおく）、譲渡担保権者は当然には保険金請求権ないし保険金にかかつていけず、逆に譲渡担保権者が被保険者として保険契約を締結した場合には（この契約の有効なことについては（ロ）参照）、譲渡担保権者は――譲渡担保権に基いてではなく――自己固有の権利として保険金を自己のものとすることができることになろう。前者の点は、譲渡担保権の効力を弱めるものとして、問題にされなければならない。もつとも、実際上は、設定者が保険契約を締結して自ら被保険者となる場合にも、譲渡担保権者は、将来発生すべき保険金請求権について質権を取得したり信託的譲渡を受けたりしているから（あるいは、設定者が契約者となるが、譲渡担保権者を保険金受取人とする方法をとるなどして）、このような見解をとつても、債権者は損失を受けない。だが、かような方法をとらなかつた場合はどう考えるべきであろうか。

通説・判例は、抵当権に関してではあるが、保険金請求権への《物上代位》（民三〇四条参照）を認めており、担保物と保険金との経済的関連、当事者の合理的意思、設定者・担保権者間の公平、担保権者と無担保債権者との均衡、さらには従来の慣行等を考慮すれば、通説・判例の見解が妥当であるとおもわれる（鴻「保険金債権に対する抵当権の物上代位と保険金請求権上の質権との関係について」ジュリスト一四一号二六頁参照）。このことは、譲渡担保の場合にもあてはまるであろう。

譲渡担保権者が自ら被保険者となつて保険契約を締結した場合にも、保険金請求権ないし保険金は目的物の Surrogat として譲渡担保権者に帰属するが、ただ、それは、かれが譲渡担保権に基いて弁済に充当しうるにすぎぬものと解すべきである。上にあげた【5】が、設定者がわから債務を支払えば保険金を取得しうること、したがつて保険金を譲渡担保権者が受けとつている場合には保険金と債務額との差額を請求しうることを、認めたのも、譲渡担保権者のもとで発生した保険金を、譲渡担保権者の絶対的な権利に属するものとしてではなく、譲渡担保の拘束を受けたものとして、すなわち目的物の Surrogat として、とりあつかうものにほかならない。

(c)　譲渡担保権者のもとで発生した保険金に対して譲渡担保権の効力が及ぶことを認める【5】についてては、さらに次の二点を注意すべきである。

第一は、譲渡担保権者のもとで発生した保険金請求権についてては、設定者のもとで発生したそれのように、「差押」（民三〇四条）を必要としないことである。判決はその点にふれるわけではないが、当然そのように解されるのである。

第二は、流質型譲渡担保の場合にも、譲渡担保権者が保険金（被担保債権を超過する場合）を全額保有しうるものではないことである。

【5】の判決は一応『売渡担保』と認められた場合に関するものであり、これを『譲渡担保』の場合に推及することができるとしても、それは、『譲渡担保』のうち流質型に関するものとして意味をもつにすぎないであろう。ところで、流質型譲渡担保にあつては――『売渡担保』の場合でも、むろんそうだが――譲渡担保権者は担保物の Surrogat たる保険金を流質として自己に留保しうるように見え、したがつて、設定者の差額返還請求を認めた判旨は不可解に見えるかも知れない。しかし、設定者に債務不履行があつたわけではないから、譲渡担保権者がそれを流質とすることは許されない。設定者が弁済して目的物を受けもどすこともまだ可能であること、および、目的物が金銭化された事実を考慮すると、弁済期の到来に際し（通常目的物の滅失毀損の場合には、特約によつて、債務者は期限の利益を失なうものとされるし、債務者は期限の利益を放棄することもできる）、設定者としては、保険金と債務額との差額を請求するか、保険金によつて流質とする（保険金が債務額を下回る場合にも差額を支払わなくてすむ）かの選択をなしうるものとすべきであろう。【5】が差額請求権を認める趣旨はかようなものと考えられる。――精算型の場合には、つねに精算が行なわれるから、設定者は差額を請求するか、あるいは（保険金が債務額を下回る場合には）差額を支払わなければならないことになることは、いうまでもない。

（ロ）　譲渡担保の目的物に関する保険契約の効力

ここで、ついでに、譲渡担保の目的物について当事者の一方が自らを被保険者として締結する保険契約の効力にふれておきたい。

判例は、譲渡担保権者が所有者利益を被保険利益として保険契約を締結した場合は有効、設定者がそうした場合は無効とする。前者については大審院判決【53】が、後者については最近の岐阜地判【54】があ る。

【53】 XはAの家屋を譲渡担保にとり、内外共に所有権の移転を受けたが、未登記。Xは家屋を火災保険に付し、保険会社YはXを名実ともに所有者と信じていた。火災により建物焼失、XからYに保険金を訴求する。原審でX勝訴。Y上告し、譲渡担保の目的物の保険では、被保険利益は被担保債権額でなければならないのに、原審は家屋自体を被保険利益と解した、また、火災保険契約は一応登記簿上の所有者を真の所有者と認めなければこれを締結しえない、と主張。

「然レドモ債権者ガ債権担保ノ目的ヲ以テ債務者ヨリ一旦建物ノ所有権ノ移転ヲ受ケタル以上債務完済前ニ於テハ依然其ノ所有権ヲ保有セルヲ以テ仮令当該建物ニ付移転登記手続ヲ了セザルトキト雖モ建物ノ滅失毀損ニ付緊密ノ利害関係ヲ有スルガ故ニ上叙ノ如キ担保権者ハ右登記未了前該建物ノ所有権者トシテ火災保険契約ノ締結ニ付テハ所謂被保険利益ヲ有スルコト論ヲ俟タズ。」「原判示ノ如クY会社ハXガ本件建物ノ所有者タルコトヲ認メ同人所有ノモノトシテ本件契約ヲ締結セルモノナル以上事故発生後ニ至リ登記手続未了ニ藉口シテXノ建物所有権ヲ否定シ本件保険金ノ支払ヲ拒否セントスル論旨ハ到底採用ノ限リニ非ズ」（大判昭一二・六・一八民集一六・九四〇（豊崎・判民六六事件））。

【54】 Xは家屋についてY会社と火災保険契約を締結したが、当時すでにAに担保の目的で売渡し、所有権移転登記もすませていた。家屋が自火で全焼したので、Yに保険金の支払を求める。Yは、Xは契約当時すでに所有権者としての被保険利益を有しなかつたから、保険契約は無効である、と主張する。

「Xは昭和二九年一一月二四日頃訴外Aより金一二万円を借受け、その担保の趣旨で本件家屋の所有権をAに売買の形式で移転し、同月二五日その所有権移転登記手続を結了したことが認められ他に右認定をくつがえすにたる証拠はない。したがつてXとAとのいわゆる内部関係がいかようなものであつても、少なくとも本件家屋の所有権自体は完全にAに移転しており、ただ場合によつてAがその所有権行使を債権担保という目的によつて拘束されることがあるにすぎないと解すべきである。すなわち本件家屋の所有権は、右売買によつてAに移転し、Xは前記所有権移転登記手続の結了によつて、確定的に本件家屋の所有権を喪失したものというべくただ、場合によつてXはAの本件家屋の所有権行使を債権担保という目的によつて債権的に拘束しうる法律上の地位を有しうるにすぎないといわねばならない。ところで、本件各火災保険契約中、本件家屋を保険の目的とする部分はXが本件家屋の所有権者としてその申込をなし、Yにおいてその申込を承諾して成立したものであること、すなわち、本件家屋の所有権者としての利益を被保険利益として成立したものであることは当事者間に争のないところである。そして一般に不動産である建物の上には所有権者としての利益のみならずその他の法律上あるいは事実上の利益が重複交錯して存しうるのであり、それらが金銭に見積り得る限りそれらの利益をそれぞれ火災保険契約の目的となしうること多言を要しないところである。しかし被保険利益は火災保険契約の目的であり、したがつてこれが異なれば契約自体類型を異にする別個のものになるのであるから、火災保険契約関係において、具体的に被保険利益が選択特定されれば、その被保険利益によつて特定された火災保険契約の被保険利益の有無に関する問題は、右特定された被保険利益についてのみ生ずるのであつて同一目的上に存し得る他の類型の被保険利益にまで及ぶものではないというべきである。この関係を本件についていえば、本件家屋を保険の目的とした各火災保険契約が被保険利益を欠除するか否かの問題はXが本件家屋の所有権者であるか否かの点に帰着し、Xが所有権者としての利益以外の利益をもつていたかどうかの点にまで及ぶものではないということになる。ところでXは前叙のとおり本件火災保険契約締結当時すでに本件家屋の所有権を債権担保のため、Aに譲渡しかつその移転登記手続を了していたのであるから、Xは本件家屋につき所有権者としての利益を失つていたものというべきである。もつとも右債権担保のための所有権譲渡がXにおいて債権者であるAの本件家屋の所有権行使を債権担保という目的から拘束しうる場合であつたとすれば、Xがなお本件家屋につき、何らかの法律上のあるいは経済的な利害関係を有することは考えられる。しかしそれとても所有権者として有する利害関係とは全く異なる類型のものであることは明白である。してみれば本件各火災保険契約中本件家屋を保険の目的とする部分は、保険契約の目的である被保険利益を全く欠除し無効というべきである。したがつて、Xの本訴請求はこの部分に関する限り爾余の争点につき判断するまでもなく失当として棄却を免かれない」（岐阜地判昭三四・三・二三下級民集一〇・三・五八二）。

《被保険利益》は、本来、経済上の利害関係を指すものである。この被保険利益の本来の意味に即して考えれば、譲渡担保の目的物における所有者利益は、譲渡担保の両当事者に分属し、あるいは、考え方によつては設定者に存するものということができよう。かような見地から、学者のなかには、(甲)いずれの当事者にも所有者としての被保険利益があるとするもの（大隅・（判例批評）法学論叢六六巻四号一〇三頁）や、(乙)弱い(精算型?)譲渡担保の場合には、設定者の所有者利益と譲渡担保権者の特殊な被保険利益とが併存し、それぞれについて保険契約を締結しうるとするもの（近藤民雄・（判例研究）損害保険研究四巻一号、（南出「譲渡担保と火災保険」共済保険研究三六年一月号三九頁注19による））があり、さらに同じような見地から、(丙)つねに設定者としての被保険利益と譲渡担保権者としての被保険利益との併存を認めたり、あるいは、(丁)両当事者の協力によつてのみ所有者利益を被保険利益とする保険契約を締結しうるものと考えることも、可能である。しかし、甲説や乙説は、重複保険を生ずる可能性があり、そして、重複保険となる場合には、その発見が保険者にとつて困難であり、また、場合によつては、前に保険契約を締結した者によつて総保険金に対する按分の取り前を削減される結果となる、というような不都合を生ずる（甲説に対する批判として、南出「不動産を譲渡担保に供した債務者が所有者として締結した火災保険契約の被保険利益」損害保険研究二二巻二号九七頁）。

また、丁説によれば、一方当事者が付保を欲するのに他方が承諾しないために付保ができない、という不都合な事態を生ずるおそれがある。丙説は、一つの目的物（所有権）について被保険利益の分化を認めるものであつて、被担保債権との関係をどのように考えるかについて技術的に困難な問題を生ぜしめる（実務では所有者利益の保険しか行なわれていないとのことである。南出「譲渡担保と火災保険の実務」ジュリスト二〇一号六八頁）。現在の保険慣行のもとでは、譲渡担保の目的物に関する所有者利益を被保険利益とする保険契約の効力を問題とするほかないのである。

それでは、かような所有者利益を対象とする保険契約を締結する際、保険者としては、何によつて相手方が所有者利益を有する者であるかを判別すべきであるか。集団的・定型的に行なわれる保険契約においては、外観主義・形式主義に頼らざるをえない。したがつて、譲渡担保の目的物に関する所有者利益を対象とする保険契約においても、法律上の所有権者すなわち譲渡担保権者をもつて所有者利益を有する者とみるほかはないであろう（南出・前掲・損害保険研究二二巻二号九五頁）。判例のとつた結論は、かような根拠から理解することができるのである。

とはいうものの、この結果は、経済的利害関係たる《被保険利益》の本来の観念に反するものであることも、否定することができない。この観念に反せず、しかも実際上も不都合を生じないような、譲渡担保の目的物に関する保険の新しい形態を、立法上あるいは実務上（普通契約約款として）考案する必要があるようにおもわれる。

三 目的物の占有・利用

（一） 目的物は誰が占有・利用するか　目的物を誰が占有・利用しうるかは、当事者の契約によるわけだが、約旨不明の場合に当事者の意思を認定する基準として判例が考えているものは、次のとおりである。

(1) 一般的な基準としては、権利移転の態様が重要な意味をもたされている。

(イ) 外部的移転の場合には、設定者は、譲渡担保権者との賃貸借に基いてではなく(判例によれば、それは無効である)、内部的に留保した所有権に基いて、目的物を占有する権限をもち、したがつて、譲渡担保権者の方には当然には占有引渡請求権がない【55】。むしろ、設定者が譲渡担保権者に賃貸することさえも、可能である(東京地判大八・一一・三〇(後出【62】))。

【55】 Yは、XおよびAに、債権担保の目的で建物を売り渡し、賃貸借名義で相変らず使用していた。XはAからその持分を譲り受け、Yの賃料不払を理由として賃貸借を解除し、所有権が自分に属することを理由として、明渡を訴求。原審は、内部的には所有権はYにあるとして、Xを敗訴させた。X上告して、一、XがAから譲り受けた持分についてはXは第三者の地位にあり、この共有権を基礎として明渡を請求することができるはずであること、二、Yの使用権は賃貸借契約によるが、その契約はすでに解除されている、と主張した。次の判示は二に対するものである(第一点については【120】参照)。

「係争建物ガYトノ関係ニ於テハX及ビAニ移転セザル以上ハ、Yト両人間ニ為シタル賃貸借ノ仮装ナルコトハ云フヲ待タザル所ニシテ、Yガ係争建家ヲ使用スルハ所有権ニ基クモノニシテ賃貸借ニ基クモノニ非ザルコト、推シテ知ルベ」きである(大判大八・六・二四民録二五・一一三四)。

(ロ) これに反し、内外共移転の場合には、譲渡担保権者は設定者に対して引渡を請求することができる(千葉地判大六・八・七【56】)。

【56】「原告ハ外部関係ニ於テハ勿論内部関係ニ於テモ本件物件ノ所有権ヲ取得シ、唯担保ノ目的ヲ超ヘ之ヲ処分セザル制限ヲ受クルニ過ギザルガ故ニ、原告ハ被告ニ対シ所有権ヲ主張スルコトヲ得可シ。従テ被告ハ原告ニ対シ本件物件中不動産ニ付テハ売渡名義ヲ以テ所有権移転登記ヲ為シ、動産ニ付テハ之ヲ引渡ス義務アルモノト論断セザル可カラズ」（千葉地判大六・八・七新聞一三〇八・三〇、評論六民法六七二）。

（ハ）したがつて、次の大審院判決【57】が示すように、連合部判決に従つて内外共移転を推定するときは、設定者は譲渡担保権者に対し特約のないかぎり目的物（土地）の引渡をなす義務があることになる。

【57】営林局から払い下げを受けた土地の代金支払に窮したYらがXから金を借り、その土地に抵当権を設定することにしたが、未登記なので、「売渡担保」に供した。Xから弁済期前に引渡を請求したのがこの事件である。原審は、内外共移転を推定し、したがつてYらは特約なきかぎりXに引渡す義務がある、と判示。Yら上告して、「売渡担保」では内部的にはYらに所有権がある、と主張した。

「債権担保ノ目的ヲ以テ財産権ヲ譲渡シタル場合ニ於ケル当事者ノ意思ハ、内外何レノ関係ニ於テモ財産権ヲ移転スルニ在ルモノト推定スルヲ相当トス。之レ当院ノ判例トスル所ナリ（大正一三年(オ)第一六一号同年一二月二四日判決）」（大判昭九・一〇・五新聞三七六六・九）。

(2)　しかし、判例のなかには、右の原則に対して、例外を認めるものがある。それは、内外共移転の場合でも、設定者が自己の居住する家屋や自己の使用する物品の所有権を債権者に移転した場合には、特別の事情のないかぎり、設定者にその家屋または物品の使用・収益を許容するものと解すべきだとするものである【58】。そして、譲渡担保の機能から見て、この推定が当事者の意思に適合するものであることは、否定しえないであろう。

【58】 YはXに対する債務を担保するため、家屋と物品の所有権をXに移転し、Yが弁済期に元利金を完済したら所有権を回復しうるが、弁済を怠ると期限の経過とともにXは弁済の代わりにYに右の家屋と物品を返還しないでよい旨を、約束した。家屋についてはX名義の保存登記を経由。XはYの不法占拠を理由として引渡を訴求。原審は、Xは家屋と物品につき「完全ナル所有権」を有するとともに、占有もYに留保せず、Yも占有しうる権限を主張・立証しないから、不法占拠である、として、Xを勝訴させた。Y上告。本判決は、特別の事情の存することを説明しないでYの無権限占有を認定したのは違法である、として、原審判決を破毀するもの。

「債務者ガ消費貸借ニ因ル債務ノ弁済ヲ確保スル為所謂売渡担保トシテ自己ノ居住シ若ハ使用スル家屋又ハ物品ノ所有権ヲ債権者ニ移転シタル場合ニ於テモ、特別ノ事情ナキ限リ、債務ノ弁済期限迄ハ賃貸借若ハ使用貸借等ニ因リ債権者ニ於テ該家屋又ハ物品ノ使用及収益ヲ債務者ニ許容スルモノニ係リ、弁済期限ニ弁済ヲ為サザルトキ原審認定ノ如キ所謂代物弁済ノ特約アル場合ニ、玆ニ始メテ債務者ハ右物件ヲ占有スルノ権原ヲ喪失スルヲ以テ普通ト為シ、原審認定ノ如ク売渡担保ノ目的ト為シタル当初ヨリ債務者ハ何等ノ権原ナクシテ目的物件ヲ占有スルモノト為スベキモノニ非ズ」(大判昭六・一〇・一六新聞三三三〇・一六)。

現在、譲渡担保がもっともひんぱんに利用されるのは、設定者が自己の使用する物によって金融を得ようとする場合であるから、右の例外は、連合部判決を背景とするところの、占有する権限の所在に関する推定を、事実上大幅に変更するものである。しかも、右のような場合には、とくに賃貸借・使用貸借等、設定者をして目的物を使用収益させる旨の取りきめがなくても、設定者に使用収益の権限が与えられることになることをも考えると、注目すべき判決といわなければならない。

(3)　【58】の結果、内外共移転と外部的移転の区別は、債務者が従来使用していなかつた物について譲渡担保が設定された場合にのみ、利用価値をもつことになる。だが、実をいえば、この場合についてさえ、連合部判決および【45】にしたがつて内外共移転を推定し、原則として譲渡担保権者が目的物を占有する権限を有するものとすることは、妥当ではないであろう。譲渡担保の存在意義は、主として、設定者が目的物を占有・利用しつつ金融を得る場合（いわゆる譲渡抵当の場合）に求められるべきだからである。

(二)　設定者が占有・利用を継続する場合（いわゆる譲渡抵当の場合）

(1)　譲渡担保がその機能を発揮するのは、すでにしばしば述べたように、目的物の占有・利用を設定者のもとにとどめる場合である。

ところで、目的物の占有・利用は、譲渡担保権者が占有しうる権限を有する譲渡担保において、それに基いて、譲渡担保権者が設定者に目的物の保管を託するという場合も、見られないではないが（東京地判明四四(ワ)五一六新聞八〇三・二三）、たいていは賃貸借（元本が無利息の場合）または使用貸借（元本が利息つきの場合）（大判昭八・九・二〇【69】は使用貸借の例）の形式をとつている。

(2)　賃貸借契約の効力

(イ)　譲渡担保の当事者が設定者に目的物を利用させるのに賃貸借契約（あるいは使用貸借契約）を締結するのは、担保の目的を達成するのに所有権移転という形式を利用したために、設定者にそれを利用させるには、他人の物を使用する契約の形式を借用せざるをえなくなつたからにほかならない。しかるに、判例は、いわゆる外部的移転と内外共移転の区別をここに適用して、内外共移転の場合には、賃貸借契約は有効だが、外部的移転の場合には無効だとし（(a)(4)(イ)参照）、連合部判決後は、内外共移転を推定する結果、賃貸借契約（の有効な存在）を推定する（大判大一四・一二・四【59】、大判昭八・九・二〇（後出【69】）大）。

【59】 争点は不明。原審は、債権者（上告人）が「売渡担保」として建物の所有権を取得したことを認めながら、債務者（被上告人）の賃借の事実を否定した。本判決はそれを破毀するもの。

「不動産ノ売渡担保ニ在リテモ一般ノ売買ト同ジク其ノ所有権ハ債務者ヨリ債権者ニ移転スルモノト推定スベキモノナレバ、被上告人ヨリ上告人ニ金二二七円ノ債務担保ノ為ニ売渡担保トシテ本訴建物ヲ差入レタル契約ナレバトテ、直ニ其ノ目的物ガ当初ヨリ債務者タル被上告人ノ所有ニ係リ従テ被上告人ガ債権者タル上告人ヨリ之ヲ賃借シタル事実ナキモノト謂フベカラズ」（大判大一四・一二・四判例拾遺（一）民六）。

（ロ） 外部的移転の場合には、賃貸借契約は無効であるとするのは、外部的移転の場合には、内部関係では設定者が依然として所有者だから、自己の物を賃借したことになるが、自己の物を賃借することは理論上ありえないから、賃貸借契約は虚偽表示である、というのである（大判大四・一一・二五（後出【64】）、大判大八・六・二四（前出【55】））。——ただ、傍論ながら、所有者とても賃借人になりうることを力説する大審院判決【60】がひとつ見出される。

【60】 本件の請求原因ははっきりしない。事件名は不当利得返還請求事件だが、原審は、外部的移転を認定して、債権者X（上告人）、債務者Y（被上告人）間に賃貸借の成立の余地なしとして、Xの請求をしりぞけているので、賃貸借を前提とする請求のようにおもわれる。

「仮りに原審認定の如く内部関係に於てYは依然当該土地の所有者なりしとするも如何なる根拠の存するありて所有者は法律上賃借人たるを得ずと解すべきや其の必要の或は多からざることを以て直ちに法律上許す

べからずと断じ去らば誰か論理の飛躍に驚かざらん。現に民法第二七二条本文の場合に土地所有者を賃借人より除外す可き必要若は理由は竟に之を知るに由無し。長期に亘る地上権の場合亦同様の事態を生ずべきは想像に難からず。但此点は今姑く之を置かん。独り売渡担保の場合に於て反証なき限り所有権は内外共に移転すと推定すべしてふことは夙に当院の判例とするところなり。這は殆んど当然の事と云はざるを得ず。蓋売渡担保（其他譲渡担保等の信託行為）が虚偽仮装の取引とは別類に属する有効なる法律行為として認めらるるに至りし日未だ久しからず。法律的には買主（若は譲受人）の権利なるも経済的には売主（若は譲渡人）の財産に外ならざる現象を法律的見地より説明せんとする試の一が即ち当該権利の移転を内外に分観せんとする解釈に外ならず。畢竟一の説明に止まり当事者其人の意思果して斯かる反常異例の挙に出ずるにありしや否や頗疑無きを得ず。但此点も亦今姑く之を置かむ。独り原判示に係る証拠を査閲するに此等の証拠に依りYがXに対する前記債務を担保する目的を以て、本件土地を売渡担保と為したる事実を認定するは格別、右売渡担保が外部関係に於ては所有権を移転するも内部関係に於ては所有権を移転せざる約旨なりしことを表明せる証拠は即ち一も存することなし」（大判昭一〇・一一・二二法学五巻四号）。

外部的移転の場合に賃貸借を虚偽表示とし無効とすることは、一見、大変不都合のように見える。しかし、設定者は、すでに述べたように、内部的に留保した所有権に基いて目的物を占有・利用することができるのであつて、全然利用権が奪われるわけではない。しかも、判例が外部的移転の場合に賃貸借契約を無効だとするのは、賃料不払による賃貸借契約の解除または賃貸期間の満了を理由として債権者が引渡を請求するのを、しりぞけるためであり（(a)(4)(イ)参照）、そして、このことは譲渡担保の実体に適合する。それに、外部的移転の場合に賃貸借を無効とすることは、賃貸借は利子と賃料名義によつて支払を受けるためのテクニックにすぎない、という真実の洞察を可能にするであろう（次の【61】はその例証となる）。

【61】 債務者は「売渡担保」の目的物（地所）を賃借する形式をとっている場合に、債権者Xは賃貸借を有効として、地所明渡および地代を訴求。債務者Yは虚偽表示で無効であると争う。本判決は、当事者間では所有権移転の効果はないとするもの。後出【77】と同一判決。

「当事者間ニ賃貸借契約ニ関スル意思表示アリシコトヲ認ムルヲ得ルト雖モ、此意思表示タルヤ所有権移転ニ関スル意思表示ト均シク当事者ガ之ニ依リ賃貸借関係ヲ生ゼシメンコトヲ目的トセルモノニアラズシテ、却テ売渡抵当ノ基本タル債権ノ利子ヲ賃料名義ニ依リ支払ヲ受クルガ為メニ為シタルニ過ギズ。故ニ意思表示ノ外観ニ顕ハレタル賃料ナルモノハ名ハ賃料ナルモ其実質ハ貸金ニ対スル利子ニ外ナラザルモノトス。而シテ既ニ前述ノ如ク当事者間ニ於テハYハ依然所有権者ナルヲ以テXハ賃貸人タル資格ニ於テ賃料請求権ヲYニ対シ取得スルコト能ハザルモノトス」（東京控判大五・二・九評論五民法三八八）。

したがつて、内外共移転の場合は賃貸借は有効、外部的移転の場合は無効、という判例理論は、外部的移転の場合に関するかぎり——賃貸料が利息であるという事実を見逃がしさえしなければ——ほとんど不都合を生じない。ただ、当事者がせつかく決めた利用関係の内容を無視して、設定者の内部的所有権にのみ利用関係の基準を求めるのは、ことがらの実態に即した解決とはいえないであろう。

内外共移転の場合には、賃貸借が有効とされるので、一見、問題がないように見える。しかし、問題がないわけではない。いな、むしろ、実質的には、内外共移転の場合こそ、問題なのである。というのは、設定者の目的物利用関係を普通の賃貸借と同視すると、後に述べるように（(b)(4)(イ)参照）、譲渡担保権者は、実質は利息にすぎない賃料の不払を理由として、目的物の返還を請求しうることになるからである。

要するに、外部的移転の場合にも、――売買の形式をとるからといつて譲渡担保を無効としなかつたのと同じように、――自分が内部的に留保した所有権の目的物について賃貸借の形式によつて利用者になつたからといつて、その利用関係を無効とすべきではあるまい。それと同時に、外部的移転の場合だけでなく内外共移転の場合にも、その利用権は、賃借権という形式にかかわらず、譲渡担保の実質関係による変容を受けて、譲渡担保に特有な利用権として成立しているものと考えるべきではなかろうか。後に述べるように、最近の下級審判決のなかには、設定者の利用権を単なる賃借権とは異なるものとしてとりあつかおうとする傾向が見られるのは（(e)(4)(イ)(d)参照）、喜ぶべき現象である。

(3)　占　有

(イ)　外部的移転の場合に設定者が目的物を占有するのは、前述のところから明らかなように、賃借権に基くものではなく、内部的に留保した所有権に基くものであり（(1)(イ)参照）、したがつてまた、――次の下級審判決【62】が名義信託に関して説くのと同じように、――設定者が目的物を譲渡担保権者に賃貸することさえ可能であろう。だが、設定者が占有する場合、その占有は同時に譲渡担保権者のための代理占有でもあることに（大判大五・七・一二（前出【45】））、注意しなければならない。

【62】　「本件……ノ建物ニ付キ被告ハ当事者ノ関係ガ原告主張ノ如キ信託行為ナリトスレバ、被告ハ既ニ之ニヨリ右建物ノ所有権ヲ取得シ居ル故更ニ原告トノ間ニ使用貸借契約ヲ成立スルガ如キコトアル可カラズト主張スレドモ、抑信託行為ナルモノノ内容ハ主トシテ当事者ノ意思ニヨリ決定スル者ニシテ、本件原被告

間ニ信託行為ハ前記認定スル事実ヨリ推スモ其内容ハ単ニ登記面ヲ都合上被告名義ニ為シ置クト謂フニ止マリ、其ノ内容関係ニ於テモ未ダ当事者間ニ所有権ノ移転スルコトナシト解スルヲ相当トスルガ故ニ、従テ同一当事者ニ於テ更ニ使用賃貸借契約ヲ締結スルコトアルハ勿論其ノ効力ニ於テモ何等支障アリト謂フヲ得ザル可シ」（東京地判大八・一・三〇（評論によれば三日）新聞一五四四・一九、評論八民法六七六）。

（ロ）　内外共移転の場合には、設定者の占有は賃借権に基くことになるが、設定者が占有を続けながら譲渡担保権者に占有改定によって占有を取得させる点は、外部的移転の場合と同じであるはずである。したがって、賃貸借契約に基いてそのまま設定者が占有するのを、その際設定者は簡易の引渡を受けたものだとする下級審判決【63】は、いたずらに理論をもてあそぶものである。

【63】【32】および【68】と同一判決。

「Yハ本件係争物件ニ付キテハXヨリ未ダ其引渡ヲ受ケザルヲ以テ本件賃貸借契約ハ無効ナル者抗争スレドモ、Yガ本件物件ヲ現ニ占有セル事実ハYノ争ハザル所ニシテ、本件賃貸借契約ハ信託的売買契約ト同時ニ締結セラレタルコトハ甲第一号証記載トXノ自白トニ徴シ明瞭ナルヲ以テ、反証ナキ限リYハXヨリ本件賃貸借契約ニ際シ本件物件ノ簡易ノ引渡ヲ受ケタルモノト認ムルヲ相当トス」（東京地判大一〇・一二・一三評論一〇民法一二七六）。

(4)　占有・利用関係の終了

（イ）　譲渡担保権者は賃料不払・賃貸期間満了を理由として設定者に対して目的物の引渡を請求しうるか。

(a)　外部的移転の場合には、上述のように、賃貸借は無効となり、しかも設定者は内部関係において保留する所有権に基いて占有するのであるから、譲渡担保権者が賃貸借契約の解除（大判大八・六・二四（前出【55】））

または賃貸借期間の満了（ないし終了）（大判明四五・七・八（前出【13】【24】）、大判大四・一・二五【64】）を理由として引渡を請求することは、許されないことになる。

【64】 YはXに対する債務を担保するために建物の所有名義をXに移転したが、内部的には所有権を留保したうえ、建物を賃借して引きつづき利用し、三年内に弁済しないと所有権を移転すべき旨を約した。Xは、賃貸借終了ならびに所有権を理由として明渡を請求。原審は、Xは所有権がないから、賃貸借契約は虚偽表示で無効である、として、Xの請求をしりぞけた。X上告。

「賃貸人ニ所有権ナクシテ或ル物件ニ付キ賃貸借ノ成立スル場合ハ、其物件ガ第三者ノ所有ニ属スルトキニ於テ存在スルコトアルモ、本件ノ如ク当事者中所有権ヲ有セザル一方ヨリ所有権ヲ有スル他ノ一方ニ賃貸シタリト主張セラルル場合ニ於テハ、決シテ存在スルコトナシ。故ニ原審ガ本件建物ノ実体上ノ所有権ハ依然Yニ留保セラレタリトノ事実ニ依リ之ガ賃貸借ハ仮装ナル旨ヲ判断シタルハ正当ニシテ、所論ノ如キ不法アリト謂フヲ得ズ」（大判大四・一・二五民録二一・四五）。

(b) これに反し、内外共移転の場合には、賃貸借契約は有効であり、譲渡担保権者には内部的にも所有権があるから、賃貸借契約の解除（大判大五・九・二〇（前出【20】）のほか、【65】【66】）または期間の満了【67】を理由として、引渡を請求することができることになる。また、——下級審判決【68】によれば——賃貸借期間満了後賃貸人（債権者）が異議を申し立てないと、同一条件で賃貸借は更新されたものと推定されることにもなるのである（民六一九条参照）。

【65】 印刷機械が担保のためにAからXに売り渡され、Aはこれを賃借する形をとった。Xは賃料不払を理由として賃貸借契約を解除し、目的物の現実の占有者Yに対し、引渡を請求。原審は内外共移転を認定し、

Xはその所有権をYに主張しうるものと判示。Y上告し、一、Xを勝訴させるには、X主張のように賃貸借が成立し、かつ適法に解除された事実を確定するか、またはYの占有が不法占有である事実を確定しなければならない、二、「売渡担保」の場合には目的物の所有権はXに移転しないものとして諸般の関係を決定すべきである、と主張。

「Yハ第一審以来自己ノ所有権限ニ基キ本件係争物件ヲ占有セル旨抗弁シタルニ止マルコトハ、原判決ニ引用セル第一審判決事実摘示ニ徴シ明ナリ。而シテ原審ハ証拠ニ依リ本件係争物件ノ所有権ハ元Yニ属シタルモ、Yヨリ訴外Aニ移転シ、同人ヨリ更ニXニ移転シタルコトヲ認定シ、現時所有権ノXニ存スルコトヲ確定スル以上、Yニ所有権ナク従テ之ガ占有ヲ為スベキ権限ナキモノナレバ其占有ノ不法ナルコト自明ナリ。然ラバ、Yニ対シ之ガ返還ヲ命ジタル原判決ハ相当ニシテ本論旨ハ理由ナシ。」（中略）

「動産又ハ不動産ニ対スル所有権ノ信託的譲渡ハ当事者ノ目的トスル法律上ノ効果ヨリモ大ナル法律上ノ効果ヲ生ゼシムル一種ノ法律行為タルニ止マリ、法律行為ノ効果ノ内容ハ一ニ当事者ノ意思表示ニ依リ定ルベク、信託的譲渡ナルガ故ニ其所有権ノ帰属ニ関シ所論ノ如キ一定ノ法則アルコトナシ。而シテ原審ハ証拠ニ依リ本訴物件ノ所有権ハ当事者間ノ意思表示ニ因リ其内部関係ニ於テモ亦外部関係ニ於テモ被上告人ニ移転シタルコトヲ認定シタルモノナレバ、所論ノ如キ一定ノ法則ノ存在ヲ前提トスル本論旨ハ理由ナシ」（大判大六・一・二五民録二三・二四）。

【66】 Yは家具・什器・衣類を担保のためにXに売り渡し、賃貸借契約に基き占有。Xは賃料不払を理由として賃貸借契約を解除し、その引渡を求める。原審は内外共移転を認定し、この解除を認めてXを勝たせた。Yは上告して、かような「売渡担保」は民法三四五条の脱法行為で無効である、と主張。

「契約ハ公ノ秩序又ハ善良ノ風俗ニ反セザルトキ当事者ガ自由ニ其内容ヲ定メ得ベキモノナルヲ以テ、売渡抵当ニ於テ内部関係ニ於テモ尚ホ所有権ヲ移転シ以テ債権担保ノ目的ヲ達セシムルコトヲ妨グルモノニアラズ。民法第三四五条ハ斯ル所有権ヲ移転シ以テ債権担保ノ目的ヲ達スル契約ヲモ禁止スルモノニアラザルヲ以テ、売渡抵当ヲ以テ脱法行為ナリト解スベキモノニアラズ。而シテ原判決ハ当事者間ニ本訴物件ノ売渡抵当ニ依ル所有権ノ移転ノ事実及Yハ賃借人トシテ之ヲ占有スルモノナルコトヲ確定シ且該賃貸借解除セラレタル旨判示セルコト判文ニ依リ明ナルヲ以テ、何等所論ノ如キ不法アルコトナク……」(大判大六・一一・一五民録二三・一七八〇)。

【67】Yは債務担保のために、明治四三年四月、Xに買戻約款つきで土地・建物を売り渡し（所有権移転ならびに買戻約款ともに登記）、同四五年一二月まで一月六円の賃料で借りた。Xは、Yが賃貸期間を過ぎても返還しないとして、目的物の明渡（と地代）を請求。Yは次のように主張する。すなわち、大正二年四月までに債務を弁済すれば所有名義を回復しうべき契約なので、右期限内に金員を提供したのに、Xは期限を経過したとして登記に応じなかったもので、賃貸借契約は仮装のものである、と。原審は、Xは真正の賃貸借だと主張するが、当事者間では所有権移転の効果なく、賃貸借は無効であるとして、Xの請求を排斥。X上告。

「不動産ノ売渡抵当又ハ売渡担保ト称スルハ売買ノ形式ニ依リ不動産ヲ担保ニ供スル一切ノ行為ヲ汎称スルモノナルガ故ニ、売渡抵当又ハ売渡担保ノ内容及効力ハ固ヨリ常ニ一定スルモノニ非ズ。当事者ハ法規ニ違反セザル限リハ契約自由ノ原則ニ依リ担保ノ目的ヲ達スルニ適当ナリト思量スル法律関係ヲ設定スルコトヲ得ルモノニシテ、或ハ売買ノ名義ニ因リ当事者間ニ所有権ヲ移転スルモ債権者ニ於テハ一定ノ期限内ハ其不動産ヲ処分セザル義務ヲ負担シ、若シ期限内債務者ニ於テ債務ヲ弁済シタルトキハ其所有権ヲ回復スベキ一種ノ買戻約款附売買ヲ締結スルコトヲ得ベク、或ハ債務者ニ於テ期限内債務ヲ弁済シタルトキハ再売買ヲ為スノ合意ヲ為スコトヲ得ベク、或ハ当事者ノ真意ハ其不動産ヲ質物又ハ抵当物ト為スニ在ルモ債権者ノ権利ヲ確保スルノ目的ヲ以テ恰カモ其不動産ヲ売買シタルモノノ如ク仮装シタル所謂虚偽ノ意思表示ヲ為スコトアルベク、或ハ又第三者ニ対スル外部関係ニ於テハ売買ニ依リ所有権ヲ移転スルモ当事者間ノ内部関係ニ於テハ所有権ヲ債務者ニ留保スルコトアルベシ。即チ売渡抵当又ハ売渡担保ハ之ニ依リテ其不動産ノ所有権或ハ債権者ニ移転スルコトアルベク、或ハ依然トシテ債務者ニ残存スルコトアルベク、此等ハ一ニ各場合ニ於ケル売渡抵当又ハ売渡担保ノ内容如何ニ依リテ定マルモノニシテ、売渡抵当又ハ売渡担保ハ総テノ場合ニ於テ当事者間ニ所有権移転ノ効果ヲ生ゼザルモノト論断スベキニ非ザルナリ。（中略）原判決ハ売渡抵当ニ単ニ担保ノ効力ヲ生ズルニ止マリ当事者間ニ所有権移転ノ効力ヲ生ズルコト能ハザルモノト判定シタルモノニシテ、該判決タルヤ前記売渡抵当ニ関スル法則ヲ誤リタルモノナリ。加之甲第一号証ニ記載セル賃貸期間ニ付テハ、Yハ右期間内ニ債務ヲ弁済スルトキハXヨリYニ対シ所有権移転ノ登記ヲ為スベキ約旨ナリト云ヒ、Xハ右ハ当事者間ニ真正ニ成立シタル賃貸借ノ期間ナリト主張スルモノナルヲ以テ、原院ハ宜シク右賃貸期間ノ意義ニ付キ審理判断ヲ為スベキ筋合ナルニ、唯漫然当事者間ニ所有権移転ノ効果ヲ生ゼザルヲ以テ賃貸借モ亦無効ナリト判断シテ右甲第一号証ノ期間ヲ全然無意義ノモノト做シ当事者ノ主張セザル事実ヲ判定シタルハ、失当……」（大判大五・七・一二オ三〇一号民録二二・一三七四）。

【68】　【32】および【63】と同一判決。

「右期間終了後賃貸人タルXニ於テ異議ヲ述ベザリシ事実ハ……疑ナキヲ以テ、反証ナキ本件ニ於テハ右賃貸借契約ハ前契約ト同一条件ノ下ニ更ニ賃貸借ヲ為シタルモノト推定スベク、該第二ノ契約期間満了後更ニ同一理由ニヨリ同一期間条件ノ下ニ賃貸借契約ハ更新継続セラレタルモノト推定セザルベカラズ」（東京地判大一〇・一二・一三評論一〇民法一二七六）。

内外共移転において賃貸借契約が解除されまたは期間が満了した場合に、債権者が譲渡担保権の実行として目的物に対して終局的な所有権または換価処分権を取得しうるか否かは、かならずしも明確でない。解除や期間満了が主たる債務の弁済期前に生じた場合にも譲渡担保権の実行を認めることは明らかに不当だから、賃貸借の終了は債務者から目的物を占有する権限を奪うにすぎないと解すべきであり、前掲【68】はそのような解釈を前提とするようにも考えられるのである（もっとも、本筋は、後に述べるように、賃貸借の解除や賃貸借期間満了を理由とする引渡請求を拒否することであり、判例もそのような動向を示している。ここでは、一応従前の判例の立場を前提して、賃貸借終了の効果を考えてみたにすぎない）。

(c)　そして、連合部判決の影響はこの分野にも及び、抽象論としてではあるが、反証のないかぎり内外共移転になるとして、賃料滞納による解除の可能性を認める判決【69】を出現させている（この判文は設定者の利用関係を賃貸借とせず無償貸与としているが、上告理由は賃貸借の解除を主張しているのである）。

【69】　Yは債務担保のためにXに家屋を譲渡し、もしXが弁済期に弁済を受けないときは、家屋を売却し代金を弁済に充てる旨を約した。Yは依然同家屋を占有。Xは賃料の滞納を理由として賃貸借契約を解除し、明渡を求める。Yはその占有は所有権に基くと主張。原審は、内外共移転を推定して所有権がXにあることを認定するとともに、XはYの債務（基本債務）の不履行の結果明渡を求めるものと認定し、Xの請求を認めた。なお、原審は、Yの利用は無償貸与に基くものとしている。Y上告し、家屋の租税・地代・保険料等をYが支払っていることから、内外共移転の推定を争うとともに、たとえ所有権がXにあるとしても、債務不履行によって賃貸借契約が消滅するとしてYの占有権を失わせるのは不当である、と主張した。

「叙上ノ如ク債権担保ノ目的ヲ以テスル所有権譲渡ノ場合ニ於テハ、反証ナキ限リ内外ノ関係ニ於テ所有権移転スルモノト推定スヘキモノナルヲ以テ（大正一三年（オ）第一六一号同年一二月二四日言渡当該判決参照）……」（大判昭八・九・二〇新報三四〇五・九、新聞三六一三・一四）。

(d)　しかし、内外共移転の場合に賃料の一回の不払によっても賃貸借は解除され目的物を返還すべきものとするのは、賃料が実質において利息であることを忘れた議論である。また、賃貸借期間の満了を理由として譲渡担保権者が返還を求めうるものとすることも、――当事者がとくに弁済期よりも短い賃貸借期間を定めた場合であるか、その期間の満了が同時に債務者の債務不履行を意味する場合でないかぎり――賃貸借が、所有権移転と結合して譲渡抵当を可能ならしめるためにとられた方便であることを忘れた議論である。さらに、賃貸借期間終了後賃貸人（譲渡担保権者）が異議を申し立てない場合に、同一条件で賃貸借が更新されたものと推定するのも、賃借人の目的物使用期間が弁済期と表裏をなすものであること、したがつて、その期間経過後も賃借人の利用するのを賃貸人が黙認しているというのは、弁済期を経過しても譲渡担保権の実行を怠たつていることの反射的結果にほかならないことを、忘れた議論である。

近時の下級審判決のなかに、内外共移転でも賃料は実質上利息だから、特別の事情のないかぎり賃料不払を理由として解除しえない、とするもの【70】【71】や、賃貸借期間の満了を理由とする引渡請求に対し、請求を否定するもの【72】が、出現しているのは、注目に値するものといわなければならない。

【70】　「被控訴人は仮りに本件土地家屋に関する契約が譲渡担保であるとしても、内外部共にその所有権は被控訴人に移転しているのであるから、右所有権を前提とする前記賃貸借契約は有効である。そうして控訴会社は、賃料の支払をしないから、被控訴人は控訴会社に対し書面で、右延滞賃料を五日内に支払うべく若し同期間内にその支払をしないときは前記賃貸借を解除する旨催告した。しかるに控訴会社は右期間を徒過してその支払をしないから、右賃貸借は解除せられ、控訴会社は被控訴人に対して本件土地家屋の明渡義務がある旨主張するので検討する。

元来不動産の譲渡担保契約において内外部共にその所有権を債務者から債権者に移転し、同時に現実の引渡を受けないで債権者から債務者に対して期間を定めてこれを賃貸する場合には、もとよりその賃貸借契約はこれを有効視すべきであるけれども、特段の事情のない限りは通常その期間内は、債務者をして該目的不動産を占有せしめて、これが使用を許し、唯物件の換価価値のみを目当として担保権を設定する趣旨であつて定められた賃料のごときは実質的には債権に対する利息に相当するものと解すべきである。それ故に特段の事情のない限りは単に、右賃料の不払を理由としては賃貸借契約を解除し得ないものと解するを相当とする。よつて特段の事情も認められない本件においては右所約の賃料不払のみを理由とする被控訴人の賃貸借解除の意思表示は、その効力を生じたものとは認められない」(高松高判昭三三・七・一〇下級民集九・七・一二六九)。

【71】【52】と同一判決。

「原告、被告とも売買契約と同時に賃貸借契約が為されたことを認めるものであり、右売買が売渡担保であることは前認定のとおりであるが、例え売買担保が実質であつても、賃貸借契約が合意はあつたのであるからこれを直ちに無効の契約というべきではないので、その点において被告の主張は当らないものである。しかし売渡担保に伴つてなされる賃貸借の賃料は特別の事情のない限り、実質的には利息と解すべきであるから(本件について特別の事情を認めるに足る証拠はない)右賃料の支払を怠つたとしても特約のない限り元本の弁済期の到来までは賃貸借契約を解除することは許されないものと解すべきところ、本件についても原告の主張する元本の弁済期が到来していたことは原告の主張、立証もないのでこの点において原告の賃貸借契約の解除を理由とする本件家屋の明渡、損害金の請求は失当である」(東京地判昭三二・一一・二六下級民集八・一一・二一八九、判時一四四・四〇九〇)。

【72】Xの妾AはXから借金し、担保のために、自分の営んでいる旅館の建物と動産をXに譲渡し、それを一定期日まで賃借することにし、賃料を払つていた。A死亡し、相続人Yが営業をつづけていたが、Xは賃貸借期間の満了を理由として目的物の引渡を求めた。

「本件物件の譲渡が単純な売買によるものでなく債権担保のためにする信託的な譲渡であることは前認定のとおりであるからしてYの債務不履行を理由に担保権実行のため係争物権の引渡を求めるなら格別、いきなり上記のような主張の下に係争物件の引渡を求め、Yの営業に甚大な打撃を与えることは上来認定に係る諸般の事情からみて信義にもとるところであつて法律上許されないものと解するのが相当である（民法第一条）」（仙台高判昭二六・一二・七下級民集二・一二・一四一六）。

もつとも、右の【72】では、債務者が債権者の妾だつたことや、目的物が旅館だつたことなどが特殊な事情として考えられているように見える。しかし、その趣旨は、譲渡担保では、債務不履行を理由として担保権実行のために引渡を求めるのはよいが、いきなり賃貸借期間の満了を理由として引渡を求めるのは、信義の原則に反する、ということにあるであろう。そうだとすれば、それは、信義則に訴えるべきものではなくして、譲渡担保の性質そのものからみちびかれなければならないのである（我妻・聯合部判決巡歴Ｉ三五八頁参照）。

(e)　他方、外部的移転の場合に関して、賃貸借契約を正面から無効とすることなく、しかも、通常の賃貸借とは異なつた取扱いをしている下級審判決（盛岡地判昭二九・三・一五（後出【98】））が、近時出現していることも、見逃すことのできない新しい傾向である。これは、農地の譲渡担保において、債権者が買戻期間経過後に引渡を受けるため賃貸借解約に関する知事の許可を求めた場合に関し、債務者は農地法二〇条（農地賃貸借の終了を制限する規定）の適用を主張して引渡を拒むことができない旨を、判示するものである。

(f)　かようにして、判例の動向は、外部的移転と内外共移転の区別を抹消しつつ、譲渡担保における債務者の目的物利用関係が譲渡担保独自のものであることを確認する方向に進んでいるのである。

（ロ）　債務者が占有・利用しうる期間について別段の定めがない場合にも、それは譲渡担保権の実行によつて終了する。

(a)　債務不履行により目的物が当然に債権者に（確定的に）帰属する場合（当然帰属型の場合）に関して、下級審ながら次のような判決がある。

すなわち、【73】は、債務者が期限の利益を主張しえなくなつた場合には、当然買戻期限の利益をも失ない、債務者が買戻権を失なつて債権者が確定的に所有権を取得すれば、債務者の使用収益の基礎は失なわれる旨を、述べている。弁済期、債務者が弁済して目的物を取り戻しうる期間（買戻期間）、債権者が担保権を実行しうる時期、および、債務者が目的物を占有・利用しえなくなる時期は、一個の《担保された債権関係》の終期を規定するものとして、通常一致すべきものと考えられるのである（この趣旨を説くものとして、我妻「判例売渡抵当法」松波還暦四七六頁参照）。

【73】　Aは工場その他の家屋を「買戻約款つき売渡担保」として、ひきつづきAが無償使用。弁済期日は五年後、買戻期間は五年。Aが工場に放火。Xは、Aの相続人Yに対し残つた家屋の明渡を訴求。理由は、Aの放火によりAは期限の利益を失ない、Xは家屋の所有権を取得したから、目的物の使用貸借契約も終了した、というのである。債務者が目的物を使用しうる期間について、Xは買戻権を行使しうる期間に限るものと主張し、Yは使用期間の定めのない使用貸借である、と主張。Yは、また、焼失をまぬかれた家屋だけで担保価値は充分だから、担保の毀滅・減少（民一三七条二号）に当たらない、と主張。後の論点について

は【80】参照。

「およそ、右のように買戻約款付売渡担保物件を債務者に使用させる約旨は特別の事情のない限り、買戻期限内に限る趣旨と見るのが相当である。けだし、右のような担保契約において、担保提供者が目的物の使用収益を許されているのは所有権の移転が一つに債権担保のためであり、債務の弁済即ち、買戻による所有権回復の可能性が留保せられていることに基礎をおくものであるから、一たび担保権が実効を現わし債務者が買戻権を喪失し、債権者が債権の目的に代るものとして確定的にその所有権を取得した以上、最早債務者は、右使用収益の基礎を失うたものとみるべきであるからである。しかして前認定のような買戻約款付売買担保契約に於いては、債務者の弁済による債務の消滅と買戻による所有権の債務者への復帰が表裏の関係に立つものであつて、債務の弁済期と買戻期間とは通常一致すべきものであるから、若し何等かの事由によつて債務者が債務の期限の利益を主張し得なくなつた場合には、当然買戻期限の利益をも失うものと解すべく、債権者は目的物件の所有権を確定的に取得し、これによつて債務も消滅に帰するものと言うべきである」(大阪高判昭三二・三・二六下級民集八・三・六〇五)。

それでは、当然帰属型の場合には、債権者への確定的帰属と同時に、債務者の占有は不法占有となるだろうか。賃貸借終了後の賃借人の占有(大連判大七・五・一八民録二四・九七六)と同じように、不法占拠とされる可能性がある。しかし、当事者相互の信頼を基調とする継続的債権関係においては、原則として不法占拠とならないものと考えるべきである。最近の一下級審判決(盛岡地判昭二九・三・一五(後出【98】))が、帰属清算型の場合に関して、傍論ながら、譲渡担保権者の引渡要求があるまでは、設定者の占有は不法占有にならない、と述べているのは、判例としての価値は認められないにしても、信義則にかなつた解決として、賞讃に値するとおもう。

(b)　債務不履行に際して債権者が目的物を処分してその売却代金を弁済に充てうる場合（処分清算型の場合）には、後述のように（五五(二)(4)参照）、債権者が目的物の引渡請求権を有するにいたることは明らかであるが、判例が、債務者の占有・利用に対する権限について、債務不履行によって当然に失なわれるとみているのか、それとも債権者の引渡請求によってはじめて失なわれるとみているのかは、明らかでない。しかし、当然帰属型の場合においてさえ、債権者への確定的帰属後の占有が不法占有でないとすることが妥当だとすれば（それはまだかならずしも判例法とはいえないが）、まして処分清算型の場合には同様に解すべきであるから、上の問題は実際上は重要な問題ではない。

(三)　債権者が占有する場合（いわゆる譲渡質の場合）

(1)　債権者が占有する権原には、――第三者に移転する場合は別として――二つの態様がある。すなわち、債権者が内外共移転を受けて完全な所有権を取得した場合（大判昭九・一〇・五（前出【57】）、千葉地判大六・八・七（前出【56】））、および外部的移転で本来は債務者に占有する権限があるのだが、とくに債権者が債務者から借用する場合（東京地判大八・一一・三〇（前出【62】）参照）が、それである。

(2)　債務者が目的物を債権者に交付した場合には、債権者はそれを留置する権利をもつ（東京地判大六・五・三〇【74】）。

【74】　「売渡担保ハ債務者ガ債権担保ノ目的ヲ以テ債権者ニ物ノ所有権ヲ移転スルモノニシテ、第三者トノ外部関係ニ於テハ債権者ニ完全ナル所有権ヲ移転スルモ当事者間ノ内部関係ニ於テハ完全ナル担保力ヲ実現セシムルコトヲ目的トスルモノトス。従テ債務者ガ其ノ債務ノ弁済ヲ為サザル時ハ債権者ハ有効ニ其ノ物

ヲ処分シ以テ其ノ弁済ニ充当スルコトヲ得ルモノナリ。故ニ債務者ガ売渡担保トシテ或物ヲ債権者ニ交付シタル場合ニ於テハ債権者ハ其ノ債権ノ消滅セザル限リハ該物権ヲ留置スルノ権利ヲ有スルハ勿論ニシテ、債務者ニ対シテ之ガ返還ヲ為スベキ義務ヲ負ハザルモノト謂ハザルベカラズ」(東京地判大六・五・三〇新聞一二七七・二二)。

(3) 債権者が占有する場合には、かれは、契約によっては、それを第三者に賃貸して賃料を収納することも可能である【75】(なお、大判大九・六・二一(後出【81】=【115】)も、当事者の合意で第三者に賃貸した例)。

【75】 AはXに米と金を貸し、担保として土地の名義書換を受けた。この土地の小作人Yに対しXから小作料を請求したところ、Yは、自分はAから小作し、Xの請求している小作料はAに支払ずみだ、と主張。原審は、XのAに対する債務はすでに消滅して土地は完全にXの所有に属し、小作契約は所有者たるXとの間に成立したものとして、Xを勝たせたので、Y上告。

「売渡抵当ハ契約ニ依リテハ第三者ニ対スル関係ニ於テハ債権者ガ担保土地ノ所有者トナリ自ラ小作契約ヲ締結スルヲ妨ゲズ、又ハ債権者ニ於テ小作人ヨリ直接小作料ヲ収納スルコトヲ得ベキヲ以テ、如上AトXトノ間ノ売渡抵当ノ成立時期若クハ其ノ土地ガ完全ニXニ帰シタル時期ヲ明ニスルニ非ザレバ、本件小作契約ガYト何人ノ間ニ締結セラレ大正五年度ノ小作料支払ガ正当ナルヤ否ヲ知ルニ由ナキ理由不備ノ不法アル判決ニシテ、其ノ全部ヲ破棄スベキモノトス」(大判大七・五・四新聞一四二五・一九)。

四　目的物の収益の帰属・租税その他の費用の負担

(一) 収益の帰属

(1) 譲渡抵当の場合(目的物を債務者が占有する場合)には、利用権をもつ債務者に収益が帰属することは、いうまでもない(特約によってその収益が債務の弁済のために債権者に交付されなければならない場合でも、その収益は結局は債務者の計算に帰属するわけである）。

(2)　これに反し、譲渡質（目的物を債権者が占有する場合）の形をとり、債権者のもとで目的物が収益を生じている場合には、多少問題である。しかし、この場合にも、特別の事情や意思表示のないかぎり、収益は費用や利息と差引計算され、なお余りがある場合には元本の弁済に充当するのが、当事者の意思である、とするのが、判例である【76】。すなわち、譲渡担保が債権担保の目的のためになされた事実を尊重して、債権者のもとで実現される収益も、債務者の計算に帰属するものとされるのである——ただ、流質型譲渡担保において流質の効果が生じた場合には、債権者のもとで発生した収益をも債権者に帰属させる場合が少なくないであろう。

【76】　XはYに対する債務（弁済期の定めはない）を担保するために土地を「売渡担保」として、所有権移転登記をするとともに、土地を引渡し、Yが使用収益している。Xは債務を弁済して移転登記と引渡を要求する。原審は、Xが利息や諸税・水利費・工事費等を弁済しない以上この請求を認めえない、として、Xを敗訴させた。X上告して、所有権のない債権者が所有権者たる債務者に属すべき収益を取得した以上、反証のない本件ではこれを弁済に充当すべき趣旨と解すべきだ、と主張。

「右土地ニ対スル租税金水利及工事費用ハ勿論借入金二千円ニ対スル利息ノ如キモ総テ債務者タルXニ於テ負担支払ヲ為スベキモノナルニヨリ、特別ノ意思表示若ハ其ノ利益ノ額ガ僅少ナル如キ事情ノ存スル場合ハ格別、然ラザル以上ハ、取引ノ通念ニ照シ右租税金費用及利息ハ利益ト差引計算ヲ為シ、尚剰余アルトキハ之ヲ借入金元本ノ弁済ニ充当スル当事者ノ意思ナリト認ムルヲ以テ、妥当ナリトス。蓋若然ラズトセンカ、債権者ハ単純ニ土地ノ所有権ヲ取得シタルト同一ニ帰着シ、其ノ結果債務者ハ非常ナル不利益ヲ被ムルコトトナリ、債権担保ノ目的ヲ超越スルニ至レバナリ」（大判昭二一・二・二八新聞二六八二・九）。

㈡　費用の負担

(1)　目的物に関する費用は、内部関係でどちらが負担するか。当事者の特約がある場合にはそれに従うことに問題はないが、特約がない場合に負担者を決定する基準として、判例はいかなるものを考えているであろうか。

(2)　下級審判決のなかには、費用の負担者と目的物の権利帰属の態様とを関係づけるものがある。ひとつは、土地の公課を負担するのは所有者であり、したがって、債務者がとくにこれを負担するのは、内部的に所有権を有する証拠だとして、外部的移転を認定するもの【77】、他は、債務者が家屋の諸税を納めているのは、賃貸借契約の内容上そうなので、そこから、家屋が債務者の所有に属していることを推論することは許されない、として、連合部判決を援用しつつ内外共移転を認定するもの【78】である。

【77】【61】と同一判決。

「甲第一号証ノ約款ニハ控訴人ガ真正ニ所有権ヲ取得シタルモノト認ムベキ事実ト相容レザル事項存在ス。即チ同証ニ依レバ賃借人タル被控訴人ハ係争不動産ノ公租其他ノ公課ヲ負担スベキ旨ノ約款存在ス。故ニ、之ニ依レバ、所有者ニアラザル被控訴人ヲ所有者タル控訴人ガ法律上負担スル公租其他ノ公課ノ支払ヲ為スベキコトト為ル。如斯ハ全ク当事者ニ存スル特別ナル関係ノ下ニ其ノ存在ヲ認メ得ベキ事実ニシテ、本件ニ於テハ当事者間ニハ不動産所有権ノ移転ニ関スル意思表示ハ売渡抵当ノ為メニシテ、被控訴人ガ依然所有者タル関係ヨリ斯ル約款ヲ附スルニ至リタルモノト認ムルヲ得。即チ被控訴人ヲシテ依然所有者ト認ムベキコトハ当事者ノ意思表示ヨリ之ヲ推知スルコトヲ得ルモノトス」（東京控判大五・二・九評論五民法三八八）。

【78】　「本訴家屋ニ対スル諸税等ヲ被告ニ於テ納付シ居ル事実ヲ認メ得ルモ、右ハ前記賃貸借契約ノ内容トシテ家屋ニ対スル諸税等ハ被告負担トナス関係上、市役所公簿等ニ対シテハ本訴家屋ヲ原告所有名義ニ改ムルノ手続ヲ為サザリシ結果ト認ムルヲ相当トナスベク、未ダ之ヲ以テ本訴家屋ガ被告所有ナリトハ認ムルニ足ラズ。其他ニ前記認定ニ反シテ被告ノ右抗弁事実ヲ認ムルニ足ル証左ナク、仮リニ被告抗弁ノ如ク売渡担保ナリトスルモ、凡ソ債権担保ノ目的ヲ以テスル財産権譲渡ハ反証ナキ限リ当事者ノ意思ハ外部関係ニ於テハ勿論内部関係ニ於テモ共ニ財産権ヲ移転スルニアリト推定スルヲ相当ト為スガ故ニ、此ノ点ニ関シテ本件ハ前記乙第二号証ノ一二以下ノ乙号各証ハ其反証ト為スニ足ラズ」（前橋地高崎支判大一四・四・二一新報五〇・二四）。

右の二つの判決は一見矛盾するように見えるが、かならずしもそうではない。後者は、内外共移転では、賃貸借契約などで債務者が諸税を負担する旨が特約されない場合には、債権者が負担するのだ、という趣旨のものと解されるからである。これらの判決からは、外部的移転なら債務者が、内外共移転なら債権者が負担する、という原則がみちびかれるであろう。

(3)　他方、大審院判決は、内外共移転において費用の負担について特約のない場合に関し、――(2)の原則によれば債権者が負担することになるはずだが――目的物の費用が計算上債務者の負担になるものとしているのである。たとえば、債務者が債権者から目的物（家屋）を賃借する契約はなされたけれども、費用の負担に関する特約のない場合に関し、目的物の Surrogat たる保険金（もっとも、残存賃料＝債務を控除した残額）を請求しうる以上、家屋の修理費は債務者の負担となり、その償還を請求することができない、とする判決（大判昭八・一二・一九（前出【5】））、目的物（土地）を債権者が使用し、租税・水利費・工事費を支出しているが、費用の負担者に関して特約のない場合に関し、これらの費用は利息とともに収益から差引き、それでもなお余りがあれば残額を元本の弁済に充当すべきである、とする判決（大判昭二一・二・二八（前出【76】））などが、それである。

もっとも、【5】は、『売渡担保』と認定された事案に関するものだが、実際の事案は『譲渡担保』ではないかとおもわれる場合であり（一七頁参照）、そして、『譲渡担保』だとすれば当然に内外共移転型といってよい場合である。また、【76】は、内外共移転かどうかは不明だが、連合部判決によれば内外共移転が推定されることになるはずである。これらの判決は、目的物自体または目的物から生ずる収益の計算が債務者に帰属する場合、すなわち、目的物の利益が債務者に帰属する場合には、目的物の費用も債務者の計算に帰属する、という理論を認めたものということができよう（【5】は目的物自体とその収益とが債務者に帰属する場合、【76】は目的物の収益が債務者の計算に帰属する場合である）。

(4)　(2)と(3)とは矛盾する。両者の関係はどのように考えるべきか。

債権担保の目的に仕える譲渡担保にあっては、目的物の費用の実質的負担者は、目的物に関する権利の帰属によってよりも、むしろ、その経済的利益の帰属によって決すべきものである。それに、(2)にあげた判決は二つとも下級審判決であるから、この問題に関する判例の立場は、(3)で明らかにしたように、利益の帰属するところに費用負担を認める趣旨のものと理解してよいであろう。

ところで、一般には、目的物自体および目的物から生ずる収益は、結局は、債務者の利益に帰するものであるから、費用も債務者の負担に帰することになるであろう。ただ、流質型譲渡担保において流質の効果を生じた場合は、単純に目的物の利益がすべて債務者に帰属するとはいいきれないであろう。この場合に関する直接の判例はないが、上述の【5】は、債務者に保険金から賃料（＝債務）残額を控除した金額を債権者に対して請求する権利がある以上、修理費をみずから負担せねばならない、としているので、この反対解釈から、流質の場合には修理費を請求しうるとの結論をみちびくことができそうである。この点は、判例法としては残された問題であるが、少なくとも、債務者が適法に投下した有益費については、目的物の所有権を絶対的に取得した債権者に対してその償還を請求しうるものと解すべきであろう。

五　譲渡担保権者の優先弁済受領権

（一）　譲渡担保権実行の要件　譲渡担保権者は、債務者の債務不履行や、債務者に不信の事実があれば譲渡担保権を実行しうる旨の特約（神戸地判昭二八・八・二九）【79】に基いて、譲渡担保権を実行することができる。もつとも、かような特約は、一定の事実があれば債務者は期限の利益を失なう旨の特約の変形と考えられるから、結局は、債務不履行が譲渡担保権実行の実質上唯一の原因である。

【79】　「右譲渡担保は特別の事情のない限り、右担保権設定と同時に前記訴外会社において少くとも内部的に右物権の所有権を取得し、被告会社が右事実を発生せしめた場合、その実行をなしうるものと解すべきところ、証人……の証言によると、同会社は昭和二七年一月二〇日頃被告会社が訴外M会社に対し同会社宛振出した手形の支払延期方を申入れた旨の噂を聞いたので、その頃被告会社に対しその真偽を確めようとしたところ、被告会社に於ては原告主張の如くA〔被告会社代表者〕が病気であること、或はB〔被告会社取締役〕が不在であることを理由に右交渉に応じようとはせず、被告会社の支払能力に疑問を生ぜしめるような不信な事態が発生したことが認められるから、同会社は右事態発生と同時に前記担保権を実行しうること

となつたわけである」（神戸地判昭二八・八・二九 下級民集四・八・一一三三）。

譲渡担保権実行の要件としての債務不履行に関しては、判例上次のような諸点が問題となつている。

(1) 履行期

（イ） 期限の定めがある場合　この場合にも、期限の延期がありうる（大判昭八・四・二六（前出【4】）はその例とも考えられる）とともに、他方では、特約（神戸地判昭二八・八・二九（前出【79】）参照）または法律（たとえば民一三七条二号）（大阪高判昭三二・三・二六【80】）に基いて、期限の利益を失なうことがありうる。

【80】　前出【73】と同一判決。

「Yは本件売渡担保物権の中、工場が焼失しても焼失を免れた本件家屋のみで本件被担保債権に対する担保価値は十分であるから、右放火を以つて担保を毀滅又は減少した場合に当らないと主張するが、たとえ残存物件の価値が被担保債権を担保するに十分であつても、一旦売渡担保とし控訴人に提供した物件に自ら放火してその一部を焼失せしめるが如き甲の行為は債権者であるXに対する重大なる不信行為であつて、かかる不信行為のある以上民法第一三七条第二号に当るものと解するを相当とするから、債務者は期限の利益を喪失する」（大阪高判昭三二・三・二六 下級民集八・三・六〇五）。

【80】が、債務者が譲渡担保の目的物を毀滅した場合をも民法一三七条二号に該当するとしたのは、むろん正当である。この場合も、債権者、債務者間の信頼の基礎が破られる点において、担保物権の目的物を債務者が毀滅した場合と同様であり、民法一三七条二号の「担保」を担保物権の目的物に限定する必要はないからである。

なお、【73】の判文から推知されるように、弁済期は、債務者が弁済して目的物を取り戻しうる期間

(買戻期間)、債務者が目的物を占有・利用しうる期間等と密接な関係をもつており、これらの期間の定めやその延長は、通常、同時に弁済期の定めや弁済の猶予をも意味するものと解すべきであろう。

(ロ)　期限の定めがない場合　この場合には、債務者は、時効の規定に反しないかぎり、いつでも債務を弁済して目的物を取りもどすことができるものとされる【81】。

【81】　AはXに対する債務を担保するために建物を「売渡担保」として、外部関係において所有権をXに移転し、債務の弁済方法として、建物の管理をも委託し引続き他に賃貸してその家賃を地代公課・利息および元本の弁済に充てて漸次償却することとした。しかし、その建物については、売買名義の仮登記がなされたにすぎなかつたため、AによつてさらにBに抵当に入れられた。その抵当権の実行の結果Yが建物を競落し、登記を得た。Xは当初予定した弁済方法が不能に帰したことを理由に、売渡担保権の実行としてYに所有権移転登記抹消を請求。これが本件である。その後YはAの債務の残額を提供し、X受領を拒絶したので、Y供託。原審はYの代位弁済を認め、Xを敗訴させた。X上告して、一、「売渡抵当」設定当時の弁済方法が不能となり、債権者が担保権実行方法として目的物の移転を請求したときは、設定者はもはや債務を弁済して担保物を受けもどすことができないはずである。二、「売渡担保」という信託行為では、当事者間の特約は第三者に対抗しえないから、Xの方でも第三者Yの弁済の効力を否認しうる、と主張。第二点について後出【115】参照。

「売渡担保ニ付キ債務者ガ債務ヲ弁済スルノ時期ニ関シ何等特別ノ契約ナキ場合ニ於テハ、苟モ時効ノ規定ニ反セザル限リハ債務者ハ何時タリトモ債務ノ弁済ヲ為シテ担保物ノ取戻ヲ為スコトヲ得ルハ言ヲ俟タズ。原判決ハ本訴担保物ノ第三取得者タルYガ債務者ニ代リテ弁済ヲ為シ以テ担保権ノ消滅ヲ来シタル事実ヲ認定シタルモノニシテ、債務ノ弁済期ニ付キ特約ノ存在ヲ認メザル本件ニ於テ右第三者ノ弁済ノ有効ナルハ勿論ナリ」（大判大九・六・二民録二六・八三九）。

この判決は、むろん、正当である。当事者が期限を定めなかつた場合には、消費貸借の規定（民五九一条）にしたがつて、貸主は相当の期間を定めて返還の催告をなすことができ、これによつてはじめて期限が到来するものと考えるべきであるから、債権者のこの催告がない場合は、債務者はいつでも債務を弁済して目的物の返還を請求することができるはずだから（我妻「判例売渡抵当法」松波還暦四七六頁）である。ただ、判決が「時効ノ規定ニ反セザル限リ」という留保をつけている点は、問題である。ここで「時効」というのは、債務者が弁済して目的物を取りもどす権利の消滅時効を考えているのであろうが、弁済期の定めがない場合にこのような権利の消滅時効を認めうるかは、後に述べるように（八四参照）、疑問だからである。本判決のこの部分は――本事案にとつても傍論としての価値しかもたない部分であるが――括弧に入れて読む必要があろう。

(2)　履行の有無

（イ）　額の問題　　履行があるといえるかどうかは、むろん、一般の原則によるわけだが、譲渡担保に関しても、判例は、一部の履行は履行とならず、債権者の引渡請求を拒むことができないが（東京高判昭二九・九・二九東京高時報五・一〇・二三五）、僅少の不足があつてもよい【82】とし、そして、弁済額が債務を消滅させるに足るものであることは、返還を請求する債務者において立証しなければならない【83】、としている。

【82】　「YハXニ対シ約定ノ期限ニ金四十円ヲ弁済シ、其残債務ハ僅々五十銭ニ過ギズト云フニ在ルガ故ニ、Xガ此僅少ナル残債務存スルノ故ヲ以テ売渡担保ニ供セラレタル本訴物件ノ引渡ヲ請求スルハ、特別ノ

事情存セザル限リ、信義誠実ノ原則ニ悖ルモノ」なり（大判昭一〇・六・八判決全集二輯一九・九八一）。

【83】 Xは不動産を「売渡担保」にし、公租公課は債権者Yが立て替え、弁済期までにXが元利と立替金を支払えば、不動産の所有権が当然にXに復帰することを定めた。弁済期前にXは元利と立替金を提供したが、Yが受け取らないので、供託して、所有権確認と移転登記を訴求。Yは立替金の額を争う。原審は、「Xニ於テ五三〇円ト計算スルニ対シ、Yハ七九五円九二銭二厘ナリト主張シ乍ラ之ガ立証ヲ為サザルニヨリ」、Xを勝訴させたので、Y上告。

「Xガ原審ニ於テ立替ヲ受ケタル公租公課ノ金額ヲ陳述シタルハ、其ノ為シタル提供及ビ供託ノ有効ナルコトヲ主張センガ為ニシテ、畢竟其ノ訴求スル所有権確認及移転登記請求権ノ発生ニ必要ナル法律要件タル事実ヲ述ベタルニ外ナラザレバ、Xニ於テ其ノ金額ニ関スル立証責任ヲ負担スベキモノト謂ハザルヲ得ズ」（大判大一一・三・一五民集一・一〇四（穂積・判民二〇事件））。

右の諸判決は、一般論としては正当とおもうが、【83】は、穂積博士も指摘するように（判民大正一一年度二〇事件評釈）、もし原告が一応の計算の基礎を示したのであれば、結果（訴訟の勝敗）はむしろ逆になるべき場合であろう。

（ロ）　利息の滞納の問題

(a)　利息の遅滞によって譲渡担保権の実行を認めうるか。

(i)　外部的移転の場合　外部的移転においては賃貸借契約自体が虚偽表示として無効とされるので、賃料不払を理由とする解除、したがつてまたそれに基く目的物の引渡請求が認められないこと、すでに述べたとおりである（五三(二)の(2)(4)参照）。

弁済しないと債務者が内部的に留保した所有権を失なう旨の特約がある場合に、利息を滞納すると債務者は当然に所有権を失なうか。大正一〇年の大判【84】は、利息の滞納によつては、債権者は所有権を取得することができない（したがつて、二ヵ月の利息の滞納後に債務者が目的物を第三者に譲渡しても、債権者は所有権を理由として損害賠償を請求することができない）とする。

【84】　YはXに対する債務のために、売渡名義で不動産を担保に供し、期限内に弁済しないと所有権を失ない、Xの所有に帰属させることを約したが、その後期限を延期し、弁済期は定めなかつた。Yは目的物を第三者Aに譲渡。Xは、所有権が自己にあることを理由に、Yに対し損害賠償を請求。原審ではX勝訴。このとき、原審は、Yが二ヵ月分の利息を滞納していることをあげ、YのAへの売却前にすでにXの所有に属していたことになる、としたので、その点を捉えて、Y上告し、期限内に弁済しないと所有権を失なうというのは、元本の弁済期に元本の返済を遅滞すれば、という意味であり、原判決は理由そごの不法がある、と主張。

原審判決の「趣旨ハYガ大正三年六月末日ノ元金返済期限ニ元利金ノ弁済ヲ為サザルトキハ本件不動産ノ所有権ヲ失ヒXニ於テ之ヲ取得スベキコトヲ約シ、其後右大正三年六月末日ノ期限ヲ延期シ返済期限ヲ定メザリシ事実ヲ認定シタルモノト解シ得ベキヲ以テ、Yハ特約ナキ限リハ毎月末日ノ利息支払期限ニ利息ノ支払ヲ怠リタルノ一事ニ因リテ本件不動産ノ所有権ヲ失フモノト謂フベカラズ。而シテ原判文中斯カル特約ノ存在ヲ認定シタリト認メ得ラルベキモノアルコトナシ。然ルニ原審ガYガ大正八年八月及九月ノ利息ヲ支払ハザルコトハY代理人ノ自認スル所ナレバ本件不動産ハ右不払ノ為メ前認定セル利息ハ毎月末日ニ支払フベキ約旨ニ依リ本件不動産ガ第三者Aニ売却セラレタル以前既ニXノ所有ニ属シタルモノト謂ハザルベカラズト判示シ、利息ノ不払ニ因リテYガ不動産ノ所有権ヲ失フノ理由ヲ説明セザルハ不法ナリト謂ハザルヲ得ズ」（大判大一〇・六・二七新聞一八八三・一七）。

(ii) 内外共移転の場合　内外共移転の場合に関する判例の態度はかならずしも明確ではない。もっとも、判例は、内外共移転の場合には、賃料不払を理由とする目的物の引渡請求を認めており(五三(二)(4)(イ)(b))、このことは、実質的には、利息の不払による譲渡担保権の実行を認めることに帰着するものである。また、型は不明であるが、連合部判決後の刑事判決【85】に、利息の不払が譲渡担保権の実行を可能にするものであることを、前提しているかのように見えるものも、存する。

【85】 刑事事件。AはY_1に電話使用権を売買の形式をとって担保に供したところ、Y_1は譲渡担保の目的物をさらにY_2に譲渡担保とした。そして、Y_1はY_2と共謀して、故意にY_2に対する利息の支払を怠って契約違反の状態を作ったり、故意にAの持参した利息の受領を避けたりして、Y_1、Aともに買戻の特約を実行しえないようにしようとした。他方、Y_2は契約不履行を理由に電話機をとりはずし、あるいは、電話機を取りはずす旨をAに告げてAに高価で買い戻させた。$Y_1$$Y_2$の行為が背任罪に問われた。

「Y_1ハY_2ニ対シ利息ノ支払ヲ怠リタリト云フト雖モ、之レ両名共謀ノ上恰モ契約違反アルガ如キ状態ヲ作為センガ為メ、Y_1ニ於テ故ラ其ノ支払ヲ為サザリシト云フニ在ルガ故ニ、之ヲ以テ真ニ契約違反ナリト為スヲ得ザルベシ。従テ其ノ為Y_1、Y_2間ノ前記担保買戻特約ノ無効ニ帰スベキ理由アルコトナシ。又原判示ノ如クY_1ガ借主ヨリ持参シタル利息ノ受領ヲ避ケタルガ如キハ之レ亦恰モ借主ニ契約違反アルガ如キ状態ヲ故ラ作為シタルニ過ギズシテ、之ニヨリ借主ニ其ノ違反ノ責任アルモノト断ジ難ク、此場合ニ於テモ前同様借主トY_1間ノ担保買戻特約ノ無効ニ帰スベキ理ナカルベシ。然ラバ右判示ノ如クY_1ガ借主ノ為担保保存ノ事務処理ニ任ジタリトスルモ、未ダ以テY_1ニ於テ該任務ニ違背シタルモノト謂フヲ得ザルベク、従テY_2モ亦Y_1ノ判示任務違背ノ行為ニ加功シタルモノトシテ其ノ罪責アリト謂フヲ得ザルベシ」(大判昭六・一〇・八評論二〇民法一二四六)。

かように、判例は、内外共移転の場合には、利息の滞納による担保権の実行を認めるように見える。

しかし、かならずしもそうだともいえない。それを前提するかのように見える右の【85】も、刑事判決であるうえに、現実に譲渡担保権の実行を認めたケースでないのはもちろん、利息の滞納によつて譲渡担保権を実行しうる旨を述べているわけでもない。賃料不払を理由とする場合には、たしかに大審院は引渡請求を認めているが、近時の下級審判決のなかには（高松高判昭三三・七・一〇（前出【70】））、――賃料が実質上利息に該当するものであること（このことはすでに【4】で指摘されたが、【70】はそれを再確認する）を認めたうえで――上述の判例理論を修正しようとするものが、現われているのである。

被担保債権の弁済期も到来しないのに、単なる利息の不払によつて当然に担保権を実行することができるものとするのは、妥当ではない（我妻・担保物権法【一〇〇】二(2)、柚木・担保物権法（法律学全集）三九八頁）。利息（それが賃料の形式をとる場合もふくめて）の滞納による担保権の実行を認めるべきではない点において、外部的移転と内外共移転とを区別すべき理由は存しないと考えられるのである。

(b)　特約のある場合はどうか　次の昭和七年の大判【86】は、電話加入権の譲渡担保において、利息を一月でも怠れば催告を要しないで電話機を撤去して処分したうえで弁済に充当しうる旨の特約がある場合に関し、やや傍論ながら、一ヵ月の利息滞納を理由に譲渡担保設定後わずか十日ぐらいで譲渡担保権を実行したのを、信義則に反しない、としている。

【86】　電話使用権の買主Yが売主Xから借財して売買代金（千二百五十円）の支払にあてるとともに、借金の一部を手形としてXに交付し、残りの一部（九百円）の担保として電話使用権をXに差し入れ、一ヵ月百円につき一円六十銭の利息を一回でも怠れば催告を要しないで、電話機を撤去して、処分のうえ、弁済に

充当しうる旨を約した。Yが一ヵ月の利息を怠ったというので、Xは、売買後一〇日ばかりしか経過しないというのに、電話使用権を処分。Xから、手形金を請求したのが、本件。原審は、右のようなXの行為は信義則に反するとして、手形金の請求をしりぞけたので、X上告し、右の特約に基いて権利を行使することが信義の原則に反しない旨を強調するとともに、たとえ電話機の撤去が信義則に反するとしても、電話の復活または損害の賠償請求権を主張し、手形債務との相殺を主張するは格別、これによつて手形金の請求を排斥する理由とはならない、と主張。大審院は、「資力乏シキ者ガ物品ヲ購入スルニ当リテハ自ラ其代金ノ一部ヲ弁済シ、其余ノ代金ニ付キテハ別ニ買入物品ヲ担保ニ差入レ売主ヨリ金員ヲ借用シ其弁済ニ充ツルコト、稀ナリト為サズ。……其担保権ヲ実行シタルハ債権者トシテ当然ノ権利ヲ行使セル迄ノコトニシテ、再ビ之ヲ当初ノ売買ト関聯セシメ信義ノ原則ニ反スルノ措置ナリト解スベキモノニアラズ」と述べたうえ、次のように判示。

「被上告人（上告人Xの誤？）ハ上告人（被上告人Yの誤？）ガ僅カ一ケ月ノ利息ヲ滞リタルガ為ニ売買ヨリ十日計ニシテ担保物タリシ電話使用権ヲ処分シ、本件ヲ以テ一部代金支払ノ為メ振出シタル手形金ノ弁済ヲ求ムルモノナリト云ヘバ、被上告人（上告人の誤？）ノ採リタル措置ハ取引上穏当ヲ欠クノ非難ハ之ヲ免ルルニ由ナカル可シト雖、特別何等カ特別事情ナキ限リ、仮令一ケ月ノ利息ト雖支払ヲ怠ルトキハ担保物ヲ実行セラルルコトアル可キハ契約当然ノ効果ニシテ、之ガ為メ上告人（被上告人の誤？）ガ僅ニ十日計ニシテ電話ヲ使用スル能ハザルニ至リ、之ヲ買入レタル目的ヲ達スル能ハザル結果ヲ生ズルトモ、之レ亦止ムヲ得ザルコトニ属シ、当初ノ売買契約並ニ其ノ代金支払ノ為ニ振出サレタル手形債務ハ之ガ為ニ何等ノ影響ヲ受ク可キ筈ナキモノナリ。サレバ、原審ニシテ其判断ニ到達センガ為メニハ更ニ右ノ如キ特別事情ノ有無ヲ調査スルモノト云フ可ク、原判決ハ此ノ点ニ於テ審理不尽ノ憾アルモノニシテ、破毀ヲ免レザルモノトス」（大判昭七・五・一九新聞三四三五・一三、評論二一民法八五六）。

(3) 債務の履行は債権者の目的物返還と同時履行の関係に立つか。

債務者の弁済義務は債権者の目的物返還義務と同時履行の関係に立つものではなく、債務者が担保物の返還を受けるには、まず債務を完済しなければならない【87】。

【87】「売渡担保ノ契約ニ基キ其ノ目的物ヲ占有セル債権者ハ、自己ノ債権ノ現存スル限リ担保物件ヲ占有スルコトヲ得ベク、債務者ガ其ノ債務ヲ完済シタルトキハ固ヨリ担保物件ヲ返還スルコトヲ要スルモ、ソレハ主タル債権ガ消滅シタル結果従タル担保権モ亦消滅スルガ為ニ外ナラズシテ、債務ノ弁済ト担保物件ノ返還トハ互ニ条件ヲ為スモノニ非ザレバ、双務契約ニ関スル同時履行ノ規定ヲ適用スベキモノニ非ズ。然レバ債務者ニシテ担保物件ノ返還ヲ受ケントスレバ先ズ其ノ債務ヲ完済スルコトヲ要シ、其ノ完済ヲ為サズシテ之ト引換ニ担保物件ノ返還ヲ求ムル訴ヲ起スガ如キハ、固ヨリ認容セラルベキモノニ非ズ」(大判昭二・一〇・二六新聞二七七五・一三、評論一七民法四一)。

(二) 債務不履行の効果、とくに担保権実行の方法

(1) 目的物による弁済充当の方法

(イ) 目的物に対して債権者の取得する権能　債務不履行があれば、債権者は、まず、最小限度、担保物に対する処分権を取得し(大判明四五・七・八(前出【24】)ほか)、これを換価しても、もはやなんらの責任も生じないことになる【88】。

【88】 YはXに対する債務を担保するため、鉱区試掘権をXに譲渡したところ、Xはこれを他に売却して売得金から弁済を受けたが、なおYに対して貸金を訴求する。それが本訴である。Yは、Xの処分は不法行為であると主張し、相殺をもつて対抗したらしい。原審がこの不法行為の主張を認めたので、X上告し、履

行期がいつ到来したかを審究しないでXの処分を不法行為と断じたのは、不当だと主張。

「債務者ガ弁済期ヲ経過シテ債務ノ履行ヲ為サザルトキハ、債権者ハ或ハ担保物件ニ付キ完全ナル所有権ヲ取得シ、或ハ其ノ物件ヲ処分シテ換価金ヨリ優先弁済ヲ受クル権利ヲ有スルモノニシテ、其ノ何レノ方法ニ依ルベキヤハ当事者ノ意思表示ニ依リテ定マルベキモ、別段ノ意思表示ナキトキハ、債権者ハ債務者ガ弁済期ヲ経過シテ債務ヲ弁済セザル場合ニ於テ担保物件ヲ処分シテ其代金ヲ弁済ニ充当シ得ルハ、担保ノ目的ヨリ生ズル当然ノ結果ナリト謂ハザルベカラズ（大正八(オ)第六一〇号大正八年一二月九日当院判決参照）。故ニ売渡担保トシテ物件ヲ信託的ニ譲受ケタル債権者ガ、其物件ヲ売却シ其代金ヲ領得スルコトヲ得ルヤ否ヤヲ判断セントスルニハ、先ヅ其ノ担保セラレタル債務ノ弁済期ガ到来シタルヤ否ヤヲ審査セザルベカラザルモノトス。何トナレバ、債務ノ弁済期到来前ニ於テハ債権者ハ担保物件ヲ売却スルコトヲ得ザルモ、其弁済期到来後ニ於テハ売却ヲ為サザル特約ナキ限リハ債権者ニ於テ之ヲ売却シ其代金ヨリ弁済ヲ受領スルコトヲ得ルモノナレバナリ」（大判大一〇・五・三〇民録二七・一〇二四（平野・判民八六事件））。

しかし、そのなかにも、債権者が単に目的物の処分権を取得するにとどまる場合（処分権取得型）と債権者に目的物の所有権が確定的に帰属する場合（当然帰属型）とが存し（何に基いてこの区別が生ずるかについては五五(二)(3)参照）、この区別は、次に述べるように、精算を行なうか行なわないかの区別と結合して、弁済充当の方法に関する判例理論を形成している。

（ロ）　精算の有無　右の処分権取得型の場合には、債権者が目的物を換価したうえで精算することがすでに予定されていたといえるが、当然帰属型の場合は、これに反してつねに非精算である、とはいえない。目的物の所有権は債権者に当然に帰属するが、それを評価して被担保債権額を越える場合には債務者に余りを返還することも、考えられるからである。判例は、従来、当然帰属型の場合は非精算型でもある、と考えていたようであるが、これはかならずしも正確ではない。

(a)　まず、比較的近時の下級審判決（東京区判昭一五・八・六（後出【97】）、盛岡地判昭二九・三・一五（後出【98】））のなかには、当然帰属型についても精算する場合を認めるものがある（帰属精算型）。

(b)　さらに、当事者が弁済充当方法を約束する場合にも、債務の履行遅滞の場合は目的物を適宜の方法で処分し換価金を弁済に充当することができ、または、換価処分にかえて、目的物の価格に対応する債権の代物弁済として充当決済することができる旨を、とりきめる場合も、見られる（大阪地決昭三二・二・二一（後出【151】参照））。すなわち、この場合には、当事者は、目的物の価値と債務額とのあいだに精算を行なうことに重点を置き、債権者が目的物に対して終局的所有権を取得するか、単に処分権を取得するにすぎないかを問題としていないのである（純粋精算型）。

(ハ)　結局、判例が担保物による弁済充当の方法として認める類型は、一般的には、(a) 債権者が目的物を処分し、その売得金と債務とのあいだで精算を行なう場合（処分精算型）、(b) 債権者に目的物の所有権が当然に帰属し、債務とのあいだに精算を行なわない場合（流質型あるいは代物弁済型）であるが、精算型のなかには、(a)のほかに、なお、(c) 債権者に目的物の所有権が当然に帰属するが、債務とのあいだに精算を行なう場合（帰属精算型）や、(d) 債権者は換価処分または自己への評価帰属によつて債務とのあいだに精算を行なう場合（純粋精算型とでもいえようか）も存することに、注意しなければならない（目的物に関して処分権を取得するにとどまり、しかも精算を行なわないという態様は、現実にはありえないので、結局は以上四種に尽きる）。

(2)　債権に基づく訴求　譲渡担保には、すでにしばしば述べたように、『売渡担保』とちがつて、債権が残存しているから、債務者不履行の場合には、この債権に基いて債務者を訴求し、その一般財産に対して執行することができるように見える。はたしてそうであろうか。

この点に関しては、三つの大審院判決をあげることができる。【89】は、譲渡担保において債務の弁済がない場合に、担保についてどのような効力を生ずるかは、契約によるものとし、契約の趣旨によつて、（第一）「代物弁済的効力ヲ生ゼシムル場合」、（第二）「担保物件ヨリ弁済ヲ受ケ不足アル場合ニ初メテ債務者ノ他ノ財産若クハ保証人ヨリ弁済ヲ受クベキモノトナス場合」、および（第三）「担保物件ニヨルカ或ハ保証人其他ニヨルカハ一ニ債権者ノ任意タラシムル場合」があることを指摘している。そして、【90】は、代物弁済の特約のない場合に関して、処分権取得の効果を認めるとともに、担保物を処分して不足の有無を見たうえでないと債権を訴求しえないというものではない、とし、【91】も、代物弁済の特約が認められない以上、弁済期経過後も債権者は債権を行使することができる、としている。これらの判決から推して、判例は、精算型の場合には、債権に基く訴求（しかも担保権の実行をしないでただちに債権的請求を選択することも）を認めるが、これに反して、流質型の場合には、債権に基く訴求は認められないとするものと考えられる。ただし、流質型の場合に債権に基く訴求を許さないという趣旨は、債権者が譲渡担保権を保有するかぎりにおいて債権に基く訴求が許されないというのであつて、譲渡担保権を放棄した場合にも債権に基く訴求（したがつてまた債務者の一般財産に対する執行）を許さない趣旨ではないであろう（この点、債権の存続しない『売渡担保』とは異なるはずである）。

【89】「売渡担保ト云フモ其内容必シモ一ナラズ。本件ノ場合ニ於テハ、担保契約ニヨリ目的物ノ所有権

ヲ移転シ之ト同時ニ債務ヲ消滅セシメテ売主ニ只買戻権ヲ留保スル通常ノ形式ニ於ケル売渡担保ニ非ルコトハ、債務ガ履行期ニ於テ弁済セラレザル場合ニ於テ初メテ代物弁済ノ効果ヲ生ズル約旨ナリトノ上告人ノ主張自体ニヨルモ明ナリ（精確ナル用語例ニ従ヘバ此種取引ハ之ヲ譲渡担保ト云フベク売渡担保ト云フノ当ラザルコトハ当院昭和六年(オ)第二七五九号同八年四月二六日言渡判決ヲ参照ス可シ）。斯クノ如ク債務存続スル場合ニ於テ其ノ弁済無カリシ暁担保ニ関シ如何ナル効力ヲ生ズベキカハ、是亦具体的個々ノ場合ニ於ケル契約ノ趣旨ニヨリテ決セラルベク、一様ニ之ヲ律スルヲ得ズ。或ハ上告人ガ本件ニ付キ主張シタル如キ代物弁済的効力ヲ生ゼシムル場合アルベク、或ハ本論旨所論ノ如ク先ヅ担保物件ヨリ弁済ヲ受ケ不足アル場合ニ初メテ債務者ノ他ノ財産若クハ保証人ヨリ弁済ヲ受クベキモノトナス場合アルベク、又或ハ通常ノ担保ノ如ク担保物件ニヨルカ或ハ保証人其他ニヨルカハ一ニ債権者ノ任意タラシムル場合無キニ非ズ。其何レナルカハ各其欲スル効果ヲ収メントスル者ニ於テ之ニ適応スル事実（約旨）ノ主張立証ヲ為サザルベカラズ。本件ニ於テ上告人ハ只代物弁済的効力ヲ生ゼシムル約旨ナリト主張シタルノミニテ、所論ノ如キ効力ヲ生ズル約ナルコトハ毫モ主張シタル形跡ナキヲ以テ、原審ガ之ニ付キ審理判断ヲ為サザリシハ当然ニシテ違法ニ非ズ」（大判昭八・一一・七新聞三六六六・一七、評論二三民法一二五五）。

【90】 YはXに対する債務を担保するために仏壇を「売渡担保」にした。XはYの債務不履行を理由として、債務の弁済を訴求。Yは、Xが目的物を占有する場合は、債務不履行があればそれをそのまま保有して弁済に代える意思があるものと解すべきだから、Yの不履行により債務は消滅した、と争つた。原審はXの請求を認めたので、Y上告。

「凡ソ債権担保ノ目的ヲ以テ債務者ヨリ債権者ニ対シ或物ヲ売渡シ、其ノ目的物ノ占有ヲ債権者ニ移転シタルトキト雖モ、当事者間常ニ必ズシモ其ノ不履行ノ場合ニハ該債務ノ履行ニ代ヘ右目的物ノ所有権ヲ債権者ニ確定的ニ帰属セシメ以テ債務ヲ消滅セシムベキ旨ノ特約ヲ為サザルベカラザルモノニ非ズ。而シテ苟クモ如上ノ特約ナキ以上、仮令弁済期ニ履行無カリシトスルモ当然上叙ノ如キ債務消滅ノ効果ヲ発生スト解スベキ理由ナキモノトス。之ヲ本件ニ付キ観ルニ、YガXニ対シ本件債権ヲ担保スル為メ仏壇ヲ売渡担保ニ供シ之ガ引渡ヲ為シタル事実ハ、原判決ノ確定セルトコロナルモ、原判決ハ又証拠ニ依リ本件Y主張ノ如キ代物弁済ニ因ル債務消滅ノ特約無カリシ事実ヲモ認定シタルコト明白ナルガ故ニ、本件売渡担保ニ在ツテハ仮令履行期ニ其ノ履行無カリシトスルモ債権者タルXニ於テ右担保物ヲ処分シ其ノ対価ヲ以テ債権ノ弁済ニ充当シ得ル権能ヲ有スルニ止リ、Yノ不履行ト同時ニ当然所論ノ如キ代物弁済ニ因ル債務消滅ノ効果ヲ肯認シ得ベキモノニ非ルト共ニ、必ズシモ所論ノ如クXニ於テ先ヅ右担保物ヲ処分シ果テ本件債権ニ不足ヲ生ズルヤ否ノ結果ヲ見タル上ニ非ザレバ本件貸金債権ニ付キ訴求シ得ザル如キ筋合ノモノニ非ザルコトヲ言ヲ俟タ」ず（大判昭一〇・三・二七新聞三八二七・一六、評論二四民法三〇五）。

【91】　貸金請求事件で、【95】と同一判決。

「所論証人Aノ証言ハ所論ノ如ク本件当事者間ニ代物弁済ノ特約アリタルコトヲ肯定セザルベカラザルモノニ非ザレバ、原審ガ弁済期限ノ経過シタルニ拘ラズ本訴債権ノ依然存在セルコトヲ認メ、上告人等ニ於テ被上告人ノ請求ニ応ズベキ義務アリト判断シタルハ、是亦不法ニ非ザルナリ」（大判大一五・一一・一一判例拾遺（一）民一〇四頁）。

もつとも、【89】は明らかに三つの態様を認め、【90】も——明確とはいえないが——この三種のものを認めているようにおもわれるのに対し、【91】は、——これも明確とはいえないが——【89】における第一の場合と第三の場合しか認めないように見える。この点は、いかに考えるべきか。

【91】のあげる二つの場合（代物弁済的効力を生ぜしめる場合、担保権を実行するか債務者の一般財産や保証人にかかつていくかを債権者が自由に選びうる場合）は、流質型（代物弁済型）と精算型の普通の場合とに対応するものであり、【89】のあげる第二の場合（担保物からまず弁済を受け、不足のある場合にのみ債務者の一般財産にかかつていける場合）は、帰属精算型の場合や、処分精算型また

は純粋精算型で特約のある場合において、まれに生ずるにすぎないものであろう。

具体的譲渡担保契約が【89】のあげる三つの場合のどれに該当するかの決定は、【89】によれば、「各其欲スル効果ヲ収メントスル者ニ於テ之ニ適応スル事実（約旨）ノ主張立証ヲ為サザルベカラズ」ということであるが、主張はともかく、立証の点に関しては、この判旨は文字どおりには妥当しない。弁済充当の方法に関する判例の推定（参照(3)(ロ)）の影響を受けて、第三の場合（担保権を実行するか債務者の一般財産にかかっていくかを債権者が自由に選択しうる場合）が推定されることになるというべきだから、この場合を主張する者の立証責任は、少なくとも事実上は、転換されたことになるであろう。

(3)　弁済充当の方法の認定に関する法則

(イ)　はじめ、判例は、弁済充当の方法の態様と目的物に関する権利移転の態様（当時としては、外部的移転の構成）とのあいだに、密接な対応を認めていた。すなわち――

外部的移転という構成の根拠は、もともと、主として、担保の目的を達するには債権者には目的物の所有権を完全に帰属させる必要なく、ただ不履行に際して目的物を処分することのできる権能を与えさえすれば（すなわち、処分精算型であれば）足りることに、あったのである。この点でリーディング・ケースと考えられるのは、明治四五年七月八日の大審院判決（前出【24】）であるが、次の【92】も同じ趣旨を説いている。【93】は、これらの判決とことなり、「特約ナキ限リ」とことわっているが、これは、すでに判例が外部的移転の構成を修正して、外部的移転のほかに例外的に内外共移転の場合を認めるようになっていたという事実に、対応するものと考えられるのである。

【92】 XはYに対する千円の債務（弁済期の定めなし）を担保するため、電話加入権を「売渡担保」としたところ、Yは、これを二〇六五円でAに売却したので、Xは、代金と債務との差額一〇六五円につき不当利得の返還を請求。原審がこれを認めたので、Y上告。【104】と同一判決で、次に掲載するのは、【104】の部分の前提となるものである。

「売渡担保ハ名義ハ売買ナルモ其ノ実担保ニ過ギザレバ、債権者ガ期限ニ弁済ヲ為サザルガ為メ債権者ニ於テ目的物ヲ売却シタルトキト雖モ、債権者ハ唯其代金ヲ以テ債権ノ弁済ニ充当スルコトヲ得ルノミニシテ、若シ残余アルトキハ、之ヲ債務者ニ返還スルコトヲ要ス。是其代金ハ固ヨリ債務ニ帰属スベキモノニシテ当然債権者ノ所得ナルモノニ非ザルガ故ナリ」（大判大九・六・二一民録二六・一〇二八）。

【93】【49】と同一判決。

「売渡担保ナルモノハ債務ノ弁済ヲ確保スルノ目的ヲ以テ売買名義ニヨリ或物ノ所有権ヲ内外共又ハ外部関係ニテノミ債権者ニ移転スルノ行為ヲ指称スルモノナルニヨリ、債権者ハ其目的ヲ超越シテ移転ヲ受ケタル所有権ヲ行使スルコトヲ得ザルハ勿論ナリトス。故ニ債務者ガ債務ヲ弁済シタルトキハ債権者ハ其目的物ヲ債務者ニ返還スベク、若シ又債務者ガ弁済期限ニ債務ヲ弁済セザルトキハ債権者ハ其目的物ヲ売却シ其代金ヲ以テ債務ノ弁済ニ充テ尚ホ残余アルトキハ之ヲ債務者ニ返還スベキ義務アルモノニシテ、特約アルニ非ザレバ、債務者ガ弁済期限ニ債務ノ弁済ヲ為サザル場合ニ債権者ハ代物弁済トシテ其目的物ヲ受ケ債権者ハ完全ニ其物ノ所有権ヲ取得シ債務者ハ之ガ返還請求権ヲ喪失スルモノト謂フベカラズ」（大判大一〇・三・五民録二七・四七五（末弘・判民三三事件））。

他方、内外共移転を認めるにいたった初期の判決（大判大五・九・二〇（前出【20】））（事案は少なくとも当然帰属型、おそらくは流質型であろう）は、内外共移転の有効なことを論証するのに、「債権担保ノ為メニスル信託売買ハ、債務者ガ其債務ノ弁済期ニ至リ之ガ履行ヲ為サザル場合ニ於テ、債権者ヲシテ容易ニ売買ノ目的物ヲ処分シ之レニ依リテ完全ナル弁済ヲ受クルヲ得シメンガ為メニ為スモノニ外ナラザレバ、此目的遂行ノ便宜ノ為メ当事者間ニ於テモ所有権移転ノ効力ノ発生スベキモノト為スガ如キハ、其有効ナルコト契約自由ノ原則ニ照シ毫モ疑ヲ容レザレバナリ」（傍点筆者）と説いているのである。

（ロ）　しかし、判例は、大正の半ばごろから次第に弁済充当方法の態様と権利帰属の態様との対応を認めないようになっていく。

(a)　第一に、弁済充当の方法は「契約ノ趣旨」によって決せられ（大判昭八・一一・七（前出【89】））、「担保物ノ所有権ガ外部関係ニ於テノミ債権者ニ移転スル場合ト雖モ」、特約で履行遅滞とともに目的物が債権者に当然に帰属することを定めることも可能である（大判大一〇・三・一三（前出【22】）――もっとも、事案が外部的移転であるか否かは不明であり、「担保物ノ所有権ガ外部関係ニ於テノミ債権者ニ移転スル場合ト雖モ」というのは、つけたりにすぎない）。

(b)　約旨不明の場合には、――外部的移転の場合に処分精算型が推定される（大判大一〇・三・五（前出【93】））のはもちろんのこと――譲渡担保一般についても処分精算型が推定される（次の【94】のほか、大判大一〇・五・三〇（前出【88】）――いずれも傍論）。けだし、「債権者ガ其移転ヲ受ケタル所有権ヲ担保ノ目的以外ニ行使スルコトヲ許サザルハ当然」だからである（【94】）。

【94】　【21】と同一判決。

「売渡担保ハ叙上ノ如ク債権ノ弁済ヲ確保スルノ一方法ナルガ故ニ、債権者ガ其移転ヲ受ケタル所有権ヲ担保ノ目的以外ニ行使スルコトヲ許サザルハ当然ニシテ、従テ債務者ニ於テ其債務ノ弁済ヲ為シタルトキハ債権者ハ其所有権ヲ返還スベク、若シ又債務ノ弁済遅滞シタルガ為メ債権者ニ於テ其目的物ヲ売却シタルトキハ、其代金ヲ元利金ニ充当シ尚ホ残余アルトキハ之ヲ債務者ニ返還スベク、従テ又縦令弁済期限ヲ経過スルモ未ダ債権者ニ於テ其目的物ノ処分ヲ為サザル間ハ債務者ハ元利金ヲ提供シテ之ガ返還ヲ請求スルコトヲ得ベク、弁済期限経過ノ一事ヲ以テ直チニ担保タルノ性質ヲ失フモノニ非ズト雖モ、若シ当事者ノ特約ヲ以テ弁済期限ヲ経過シタルトキハ、債権者ハ其物ノ所有権ヲ完全ニ取得シ債務者ハ爾後其物ノ返還ヲ請求スルコト能ハザル旨ヲ約シタルトキハ、弁済期限ノ経過ニ因リテ債務者ハ返還請求権ヲ喪失スベキハ当然ナリ」（大判大八・七・九民録二五・一三七三）。

この原則は連合部判決後も変らず、(i) 内外共移転でも外部的移転でも、「特約アルニ非ザレバ其ノ目的物ヲ代物弁済トシテ受領スルコトヲ得ザルモノ」とされ【95】、譲渡担保一般についても――やや抽象論としてではあるが――同趣旨が説かれている【96】。(ii) しかも、逆に、処分精算を約束した場合についても内外共移転を推定するもの（大判昭八・九・二〇（前出【69】））が見られるのである。

【95】【91】と同一判決。

「売渡担保ナルモノ其ノ目的物ノ所有権ガ所謂内部及外部関係共ニ債権者ニ移転スルモノタルト、将又之ガ所有権ハ内部関係ニ於テハ債務者ニ留保シ単ニ外部関係ニ於テノミ債権者ニ移転スルモノタルトヲ問ハズ、債務者ガ弁済期ニ弁済ヲ為サザリシトテ債権者ニ於テ特約アルニ非ザレバ其ノ目的物ヲ代物弁済トシテ受領スルコトヲ得ザルモノトス。然ラバ本件ニ於テ原審ガ本訴債権ニ付上告人等共有ノ物件ガ売渡担保トナリタルコトヲ認メナガラ其ノ内容ヲ判示セザリシハ不法ニアラズ」（大判大一五・一一・一一判例拾遺（一）民一〇四）。

【96】電話加入権について「売渡担保」が設定され、債務不履行の場合には目的物を処分し代金を弁済に充当する旨の合意がなされた場合に関する。

「債務弁済ヲ確保スル為ニナス所謂売渡担保ナルモノハ、当事者ノ合意ニヨリ種々ノ内容ヲ有シ一様ナラザルコト所論ノ如シト雖、通常売渡ノ目的タル物又ハ権利ヨリ債務ノ弁済ヲ得ルコトヲ目的トスルニ過ギザルガ故ニ、債務者ガ其ノ債務ノ支払ヲ為サザルトキハ担保物又ハ権利ヲ処分シ因テ得タル金銭ヨリ債務ノ弁済ヲ受クル趣旨ノ合意アリタルモノト解スルヲ相当トシ、反証ナキ限リ担保ノ目的タル物又ハ権利ヲ以テ債務不履行ノ場合ニ債務ノ代物弁済ト為ス趣旨ノ合意アリタルモノト解スベキニアラズ。蓋若代物弁済ノ合意ヲモ包含スト為ストキハ、債務ノ弁済期ニ於テ売渡担保物又ハ権利ガ債務額以上ノ価格ヲ有スルトキハ、債権者ハ債権ノ弁済ヲ得タルヨリ以上ニ利益ヲ得ルコトトナリ、之ニ反シ物又ハ権利ガ債務額以下ノ価格ヲ有スルニ過ギザルトキハ債権者ハ之ニ因リ債務ノ弁済ヲ得タルト同一ノ利益ヲ得ルニ至ラズ。斯ノ如キハ弁済ノ確保以外ノ効果ニシテ、債務ノ弁済ヲ確保スル為ニ為サルル売渡担保契約ニ弁済確保以外ノ効果ヲ目的トスル趣旨ノ合意アリタルモノト解スベカラザレバナリ」（大判昭二・五・一〇新聞二七一〇・一一、評論一六民法六五六）。

(c)　さらに、すでにふれたように、比較的新しい下級審判決のなかに、目的物の当然帰属を約束した場合でも、特約のないかぎり、精算をともなうもの（帰属精算型）と解すべきだとする判決があることは【97】【98】、注目に値することといわなければならない。けだし、譲渡担保の効果をできるだけ担保目的に適合したものにしようという裁判所の努力の現われといえるからである。

【97】「抑々貸金ノ担保ナルモノハ貸金ノ弁済ヲ確保スルモノ、即貸金ガ其返済期ニ弁済セラレザル場合ニ該担保物ヲ換価シ該換価金ヲ以テ右貸金ノ弁済ニ充当セントスルモノナレバ、担保物ノ時価ハ貸金当時ノミナラズ将来ノ返済期ニ於ケル時価ヲ予見シ貸金額ヨリ遙カニ超過スルモノタルヲ常トス。若シ然ラズンバ将来ノ返済期迄ノ担保物ノ時価ノ変動等ニヨリ返済期ニ於ケル換価金ハ得テ貸金額ニ達シ得ザルノ虞多ケレバナリ。従ッテ弁済期ニ於テ該担保物ヲ該貸金ノ代物弁済ト為ス場合ニハ、貸金額ヲ遙カニ超過スル価値アル担保物ヲ之ヨリ遙ニ少額ナル貸金債務ノ代物弁済ト為スコトトナルヲ以テ、一般ノ代物弁済ノ場合トハ寧ロ正反対ニ、特別ノ合意ナキ限リ担保物ノ貸金額ニ見積リテ代物弁済ト為スニ非ザル趣旨ト認ムルヲ経済取引ノ

通念ニ照シ相当トスト謂フコトヲ得。従ッテ担保物ノ時価ト貸金額トヲ彼此差引清算スルヲ要スルモノト謂ハザルベカラズ(夫ノ流質契約禁止ノ趣旨モ正ニ玆ニ存スルト謂フコトヲ得ベシ)」(東京区判昭一五・八・六新聞四六三〇・一、評論二九民法七六九)

【98】　XはAに対する債権を担保するため、土地につきX名義に買戻約款つき売買を原因とする所有権移転登記を取得、その際、弁済期限を徒過したときは土地所有権は確定的にXに帰属することを約し、土地はAに無償で使用させることとした。弁済期を経過して三年以上経つた昭和二三年に、Aは弁済を提供したが、Xは拒否。XはAから土地の引渡を受けるために、知事Yに対し賃貸借解約の許可を申請。Yは、賃貸借の存在を前提とし、Xが自作するのを相当とする場合に該当しないとして(農地調整法九条=現行農地法二〇条)、不許可処分にしたので、Xが処分の違法を主張したのが、本訴。本判決は、不許可処分を取消すものである。

「昭和十七年三月二六日X及びA間に、別紙目録記載の各土地等につき締結せられた前示譲渡担保設定契約は、特段の事由の認められない限りいわゆる外部的関係においてのみ担保物の所有権が移転し、内部関係においては依然担保提供者に所有権の留保されているいわゆる弱き譲渡担保といわなければならない。従つて右各土地の所有権は、いわゆる外部関係において移転したにとどまり、契約当事者間の内部関係においては依然右Aに右所有権が留保されていたのであり、右同一人においてXの右各土地に対する担保権を害することがないようにして使用収益すべき債権的拘束を受けるが引き続き使用収益し得たものといわなければならない。ところで前示債務を弁済して右担保物権の所有名義を右Aに回復し得るのは前示約定の弁済期間内に限りこれを経過した場合はXにおいて確定的にこれが所有権を取得する旨約したことは前示認定のとおりであるところ、右Aにおいて前示弁済期の昭和二十年三月二十六日までの間に前示債務の弁済提供をしなかつたことはYの自認するところであるから、前示約定の弁済期の経過により、Xは、右約定の趣旨に従つて別紙目録記載の各土地等の所有権を内外部関係共に確定的に取得したものであり、右契約当事者間には特段の合意のあつたことの認められない限り右弁済期における担保物件の価格より元利金を控除して残額のあるときは、XがAにこれを返還すべく、また、右担保物件の価格が元利金に足らないときは、AがXにその差額を弁済すべき清算手続を残すにすぎないものといわなければならない。従つて右Aが昭和二十三年七、八月頃訴外Bを通じて、被告主張の趣旨で金二千七百円をXに弁済提供したとしても、Xにおいてこれが受領を拒否したことは当事者間に争いがないから、結局弁済として効力を生ぜず、右各土地の所有権の帰属につき何等の影響がない。しからば右Aは昭和二十年三月二十七日以後においても、所有権を取得したXが清算手続の上旧担保物件の引渡を請求して来るまでは、同人において右物件を使用収益していることができ、直ちにこれを不法占有者ということができないとしても、この場合の使用収益関係は、譲渡担保の性質上担保権者であつたXの容認している間に限り利用できるだけの関係であり、すなわちXが担保物件の価格より元利金を控除した残額の請求とともに引渡の請求をする場合は勿論のこと、右物件の価格と元利金との差額を提供して引渡の請求をなす場合、これを拒否し得べき理由がないのであり、単なる賃貸借契約に基く賃借人の使用収益関係と異るものであることは明らかであり、従つて旧農地調整法第九条により保護せらるべき関係ではないものといわなければならない」（盛岡地判昭二九・三・一五行裁例集五・三・四六六）。

（ハ）　かようにして、新しい判例の傾向は、――内外共移転・外部的移転の区別に捉われることなく――できるだけ処分精算型を認めようとするものといえよう。当然帰属型とくに流質型（代物弁済型）は、したがつて、特約のある場合にのみ限定されることになる。それでは、この種の特約、とくに流質の特約は、どういう場合に認定されるだろうか。

(a)　弁済期限が経過したときは、債権者は目的物の所有権を完全に取得し、債務者はその後はその物の返還を請求しえない旨を約する場合（たとえば大判大八・七・九（前出【21】＝【94】）、大判大一〇・三・二三（前出【22】）の事案）や、買戻約款つき売買の形式をとる場合（たとえば大判大五・七・一二（前出【19】＝【45】）、大判大五・九・二〇【20】、大阪高判昭三一・三・一六（前出【73】＝【80】）の事案）は、弁済期の徒過により目的物は債権者に終局的に帰属することになる点は、疑いないとして、当事者は、――とくにそれによって債務を当然に消滅させる旨の特約がなくても――おそらく、それによって債務をも消滅させる趣旨である場合が多いであろう。従来の判例は、おそらく、当然帰属の特約は代物弁済的特約（目的物を弁済に充当して精算を要しない旨の特約）であると考えていたといってよいであろう。

しかし、盛岡地判（前出【98】）が、買戻約款つき売買の場合（しかも買戻特約の登記さえある場合）について、当然帰属を認めつつ、精算を要するものとしているように、譲渡担保における担保目的を強調するときは、代物弁済型が認定されるためには、さらに、精算を行なわない旨の特約を付加しなければならないことになろう。

(b)　譲渡担保契約に代物弁済契約またはその予約をつけ加えるのも、流質の特約としての機能をいとなむ。この場合には、一般には、目的物の帰属と同時に債務を消滅させ、精算をともなわない趣旨と解される。大判大一〇・一一・二四（前出【16】＝【50】）が「期限後ハ代物弁済トシテ其所有権ヲ移転スルノ約旨」とか「所謂代物弁済ヲナス旨趣ノ契約」というのは、その意味であり、大判昭二・五・一〇（前出【96】）や大判昭八・一一・七（前出【89】）が「代物弁済の合意」または「代物弁済的効力」というのも、その趣旨である。ただし、目的物を評価して被担保債務の一部に充当するというときは（大阪地決昭三一・二・一一（後出【151】）の事件では、この旨が約束されている）、いわゆる代物弁済型ではなく、帰属清算型ということになろう（もっとも、大阪地決の事案では、債権者は処分して精算することもでき、結局は、純粋精算型ということになる）。――代物弁済の予約にしても、譲渡担保における弁済充当方法に関するとりきめの態様である以上、精算についての明確な約束がなくても、買戻特約つき売買の形をとる譲渡担保について盛岡地判(前出【98】)が説いているように、目的物の当然帰属にもかかわらず、精算が必要である、という考え方も成り立ちえないではなかろうが、判例は上のように考えているのである。

この譲渡担保契約に付加される代物弁済ないしその予約(両者を合わせて代物弁済の予約とも呼ばれる)には二種のものが区別されなければならない(この点については、三宅多大「代物弁済」本叢書民法(2)一〇二頁以下参照)。

一つは弁済期が経過すれば当然に目的物が債権者に帰属するという趣旨のものであり(停止条件つき代物弁済契約)、判例が弁済充当の方法の一つとして「代物弁済の合意」あるいは「代物弁済的効力」という言葉を使用するときは、おそらくこの場合を指すものとおもわれる。それは、上述の(a)の場合とまつたく同じ内容の特約である。

他の一つは、当事者が目的物の給付をもつて代物弁済となしうる権能を保留する場合(狭義の代物弁済の予約)であり、この場合には、債権者が代物弁済実行の意思表示をすることになる(大阪地決昭三二・一二・一一(後出【151】)の場合はその例)。

なお、債権者に目的物の占有を移した場合でも、代物弁済の特約をしなければならないわけのものではない、とする判決(大判昭一〇・三・二七(前出【90】))があるが、もとより当然のことである。

(c) 売買契約とともに、債務者に対して再売買の予約完結権を与えはするが、債務不履行があると債権者において予約を解除しうるという特約を付加する方法で、譲渡契約が締結された場合にも、流質の特約と同一の効果が達成されるであろう。大正一三年の連合部判決(後出【106】)の事件では、判文にこそ現われてはいないが、債権者（被告）がそれを主張しており、そして、この特約があるにもかかわらず、債務者が履行を怠つたという事実が、実質的には、債権者を勝訴にみちびいた原因なのではないか、とも推測されているのである（末弘・判民大正一三年度一一事件評釈）。もつとも、この判決は、目的物に対する債権者の権利の性質（権利帰属の問題）のみを問題としていて、清算の要・不要の点は明らかでない。

(d)　流質の特約は、次のような複雑な債務決済方法によつても、達成される。それは、大判昭一八・七・二六（前出【39】）に現われた事実で、甲（金融を受ける者）が目的物の所有権を乙に移転したうえで、あらためて買い受け、売買代金を完済すれば所有権は甲に移る旨、および、代金は月賦払いで、三回以上怠れば乙は売買契約を解除することができる旨を、約束した場合が、それである。この場合、解除されると、「貸金債権担保関係ハ消滅シ、建物所有権ハ永久ニ債権者ノ所有ニ帰ス」るものとされるのである。

(4)　債権者の担保物移転に対する請求権

(イ)　債務者が目的物を占有する場合には、譲渡担保権を実行しようとする債権者はその引渡を請求することができなければならない。もつとも、すでに述べたように（五三(二)(4)）、債権者が賃貸借期間の満了または賃料不払を理由として引渡を請求する場合は、内外共移転ならそれを認めるが、外部的移転なら否定するのが、従前の大審院の判例であつた。しかし、大審院も、譲渡担保権の実行を理由とするなら、内外共移転の場合はもちろん【99】、外部的移転の場合でも【100】、引渡を請求することができるものとするのである。

【99】 YはXに対する債務のために、動産を「売渡担保」とした。Xは、Yの債務の不履行を理由とし、所有権に基いて賃貸物の返還を訴求。原審は、反証なきかぎり、内外共移転であるとし、Yの債務不履行によりただちに担保物の完全な所有権がXに帰属するものとした。Yは上告して、Xの取得する権利は実質上動産質だから、Xが弁済期到来とともにただちに所有権を主張することは許されない、これを認めることは、民三四九条の脱法行為を容認することになる、と主張。上告棄却。（なお、本判決は連合部判決にしたがつて内外共移転を推定している）。

「債権担保ノ為所有権ヲ譲渡シタル場合ト雖、債権者ノ譲受ケタル所有権ノ効力ハ一般所有権ト何等異ルモノニ非ズ。唯債権者ニ於テ債務者ニ対シ所有権ノ行使ヲ債権担保ノ目的ヲ達スルニ必要ナル範囲ニ制限スベキ契約上ノ債務ヲ負担スルニ過ギズ。債権者ガ此ノ目的ノ範囲内ニ於テ如何ナル方法ニ依リ所有権ヲ行使スベキヤハ、各場合ニ当事者間ノ契約ニ依リ定ムベキモノトス。本件ニ於テハ原判決認定ノ如ク債権者タルXハ其ノ債権担保ノ為、債務者タルYヨリ係争動産ノ所有権ヲ譲受ケ、更ニ之ヲYニ賃貸シオキタル処、其ノ後Yガ弁済期ニ弁済ヲ為サザリシニ依リ当事者ノ約旨ニ基キ右動産ノ引渡ヲ求ムルモノニシテ、此ノ引渡請求ハ担保ノ目的ヲ達スルニ必要ナル所有権行使ノ範囲ヲ超ユルモノニ非ズ」（大判昭二・一二・二四新聞二八一八・一四、評論一七民法三八八）。

【100】 YはXに対する債務を担保するために、動産を売却し、それを賃借する形式をとつた。Xは賃料不払により賃貸借を解除し、目的物の返還を訴求。原審は、賃貸借は仮装で無効だからとの理由でXの請求をしりぞけた。X上告して、それでは債権者は債務者の占有する動産の引渡を受けて売却することができず、譲渡担保はその目的を達成しえない、と主張。

「売渡抵当ハ債務者ガ弁済ヲ為サザル場合ニ債権者ニ於テ目的物件ヲ処分シテ弁済ニ充当スルコトヲ得セシムル為メノモノナレバ、縦令当事者ノ内部関係ニ於テハ債権者ニ所有権ナキモ、債権者ニ於テ之レガ処分ヲ為スコトヲ得ル場合ハ、債務者ハ契約ノ趣旨ニ従ヒ該目的物ヲ債権者ニ引渡ス義務アルモノト謂フベシ」

（大判大四・二・二二民録二一・一七四）。

（ロ）　債権者が、引渡を請求することができる根拠は、内外共移転と外部的移転とを区別する判例の立場からは、内外共移転の場合には、当事者の約旨に基いて、所有権を行使するものであり（前出【99】）、外部的移転の場合には、所有権に基かず、単に契約の趣旨に基く（前出【100】）、ということになるであろう。

しかし、弁済充当の方法に関して、判例がこの権利帰属の態様との関連を切断して、担保目的に適した方法を推定するようになつた以上、引渡請求権の根拠も、権利帰属の態様による区別とかかわりなく、当然帰属型の場合には、約旨によつて（場合によつては、さらに代物弁済予約完結の意思表示や再売買予約の解除の意思表示が加わって）終局的に債権者に帰属するにいたつた所有権、処分権取得型の場合には、約旨に従つて債権者が自由に行使しうるにいたつた処分権である、ということにならなければならない。そして、事実、かような考え方を指向する（あるいは少なくとも暗示する）判決も見られるのである。すなわち、古い大審院判決（大判大五・七・一二（オ）四一九号（前出【19】＝【45】））は、外部的移転の譲渡担保に関して、譲渡担保権者の間接占有を基礎づける際に、かれが債務不履行の場合に「外部関係ニ於テ有スル権利ニ基キ相手方ノ占有スル目的物ノ交付ヲ受ケ之ガ処分ヲ為シ得ベキ権利ヲ有スル」ことをあげている。外部的移転の構成が債権者に目的物の処分権を与えれば担保の目的を達成しうる点にあることから考えれば、ここで「外部関係ニ於テ有スル権利」というのは、実質的には、債務不履行の結果債権者が自由に行使しうるにいたつた処分権だということになろう。近時の一下級審判決【101】も、処分精算型を譲渡担保における弁済充当方法の原則としつつ、その場合にも、債権者は、「譲渡担保の効力としてその担保物権を処分換価するため」目的物の引渡を請求しうるものとしているのである。

【101】　不動産と動産の根担保的譲渡担保において、債権者Xが債務不履行を理由として、目的不動産の明渡および動産の引渡を訴求した事件。

「譲渡担保を有する貸金債権者は、債務者が債務の弁済を怠つた時は、反証のない限り、譲渡担保の効力としてその担保物件を処分換価する（その処分価格が債務額を超過するときは超過額は債務者に返還し債務額に不足するときは不足額を債務者に請求することが出来る）ため、担保物が動産であるときはその引渡を、不動産であるときはその所有権移転登記並びに明渡を請求し得るものといわなければならない。右処分換価のため動産の引渡、不動産についての所有権移転登記請求をなし得ることについては論ずるまでもないであろう。不動産の処分換価のためその明渡を請求し得るかについては少しく附言するに、不動産を処分すること自体は、その明渡がない場合でも、できないことはないのであるが、明渡の有無によつて処分の難易が著しく異る（従つてその処分価格に甚しい高低を生ずる）ことは公知の事実であるから、換価を容易ならしめるために、債権者は不動産の明渡を請求し得るものと解するのが相当である」（大阪高判昭二七・一二・二六民集五・一二一・六一八）。

(5)　遅滞後債務者は弁済して目的物を取りもどすことができるか。

（イ）　弁済期後債務者が債務を弁済して担保物の名義を回復しうるかどうかは、契約によつて定まり、一般に期限後も弁済しうるというわけではない、というのが、判例の態度である【102】。

【102】　XはYに対する債務を担保するために、不動産をY名義に移転登記し、元利を弁済すればX名義に移転すべきことを約した。Xは債務を弁済したらしく（供託？）、不動産につき所有権移転登記を請求。Yは、Xは弁済期を徒過した、と抗弁。原審は、この抗弁を認めるに足る証拠なく、また、「売渡担保」では債権者は期限後目的物を処分する権能を有するが、処分前債務の弁済があれば目的物を返還する義務があ

る、として、Xを勝たせた。Y上告。本判決は、次に掲げるような判旨を述べたのち、Yからの抗弁がある以上、弁済して目的物を回復しうるのは一定の弁済期間内に限る約束だつたかどうかを、判定すべきであり、また、原審判決の理論は、「売渡抵当」の内容は各場合における当事者の意思表示で定まるべきことを無視したものである、と判示する。

「売渡抵当ナルモノノ内容ハ各場合ニ於ケル当事者ノ意思表示ニ依リ定マルベキモノニシテ、当然ニ一定不動ノ内容ヲ有スルモノニ非ズ。当事者ハ債務ノ弁済期間ヲ定メ期間経過後ハ債務者ニ於テ債務ヲ弁済シテ売渡抵当ノ目的物ノ所有名義ヲ自己ニ回復スルコトヲ得ザル趣旨ノ契約ヲ為スヲ妨ゲズシテ、当事者ガ之ニ拘束セラルベキヤ論ナシ」（大判大九・三・二六民録二六・四〇七）。

（ロ）　したがつて、期限経過後は債務者はもはや弁済して目的物を取り戻しえない旨を特約することも、可能であり、この特約のある場合またはその特約と同一の機能をいとなむとりきめのなされた場合には（要するに当然帰属型の場合には）、目的物の債権者への帰属とともに、債務者が債務を弁済して目的物を取りもどすことはできなくなる（(3)(ハ)参照）。——もつとも、大判昭八・四・二六【4】（前出）は、『売渡担保』（しかし、実質は『譲渡担保』の当然帰属型と考えられる）に関し、買戻期間の経過によつて、債務者は当然に買戻権を失なつたとはいえない、としている。しかし、この判旨が判例として生きているとはいえないであろう。というのは、その後、大判昭八・一二・一九【5】（前出）は、『売渡担保』に関し、期間が経過すれば特約のないかぎり買戻しえない、としており、最近の判決のなかにも、下級審ながら、不履行の際の当然帰属を約した場合に関し、——清算を要求しつつも——弁済期後債務者が提供して債権者が受領を拒否したのを、結局弁済としての効力なく、債権者への所有権の帰属に影響がないかとするもの（盛岡地判昭二九・三・

一五（前出【98】））や、売買と買戻の形をとる譲渡担保に関し、債務者が期限の利益を失なえば、買戻の期限も当然に失なわれる、とするもの（大阪高判昭三二・三・二六（前出【73】＝【80】））が、見られるからである。

（ハ）これに反し、処分権取得型の場合には、期限後でも、債権者の処分までは、債務者は弁済して目的物を取りもどすことができるであろう。けだし、この場合には、債権者は単に処分換価して弁済に充当すべき権利を取得したにすぎず、債務者の弁済によって債権者のその権利は充分に満足させられるからである。大判大八・七・九（前出【21】＝【94】）も、傍論ながら、――弁済期の経過により債権者が目的物の所有権を完全に取得し、債務者はもはやその物の返還を請求することができない旨の特約のある場合は別として――「弁済期限経過ノ一事ヲ以テ直チニ担保タルノ性質ヲ失フモノニ非ズ」としているのである。下級審判決のなかにも、期限後の弁済を認めようとするものが、見られる（東京地判明治四四（ワ）五一六新聞八〇三・二三、評論一民法二七三（内外共移転としながら期限後の弁済を認めようとする）、大判大九・三・二六（前出【102】）の原審判決）（もっとも、これら下級審判決は期限後の弁済を認めうる場合を限定しないが、反対の特約を排除する趣旨ではなかろう）。

六　債務者・債権者の目的物の不当処分・毀滅に対する責任

（一）　債務者の場合

(1)　期限前の場合

（イ）　法律行為による第三者への不当処分における被害者

譲渡担保の債務者が期限前に無断で目的物を第三者に処分した場合には、後述するように（六（二））、債権者は対抗要件を具備するかぎり、二重処分の相手方に対抗することができ（もっとも相手方が善意取得すれば、別）、逆に債権者が対抗要件を具備しないときは、債権者は譲渡担保権を失なうことになる。前の場合には、被害者は相手方であり、後の場合には、被害者は債権者である。

（ロ）　不当処分の効果

(a)　債務者は被害者に対して損害賠償責任を負う。一下級審判決（後出【126】）は、破産管財人が譲渡担保の目的たる債権を勝手に処分して、対抗要件を備えない債権者の権利を失なわせた場合に、破産財団に対する債権者の損害賠償請求を認めているのである。

もつとも、大判大一〇・六・二七（前出【84】）などは、債務者が売渡名義で不動産を担保に供し、期限内に弁済しないと債務者は所有権を失ない、債権者の所有に帰属させることを約し、その後、期限を延期し、弁済期は定めなかつたところ、債務者が債務を弁済しないで目的物を第三者に譲渡したという事件において、債権者の損害賠償請求を認めた原審判決を破毀している。しかし、これは、外部的移転の場合には、債務者の処分によつて債権者はなんらの損害賠償も受けることができない趣旨を示したものではないであろう。この判決が原審判決を破毀したのは、原審判決が、債務者の利息滞納をあげ、それによつて特約に基き所有権が債権者に移つたとしたのを、不当とするからであつて、債務者が目的物に関して債権者に対して負担する義務に違反することによつて、債務者が損害賠償責任を負うことまでも、否定する趣旨ではない、と考えられる。

(b)　右の損害賠償責任の性質（債務不履行か不法行為か）に関しては、判例の見解は明らかでない（内部的所有権の所在によつて区別することも考えられるが、譲渡担保の実体に即して考えると、債務不履行責任と不法行為責任の競合を認めるべきであろう）。

(c)　損害賠償額について――高松高判【103】は、債務者が山林の立木を売却して伐採させたが、残存部分でなお被担保債権をカヴァーすることのできる場合に関して、「譲渡担保の物件の価値が右売却伐採により被担保債権の額以下になりその弁済を得られない状況になつたことを必要とする」と判示しているが、これは、債権者の権利が――財産権の移転という形をとるにもかかわらず――実質上所有権でなくして担保権にすぎない事実を、損害賠償の範囲についても反映させようとするものである(抵当権については、すでに【103】と同じ趣旨の判決がある(大判昭三・八・一民集七・六七一))。

【103】　「仮りに被控訴人において主張に副う山林地上の立木を勝手に他に売却して伐採させた事実があるとしても、前段認定に明らかなように控訴人はその主張の山林を同被控訴人から債権担保のため所有権の移転登記を受けているのであり同被控訴人に対する関係においては実質上担保の目的の範囲において権利を行使し得るに過ぎずそれを超えて完全なる所有物として使用収益及び処分するの権限を有しないと言うべきである。そうすると完全なる所有権を有することを前提とし、それが侵害されたとする反訴請求は既にこの点において失当でありかつ控訴人の叙上権利は窮局のところ目的物の交換価値から優先弁済を受けることを内容とするものであるからこの優先弁済を受け得られなくなつた場合、それに因り生じた損害の賠償を求め得るに過ぎないのでありこの場合にも、担保権者に損害を生じたことを要件とするから右譲渡担保物件の価値が右売却伐採により被担保債権の額以下になりその弁済を得られない状況になつたことを必要とする、ところで控訴人の全立証によるも右担保物件の価値が被担保債権の額以下になつたことは勿論債権の弁済を得られない状態になつたことを確認できないからこの点よりするも亦請求は失当と言うべきである」(高松高判昭二九・二・二六下級民集五・二・二五八)。

(d)　なお、債務者が目的物を毀滅した場合には、債務者は期限の利益を失なうものとされること（大阪高判昭三二・三・二六（前出【80】））、したがって、譲渡担保関係は終了の段階に入ることに、注意すべきである。

(2)　期限後の場合

期限前の不当処分による債務者の損害賠償責任に関する判例の態度が不明であることは、すでに述べたが（(b)(1)(ロ)）、連合部判決のとった理論から推測すれば、外部的移転型の譲渡担保において、債務不履行により目的物の所有権が——内部的にも——当然に債権者に帰属する旨を約した場合（当然帰属型の場合）に、期限徒過後、債務者が目的物を処分すれば、不法行為責任を生ずることは、疑いないであろう。大刑判昭八・一一・九（評論二三刑法四二三）は、刑事事件に関するものであるが、かような処分を横領罪にあたるものとしている（横領罪とすることが、民事上では不法行為責任を認めたことになる点については、後出八〇頁参照）。

（二）　債権者の場合

(1)　期限前の場合　　債権者は、少なくとも対外関係においてはつねに所有権者とされるので、弁済期到来前に目的物を第三者に処分する行為も有効である（六一）。しかし、譲渡担保は、担保の目的を達成するために財産権移転の形式をとる《信託行為》であるから、外部的移転の場合でも、内外共移転の場合でも、「特約ナキ限リハ債権者ハ債務者ニ対シ担保ノ目的ヲ超越シテ担保物件ヲ処分スル権利ヲ有セザル」ものとされる（大判大一〇・五・三〇（前出【88】））。債権者が目的物を毀滅してはならない義務を負うことも、信託行為としての性質から当然にみちびかれるであろう（連合部判決（後出【106】）参照）。そして、債権者がその義務に反して目的物を処分したり毀滅した場合には、次のような効果が発生する。

（イ）損害賠償責任

(a) 不法行為責任か債務不履行責任か

(i) 以上のような行為の結果債務者が債権者に対する損害賠償請求権を取得することは、問題ないが、その損害賠償請求権が債務不履行上のものであるかそれとも不法行為上のものであるかは、問題であり、かの連合部判決も実にこの問題に関するものだつたのである。

連合部判決の出現するまでは、不法行為の成立を認めるとおもわれるものが少なくなかつた。たとえば、売却代金を不当利得として債務者が請求するのを認めるに際して、大判大九・六・一二【104】は、傍論的に、債権者の「売却行為ニシテX〔債務者〕ノ権利ヲ侵害スル所アレバ不法行為タルコトY〔債権者〕所論ノ如ケンモ」（傍点筆者）と述べている。また、大判大一〇・五・三〇（前出【88】）は、原審が不法行為を認めたのに対し、弁済期到来後か否かを審査せよと判示するのは――弁済期到来後なら債権者が当然に所有権を取得する場合（当然帰属型の場合）あるべく、その場合には不法行為が成立しないというのであろうから――弁済期到来前の処分なら不法行為となることを間接的に認めるものといえる。さらに、大判大一三・三・二六【105】は、債務者に留保された内部的所有権の侵害に基く不法行為による損害賠償請求権を行使するには、債務を先履行する必要はない、と判示しているのである。

【104】、【92】と同一判決。

「若シYノ売却行為ニシテXノ権利ヲ侵害スル所アレバ不法行為タルコトY所論ノ如ケンモ、不法行為ヲ構成スルト同時ニ法律上ノ原因ナクシテ他人ノ財産ニ因リ利益ヲ受ケ、為メニ他人ノ損害ヲ及ボシタル所アルトキハ、不当利得ヲモ構成スルコト本院判例（明治四一年(オ)第二七九号同年一〇月一日言渡）ニモ示ス如クナレバ、単ニ一面ニ於テ不法行為又ハ債務不履行タルガ故ニ不当利得タラザルガ如キコトヲ論拠トシテ原判決ヲ非難スル本論旨ハ理由ナシ」（大判大九・六・二一民録二六・一〇二八）。

【105】　譲渡担保権者Yが目的物（木材）を債務弁済期未到来にもかかわらず第三者に譲渡。債務者Xから損害賠償を請求し、原審がこれを認めたので、Y上告、Xは債務を完済した上でなければ損害賠償請求権を行使しえないはずだと主張した。

「Xハ債務ヲ弁済スルニ非ザレバ売渡担保ト為シタル製材ノ返還ヲ請求スルコトヲ得ザレドモ、本訴ニ於テXノ請求スル所ハ、債務ノ弁済期ノ到来セザル〔ニ〕拘ラズ、Yガ当事者間ノ内関係ニ於テハ其ノ所有権依然Y〔Xの誤〕ニ存スル担保物件ヲ売却シ、Xヲシテ其ノ所有権喪失セシメタル不法行為ニ因ル損害賠償ニ在リテ、担保物件ノ返還ニ在ラザレバ、其ノ請求権ノ行使ハ債務ノ弁済ト交渉スル所ナキヲ以テ、債務ノ不履行ハ其ノ行使ヲ阻却スベキモノニ非ズ」（大判大一三・三・二六集報三五民四四一）。

連合部判決以前の判例がかように不法行為を認める方に傾いていたのは、当時、権利帰属の態様に関して、外部的移転が原則とされていたこと（三二(二)参照）に対応するものである。外部的移転の場合には、債権者の不当な譲渡や毀滅は、債務者に留保された内部的所有権を侵害する行為として、不法行為と考えられるのである。

かような状況のもとで、大正一三年の連合部判決【106】が、従来の判例とは逆に、内外共移転を推定して、債務者がわの主張する不法行為説をしりぞけたことは、そのような行為が原則として債権者の信託義務に違反するという債務不履行にすぎないことを、暗黙のうちに認めたものと考えられるのである。――もつとも、この事件は、見ようによつては、遅滞後の毀損行為に関するものとも考えられるが、遅滞後に関しては、弁済充当の種々の型に応じて異る結論がみちびかれるはずである（(2)(イ)とくに(b)参照）のに、この判決は、遅滞の事実を前提せず、しかも、単に外部的移転と内外共移転の対立のみを問題としているところから、一般には弁済期前の毀損行為に関するものと理解されているのである（我妻・担保物権法【一〇二】、柚木・担保物権法(法律学全集)三九九頁）。そして、従来の判例に対する関係を考慮するときは、この問題に関する本判決の理論は、内外共移転の場合なら債務不履行、外部的移転の場合なら不法行為であり、そして前者が推定される、ということになるであろう。

【106】　連合部判決。債務者Xは、債権者Yの要求により、二〇四五円の債務につき、一〇年間の均一年賦弁済を約するとともに、不動産を「売渡担保」に供し、Yに引渡した。Xは第一年度の年賦金を翌年に二一円払つただけなので、Yは担保設定から一〇年目の七月に、担保物の建物を取りこわした。Yの主張によると、この売渡担保は再売買予約の形をとり、特約によつて、Xが支払を遅延すれば催告しないで予約は当然解除しうべきことになつており、YはXの不履行により予約を解除した、とのことである。Xは、本売渡担保では所有権は外部的にしか移転していないから、Yの行為は他人の所有権を侵害するものだとして損害賠償を請求するとともに、その他の不動産の所有権確認を訴求。原審は、とくに反証のない以上、所有権は内部的にも移転したものと解すべく、そして本件では反証は認められないとして、Xの請求を棄却。Xは、従来の判例を援用し、内部関係では債務者が所有権を有するのが通常であり、原審は立証責任を不当に転嫁した違法がある、と主張。大審院は民事連合部を開き、上告を棄却。

「凡権利ハ一定ノ権利者ニ属スルカ又ハ属セザルカ二者其ノ一ヲ出デザルヲ原則トシ、権利ガ利害関係人ノ異ナルニ従ヒ其ノ所属ヲ異ニシ或者ニ対シテハ甲ガ権利者タリ他ノ者ニ対シテハ乙ガ権利者タリト云フガ如キハ異例ニ属ス。当事者ガ法律行為ヲ為スニ当リ異例ノ事態ハ通常其ノ生ゼシメザル所ナルガ故ニ、債権担保ノ目的ヲ以テスル財産権譲渡ノ場合ニ於テ、当事者ハ或ハ内部関係ニ於テモ外部関係ニ於テモ財産権ヲ譲受人ニ移転スルノ意思ヲ以テ譲渡ヲ為スコトアリ、或ハ内部関係ニ於テハ財産権ヲ移転セズ外部関係ニ於テノミ之ヲ移転スルノ意思ヲ以テ譲渡ヲ為スコトアリト雖、其ノ何レナルヤ当事者ノ意思明ナラザル場合ニ於テハ、其ノ意思ハ内外共ニ財産権ヲ移転スルニ在リト推定スルヲ相当トス。従テ外部関係ニ於テノミ財産権ヲ移転シ内部関係ニ於テハ之ヲ移転セザル意思ヲ以テ譲渡ヲ為シタル旨ヲ主張スル者ハ、其ノ事実ヲ証明スルノ責任アルモノトス」(大連判大一三・一二・二四民集三・五五五(末弘・判民一一〇事件))。

この連合部判決は、内外共移転の推定という根本理論をともかく一応譲渡担保の種々の問題に適用させる結果をうむことになつたが(三二参照)、とくに当面の問題に関してもその後の判例に影響を及ぼしたようである。すなわち大判昭四・一二・二三【107】や大判昭六・一〇・二八【108】は、債権者が目的たる不動産を第三者に売却して登記もすませた場合に関し、――明らかに債務不履行とするわけではないが――後日弁済を受けた際に所有権を債務者に移転することができなくなるのだから、損害賠償責任がある、というふうに、事態を履行不能の概念をもつて理解しようとしている。大判昭六・四・二四【109】も、契約に反する期前処分につき、債務者が債務不履行による損害賠償を請求したのを、認めており、消極的ながら、連合部判決の影響を見ることができよう(末延・判民昭和六年七一事件評釈も、連合部判決に従つたものとみている)。さらに、最判昭三五・一二・一五【110】にいたつては、譲渡担保権者(Y)が弁済期前に目的物(山林)を毀滅した(山林の雑木伐採)場合に関し、原審判決が設定者の「所有権を侵害した」ものとして損害賠償責任を認めたのを、強引にも「原判決は、Yの責に帰すべき履行不能による債務不履行を認めた趣旨と解す」べきとしているが、判示は簡単で、はたして内外共移転の推定のうえに立つて債務不履行説をとつたのか、それとも、権利移転の態様を問うことなく不法行為説を排斥したのかは、明らかでない(柚木・判例批評・民商四五巻一号七四頁)。原審の判定が事実に忠実であるとするなら、後者のように理解すべきであるが、もし前者だとすれば、ここにも連合部判決の影響が見られることになる。

【107】 YはXから山林を譲渡担保にとり、その一部をAに売却して所有権の移転登記をしたので、XからYに損害賠償を請求。原審は、Yがその所有権を他へ移転しても、Xは債務を完済すると同時にその不動産の所有権をXに回復する方法がないわけではない、としてXを敗訴させた。X上告し、山林所有権が内外ともにYに移転したとしても、目的は債権担保にあるから、担保不動産を第三者に売却することが債権担保の目的の範囲内にあると認めるには相当の理由がなければならない、と主張。

「YハXニ対スル債権担保ノ為ニ取得シタル不動産ノ一部ヲ担保契約存続中第三者ニ譲渡シ、所有権移転ノ登記ヲ為シタルモノトス。然ラバ、特別ノ事情ナキ限リ後日債権消滅ノ際之ガ所有権ヲ回復シテXニ移転スルコトハ、取引ノ通念ニ於テ不能ニ属スルニ拘ラズ、原審ハ何等特別事情ノ存在ヲ明ニスルコトナク、Xガ債務ヲ完済スルトキハ右譲渡不動産ノ所有権ヲ回復シテXニ之ヲ移転シ得ベキガ如ク判示シ、之ニ基キX主張ノ損害賠償ノ債権ヲ否定シ……タルハ、審理不尽又ハ理由不備アルモノ」なり(大判昭四・一二・二三集報四一・一五・三三)。

【108】 譲渡担保権者Yが目的物たる家屋をAに譲渡し、移転登記もした。債務者XからYに対し損害賠償を請求。原審は、債務の完済がないことを理由に、請求をしりぞけたので、X上告。

「右認定ノ如キ特約[弁済の担保としてYの所有名義としておいて、弁済があればXに移転登記すべき特約]ノ場合ニ在リテハ、債務未ダ完済セラレズトモ将来完済サレタル暁ニハ、Yハ移転登記ヲ為スベキ義務アリテ、其ノ義務タルヤ結局債務ノ完済ナルコトヲ以テ期限トセルモノト解セザルベカラズ。従テ債務完済ナキ間ハYニ於テ移転登記ヲ為スニ及バザルニ過ギズシテ、若シ……Yニ於テ該家屋ヲ他人ニ譲渡シ移転登記迄為シ了ハレル事実アルニ於テハ、YハXニ対シ、後日完済セラルルトモXニ対シ移転登記ヲ為スコトヲ得ザルベキ状態ヲ惹起セルモノナルガ故ニ、此ノ点ヨリシテYハXニ対シ損害賠償ノ責任ナシト云フヲ得ザルベシ」(大判昭六・一〇・二八裁判例五民二一七)。

【109】　XはYに対する一万円の債務の担保として山林の竹木を「売渡担保」とし、債務を弁済すれば買戻名義によって返還を受け、Yは弁済期までそれを他に転売しない旨を、約束。Yは弁済期前にそれをAに一万一千円で売却し、Aから転々と転売され、Eの手に渡した。XはEから二万四千円で買戻し、二万四千円から債務額一万円を差し引いた一万四千円を債務不履行による損害額として、Yに請求。原審は、弁済期における担保物の価格から債務額を差し引いた五千二百余円を損害額とした。Y上告し、Xは弁済またはその提供もないから、担保物返還請求権は発生せず、したがってその不履行はありえない、と主張。

「Xハ前示約旨ニ従ヒ弁済ヲ受ケタルトキハ担保物ヲ返還スベキ債務ヲ負担スルモノナルヲ以テ、Xガ契約ニ違反シテ弁済期前ニ担保物ヲ処分シ其ノ返還義務ノ履行ヲ不能ナラシメタル事実アルニ於テハ、損害賠償ノ義務アルモノト謂ハザルベカラズ。(中略)XハYニ対シテ弁済期ニ於ケル担保物ノ価格ニ相当スル損害賠償ノ義務アルモノナリト雖、本来ノ債務ガ……担保物ヲ処分シタル場合ニ於テ当然ニ差額返還ノ債務ニ転換スルモノナル以上、本来ノ債務ガ損害賠償債務ト為リタリトスルモ債務ノ同一性ヲ失フモノニ非ザルヲ以テ、Xハ担保物ヲ処分シ金銭債務ト為リタル場合ト同様、弁済期ニ於ケル担保物ノ価格ヨリ其ノ債権額ヲ控除シタル残額ヲ損害トシテ賠償スル義務アリ。又Yニ於テモ自己ノ債務ノ弁済又ハ其ノ提供ヲ為スコトナク其ノ残額ヲ損害賠償トシテ請求スルコトヲ得ベキモノト解スルヲ相当トス」(大判昭六・四・二四民集一〇・六八五(末延・判民昭和六年七一事件))。

【110】　XはYに対する債務を担保するため、山林の所有権をYに移すことにし(所有権移転登記も経由)、その際特約として、Xが三年内に債務を完済すればYは山林の所有権をXに返還すること、Xが三年以内に

完済しないときは、Yの催告によつて山林の所有権は完全にYのものとなる旨を、約した。Yは、弁済期前に山林上の雑木を伐採。Xは弁済期に履行の提供をしたが、Yが受領しないので、弁済供託し、所有権が復帰したものとして、所有権確認を求め、あわせてYの伐採による損害賠償を求める。原審は、約旨によりXに所有権が復帰したことを認め、Yは故意にXの雑木の所有権を侵害したものとして、Xを勝たせた。Y上告し、損害賠償義務は、不法行為によるものではなく、信託義務違反として債務不履行によるものと目すべきであり、また、損害の算定は、伐採時の価格によるべきでなく、弁済期における価格によるべきである、と主張。上告棄却。

「原判決は、本件山林につきYとXとの間に売渡担保契約のなされたこと、Xは借金返済期限内である昭和三〇年九月二日Yに対し弁済のため金員の現実の提供をしたけれども、Yがその受領を拒んだので、即日右金員を弁済供託したこと、本件山林の所有権は約旨によりXに復帰したことを認定した上、Xの損害賠償の請求につき、Yは昭和二九年一月ころ本件山林上の雑木を伐採したが、その伐採の権原について特段の主張、立証のない本件では、Yはこれによつて Xに生じた損害を賠償すべき義務を負う旨を判示しているのである。すなわち原判決は、Yの責に帰すべき履行不能による債務不履行を認めた趣旨と解するを相当とし、所論のように不法行為による損害賠償義務を認めたものでないと解すべきである。そして、右損害賠償額については、履行不能が確定的となつた場合には、それが履行期限前であつても、その時を基準として右損害賠償額を算定すべきものと解するを相当とするところ、原審は、本件損害賠償額の算定については、Yが本件山林上の雑木を代採し、右雑木引渡義務の履行不能が確定的となつた昭和二九年一月ころの価格により鑑定した第一審鑑定人Aの鑑定によつているのであつて、原判決には所論の違法はない」（最判昭三五・一二・一五民集一四・一四・三〇六〇）。

最後の判決は、譲渡担保一般について、譲渡担保権者の期前処分を債務不履行とするものとも解されるのであるが、このほかにも、刑事判決のなかに、外部的移転の場合に関し内外共移転の場合と同じように考えるものが、見られる。

外部的移転の構成を前提すれば、譲渡担保権者の期前処分は設定者に留保された所有権を侵害する行為となり、「自己ノ占有スル他人ノ物」を横領したことになるであろう。連合部判決ののちにも、外部的移転にすぎない場合（山林の「売渡担保」で内部関係では二年間所有権を債務者に留保）に関して債権者の不当処分を横領罪とするもの【11】もあるが、他方、債権者が目的物を不当に譲渡担保に入れた場合に関して、外部的移転を認定しつつ、しかも、債権者の行為をもって「期限ニ弁済アレバ之ヲ返還スベキ任務」に違反したものとして、背任罪（刑二四七条）に擬しているもの【112】も、見られるのである。そして、これは、注目に値することといわなければならない。けだし、この場合横領罪が成立するか否かは、当事者間では所有権の移転がなかつたか（債務者に所有権が留保されたか）どうかによつて決まるというのが判例の立場だとすれば（たとえば牧野・刑法各論(下巻)七六〇頁・七九三頁参照）、横領罪か背任罪かの問題は、——正確な対応ではないが——ほぼ民事責任における不法行為か債務不履行かの問題に対応するわけであり、したがつて、外部的移転の場合に背任罪を認めたことは、民事責任にこれを移せば、外部的移転の場合に債務不履行責任を認めたことに帰着するとも考えられるからである。

【11】　刑事事件。

「原判決ニ依レバAハ被告人ヨリ金員ヲ借入レ之ガ担保ニ供スル目的ヲ以テ判示山林ヲ売渡担保ト為シ両人間ノ内部関係ニ於テハ二年間ハ其所有権ヲAニ留保シタルモノナルヲ以テ、其ノ間右山林ヲ占有スル被告人ガ擅ニ之ヲ他ニ売渡シタル判示所為ヲ横領罪ニ問擬シタル原判決ハ正当」（大刑判昭一一・四・六新聞四〇〇四・一四）。

【112】　刑事事件。被告は、Aから「売渡担保」として貯金債権と薬品の譲渡を受けたが、弁済期が到来しないのに、B・Cから借財するに際し、それぞれ右の債権と薬品を「売渡担保」に供した。

「売渡担保ノ内容ハ常ニ必ズシモ一定スルモノニ非ズ。各場合ニ於ケル当事者ノ意思表示ニ依リ定マルベキモノニシテ、或ハ担保ニ供シタル財産ノ処分ヲ容易ナラシムルコトヲ目的トスル当事者間ノ信託行為ニ基因スルコトアリ、或ハ買戻ノ約款ヲ附シタル売買契約ニ因由スルコトアリ。前者ノ場合ニハ担保ニ供シタル財産ノ所有権ハ外部関係ニ於テノミ債権者ニ移転シ、後者ノ場合ニハ内外共ニ債権者ニ移転スルモノトス。（中略）被告人対Aノ関係ニ於ケル売渡担保ハ財産ノ処分ヲ容易ナラシムルコトヲ目的トシテ行ハレタル信託行為ニ過ギズ。随テ担保物件ノ所有権ハ外部関係ニ於テ被告人ニ移転スルモ内部関係ニ於テハAガ其所有権ヲ保有スルモノナレバ、被告人ハAノ負担スル債務ノ弁済期到来前ニ於テ同人ノ為ニ判示担保物件ヲ保管シ期限ニ弁済アレバ之ヲ返還スベキ任務アルモノトス。然ルニ被告人ハ自己ノ利益ヲ図リ、其ノ任務ニ背キタル結果該担保物件ヲ返還スルコト能ハザルニ至リ因テAヲシテ損害ヲ被ラシメタルコト判示ノ如クナル以上ハ、其ノ行為ハ背任罪ヲ構成スルモノトス」（大刑判昭六・一一・一五刑集一〇・五八七）。

(ii)　ところで、連合部判決が債権者の責任を原則として債務不履行とみる点は、内外共移転の推定の部分（三四(二)(3)参照）とはちがつて、ほぼ学説の賛同を得た。もつとも、それは一応の賛同であつて、この問題に関する学者の見解はかならずしも判例と同じではない。学者のなかには、判例と同じ見解をとるものもあるが（たとえば末弘・判民大正一三年度一一〇事件評釈、石田・担保物権法論下巻六一三・六二五頁）、つねに債務不履行と考えるべきだ、とするものが、近時有力である。

つねに債務不履行だとする根拠としては、まず、譲渡担保においては、債権者に所有権が帰属し、――外部的移転の場合といえども――担保目的による拘束は債権的拘束にすぎないこと（勝本・担保物権法下巻二六三頁、柚木・担保物権法（法律学全集）三九九頁――柚木教授は国税徴収法二四条を根拠として、譲渡担保の担保的性格を強調する立場に立つにいたったが、この点に関しては、従来と変わらない（柚木「譲渡担保と新国税徴収法との解釈論的調整について」（法曹時報一一巻五号五二六頁、柚木・判例批評民商四五巻一号七三頁参照））、あるいは、――おそらく実質的には同じことに帰着するとおもわれるが――譲渡担保は一種の信託行為であり、債権者の不当処分行為は信託違反であること（我妻・民法講義Ⅲ【一〇二】）が、指摘されているが、なお実質的な利益較量もなされている。すなわち、債務不履行とする方が、債権者をして債権と相殺することを可能ならしめ（民五〇九条対照）、損害賠償責任の要件たる過失についても、債権者は不可抗力の抗弁によってのみ免責される（四一五条・七〇九条参照）、という妥当な解決が得られること（我妻「判例売渡抵当法」松波還暦祝賀論文集四六九―四七〇頁（我妻・民法講義Ⅳ【二五】三の考え方（それは通説・判例でもあるが）によれば、第二の点は、単なる挙証責任の所在の差異にすぎないことになろう）、植林・前掲・法学雑誌七巻一号八九頁註(1)）、実質的・経済的には同じなのに、法律構成（外部的移転と内外共移転）の差異で債権者の責任の態様に差異を生ずるのは適当ではないこと（植林・前掲）等があげられているのである。

しかし、債権者は受託者的性格を有するけれども、判例の外部的移転の構成は、債権者に置かれた完全権が債務者に移行していく過程の表現にほかならないものと考えるべきであり、そのような見地からは、外部的移転の場合には、信託における受託者の信託違反行為の場合（四宮「信託法における信託違反受託者の賠償責任の性質」（我妻還暦祝賀論文集(上)所収）参照）と同じように、――債務不履行と不法行為について請求権の競合を認める立場に立つかぎり――債務不履行のほか、債務者の《財産》（この場合には、判例のいわゆる「内部的所有権」）を侵害する不法行為にもなる、というべきではなかろうか（四宮「譲渡担保」ジュリスト二〇〇号（判例百選）四七頁）。判例が大勢としては、外部的移転の場合に、民事上は不法行為、刑事上は横領罪を認めながら、そのほかに背任罪を認めるものも存するという事実は、債権者の不当処分が不法行為としての性格と債務不履行としての性格を帯びるものであることを、示すものといえないであろうか。

他方、内外共移転の場合に、債務不履行責任のほかに、不法行為責任も競合するものと考えることも、不可能ではない。それは、譲渡担保の設定によっても、目的物は依然として債務者の《財産》に属するものであるから、債権者の不当処分はこの債務者の《財産》を侵害する不法行為となる、と考えることもできるからである。

(b)　損害賠償額　債権者が弁済期前に目的物を処分しまたは毀滅した場合の損害賠償額をいかにして決めるべきかに関しては、判例はかならずしも明確とはいえない。

一方では、大判昭六・四・二四（前出【109】）は、債権者が弁済期までは目的物を他に転売しない約旨に反して第三者に転売した場合に、債務者が債務不履行による損害賠償として、第三者から買い戻した価格と債務額との差額を請求した事件において、本来の損害額は「弁済期ニ於ケル担保物ノ価格」（傍点筆者）に相当する額であるが、本来の債務（被担保債務）が担保物処分の場合は当然に差額返還債務に転換される（すなわち処分清算となる）以上、債権者としては、弁済期における担保物の価格から債務額を控除した残額を損害として賠償する義務がある、と判示している。

これに対し、大判大一三・三・二六（前出【105】）は、外部的移転型における債権者が期前処分（第三者への譲渡）を行なつた場合に関し、債務者が内部的所有権に基いて不法行為の損害賠償を請求するには、本来の債務の履行を必要としない、としている。

両者の認める結論は次の二点において異なつている。

第一に、債務者の請求しうる額について、前者は目的物の価格と債務額との差額であるとするのに対し、後者は目的物の価格全額であるとするものといえよう。

第二に、前者は、損害賠償算定の基礎となる目的物の価格について、弁済期を標準とする。これに対し、後者が債務の弁済を要せずして損害賠償を請求しうるというのは、不法行為による損害賠償算定の一般的基準（大民刑連判大一五・五・二二民集五・三八六（富喜丸事件））にしたがつて、不法行為当時を基準とした目的物の価格を予定しているのであろう。

これらの差異は何に由来するのであろうか。

まず、第一の判決（前出【109】）を考えてみよう。この判旨は、債権者の期前処分を債権者の担保物返還義務に対する違反として捉え、しかも、この義務は、つねに（債権者の不当な期前処分があつた場合にも）、弁済期における債務の履行を待つてはじめて発生するものである、という考えを前提するものである。かような考え方のもとでは、債務者は、流質型の場合には、（弁済の場合を想定して）差額（むろん目的物の価格が被担保債権額を超過する場合）を請求するか、（債務不履行の場合を想定して）損害賠償を請求せずに流質とするか、の選択権をもつことになり、精算型の場合には、（弁済の場合を想定しても債務不履行の場合を想定しても）差額を請求しうることになるであろう。そして、差額を請求する場合の目的物の価格は、履行期における価格だということになるのである。

これに対し、第二の判決（前出【105】）の判旨は、債権者の期前処分を債務者の財産権に対する侵害として捉え、しかも、債権者の不当な処分行為と同時に、債権者の譲渡担保権が消滅し、——本来担保物の

「代物」(Surrogat) たるべき——損害賠償請求権が譲渡担保の拘束を離脱しつつ発生することを、前提するものと考えられるのである。むろん、この場合にも、債務者の方からこの損害賠償請求権をもって被担保債務と相殺することも——相殺の要件をそなえるかぎり——可能である。そして、右のような対立は、究極的には、前者が内外共移転の場合であるのに対し、後者が外部的移転の場合であることに、基因するものであることは、いうまでもない。

しかしながら、内外共移転と外部的移転の差異から、債権者が違法な処分行為をした場合における損害賠償請求権についてまでかような著しい対立をみちびくことには、疑問がある。たとえ、内外共移転の場合には、債権者の処分や毀滅行為は債務不履行を構成するにすぎないとみる立場をとるとしても、債権者の不当な処分や毀滅は、それだけで、債権者が信託行為の受託者として負担する義務(目的物を担保の目的以外に使用してはならない義務)に違反する行為であるから、即時に債務不履行責任を発生させるものと考えるべきではなかろうか。

しかも、その損害賠償責任は、直接債務者に対するものと考えられる。債権者の不当な処分や毀滅の場合には、受託者としての債権者が目的物の譲受人に対して取得する代金請求権もしくは代金、または、債権者自らの負担する損害賠償請求権が目的物の代物(Surrogat)として譲渡担保の拘束に服しつつ、譲渡担保関係がそのまま継続される、と考えることも、可能ではある(信託法一四条・二七条・二九条参照)。しかしながら、判例は、かならずしも明確とはいえないが、譲渡担保の目的物自体が債権者に対して損害賠償請求権をもつというような事態を予定することなく、問題をもっぱら債権者・債務者間の関係として考えているように思われる。すなわち、判例は、かような場合には、目的物が失なわれた限度において譲渡担保権が消滅し、債権者は、目的物（それを実質的法主体とみて）に対してではなく、債務者に対して直接損害賠償責任を負うものと考えているのである。

内外共移転の場合にも、債権者の不当な行為によつてただちに損害賠償責任が直接債務者に対する関係において発生するものと解すべきだとすれば、それは外部的移転の場合の結果と差別がないことになろう。

最近の最高判（前出【110】）が、譲渡担保の型の不明な場合に関するものではあるが、譲渡担保権者の期前処分（目的物の毀滅）を債務不履行として捉えつつ、損害額は、返還不能が確定的となつた毀滅（立木伐採）の時の価格を基準として算定すべきであるといい、また、終戦直後の最高判【113】が、譲渡担保の型の不明な事案において、債権者が期前に処分しても、処分代金が法律上当然に被担保債権の弁済に充当されてその限度で被担保債権が消滅するものではない、と判示しているのは、上に述べたところと趣旨を同じくするものと解しうる可能性を有するものである。

【113】　甲と乙は、丁とともに丙に対し丁への金銭貸与を懇願した際、債務引受を申し出たので、丙は貸与を承諾し、ここに予めの債務引受契約が成立。ついで貸付が行なわれ、債務の引受が現実化したので、丁から丙に対し、債務完済のうえ丙から「売渡担保物」の取戻しを受ける権利を甲乙に譲渡した旨の通知があり、丙は甲乙に対し、その譲渡および債務引受を承諾した。――これ以上の事実関係（したがつて判旨に関係のありそうな事情）は不明。

「債権者が売渡担保の目的物を弁済期前に勝手に処分しても、これにより処分代金が法律上当然被担保債務の弁済に充当せられてその限度で被担保債務が消滅するものではない」(要旨)(最判昭二三・四・二〇判タ四・二九)。

学説としては、全額か差額かの問題に関して、流質的特約の有無にかかわらず、差額を債務者に返還すべきだとする説(柚木・担保物権法四〇〇頁)と、かような考え方に反対する見解(末延・判民昭和六年度七一事件評釈(債権の自動的相殺の認められないことを理由とする)、我妻・前掲【一〇二】、勝本・前掲二六四頁が、結局損害賠償額は債務額と相殺されることになるというのもこれと同旨である)とがあり、目的物評価の時期に関して、請求権行使時を基準とすべきだとの説(植林・前掲・法学七巻一号八九頁註(1))、履行期における目的物の価額の騰貴をも一定の条件のもとに考慮すべきではあるが、むしろ原則としては、損害発生時における目的物の価額を標準とすべきだとする説(勝本・前掲二六二頁)、原則として弁済期だが、最判昭三五・一二・一五(前出【110】)の事件のように伐木によつて一部の履行不能がその時に確定する場合は、履行期を待つことなく損害賠償義務に転換される、と説くもの(柚木・判例批評民商四五巻一号七四頁)がある。さらに、これら二つの問題を通じて、譲渡の場合と毀滅の場合とを区別して論ずる次のような見解が見られる。それは、譲渡担保権者が履行期前に譲渡したときは、債務者は期限の利益を放棄してただちに債務の履行をなすか、または弁済期の到来を待つて債務の履行をなして目的物の返還を請求し、その返還不能による損害賠償として、債権者に対しその当時の目的物の価格に相当する額を請求することができ、目的物を滅失毀損させた場合には、債務者はその物の時価を標準とした損害賠償請求権を取得するから、自己の債務と対当額において相殺することができる、というのである(石田・担保物権法論下巻六一四頁)。

わたくし自身の考えは、すでに述べたところから明らかであろう。

(c)　損害賠償請求権に基く留置権　譲渡担保の目的物を債務者が現実に占有している場合に債

権者がそれを不当に譲渡し、譲受人が債務者に対して引渡を請求したら、債務者は、その引渡請求に対し、債権者の返還義務不履行による損害賠償債権によつて目的物を留置することができるか。

債務者の弁済後に債権者がわが目的物（不動産）を処分した場合に関して、とくに弁済後か否かを問うことなく、問題を否定した最判（後出【135】）がある。この判旨は、勿論解釈によつて、期前処分の場合にも適用することができよう。

（ロ）　不当利得返還義務

不法行為または債務不履行の成立することは、不当利得の成立を妨げるものではない。大判大九・六・二一（前出【92】＝【104】）は、債務者が、売却代金と債務額との差額について、債権者の不当利得として返還請求したのを、認めるのに際して、この趣旨を述べている。この判決は、さらに、債権者の期前処分によつて不当利得の成立する根拠について、次のように説いている。すなわち、譲渡担保は実質上は担保にほかならないから、債権者が譲渡担保権の実行として目的物を処分した場合、債権者は代金を債務に充当しうるにすぎず、残余があれば債務者に返還すべきであるが、これは、売却代金が債務者に帰属すべきもので、債権者の所得になるものではないからであるとし、そして、期前処分の場合も、同じように、代金は債務者に帰属すべきものであるというのである。

本件の場合は、債務者が差額を請求したのだが、一般論として、かような場合には債務者は、不当利得として、債権者の受領した代金全部を請求しうるのであろうか、それとも、目的物の売却代金と債務額との差額しか請求しえないだろうか。

問題は、債権者が譲渡担保権を失なわず、目的物の代物 Surrogat たる代金のうえに依然として譲渡担保権を保有するものと考えるか、それとも、目的物を失なうことによつて譲渡担保権をも失なうものと考えるかに、依存する。前者の場合には債権者は代金から債務の満足を得て、残金があれば債務者に返還すればよいことになる。後者の場合には、債権者は代金を保有すべき権限を欠くから、全額債務者に返還しなければならないことになる。ところで、判例は、かならずしも明確ではないが、後者の立場をとるように思われること、すでに述べたとおりである（(イ)(b)参照）。

したがつて、債務者は――精算型の場合であると流質型の場合であるとを問わず――全額について不当利得返還請求権を有し、ただ、債権者または債務者の方から被担保債務と相殺することができるにすぎないことになるであろう（末延・判民昭和六年度七一事件評釈も、不当利得による返還請求についても、当然の相殺（縮減）を認めない趣旨のように解される）。

(2)　期限後の場合

(イ)　債務不履行の場合

(a)　第三者に処分した場合　大判大一〇・五・三〇（前出【88】）は、債権者が目的物を他人に処分したのを不法行為とする原審判決を破毀して差し戻す際に、弁済期前はつねに債権者は処分してはならないのに対し、弁済期後は当然帰属の場合と処分換価すべき場合とがある（そして後者が推定される）ことを説いたうえで、本件の場合について弁済期到来後か否かを審査すべきことを命じている。この判決が、弁済期徒過後の処分について考えているところが、はたして、つねにそれを適法であるとする趣旨なのか、それとも、その場合についても、さらに当然帰属型の場合と処分権取得型の場合とを区別すべき趣旨なのかは、かならずしも明らかではない。弁済期後に関して二つの場合をわざわざ区別している点からすれば、後者と解すべきように見える。しかし、当然帰属の場合には（この判決は、弁済期到来の前か後かを審査せねばならぬ根拠として、弁済期前においては債権者は担保物を売却しえないが、「弁済期到来後ニ於テハ、売却ヲ為サザル特約ナキ限リハ、債権者ニ於テ之ヲ売却シ其代金ヨリ弁済ヲ受領スルコトヲ得ルモノナレバナリ」とも述べているが、ここで「売却ヲ為サザル特約」というのも、当然帰属の特約を指すものと考えられる）、処分権を取得するにすぎぬ場合よりもいっそう強い理由で、債権者の処分が合法化されるものといわなければならない。たしかに、処分権取得型と当然帰属型との区別は、一般的には債権者が取得する権利の性質に差異をもたらすであろう。しかし、いずれの場合にも、履行期徒過後は債権者は目的物を第三者に処分することができるのであるから、債権者の譲渡行為の場合には、この区別は実効を発揮しないのである。それは、ただ、――次で述べるように――債権者が目的物を毀滅した場合にはじめて実効を発揮するにすぎない。したがつて、弁済期徒過後は、債権者の譲渡行為は、処分権取得型、当然帰属型の別なく、つねに適法と考えるべきで、本判決も、それ以上のことを述べているものと解すべきではあるまい。

(b)　毀損行為の場合　連合部判決(前出【106】)は債権者の毀損行為に関するものであり、そして、その事案は――もし被告（債権者）の主張が真実なら――債務不履行の結果債権者に目的物が確定的に帰属している場合であるが、内外共移転か外部的移転かによって債権者の毀損行為の性質を判別しようという連合部判決の理論は、履行遅滞後の毀損行為にも適用しうるであろうか。

しかし、履行期徒過後の債権者の目的物に対する権利の性質は、――(a)でふれたように――第一次的には、当然帰属型か処分権取得型（処分精算型といってもよい）かの区別に依存する（末弘・判民大正一三年度一一〇事件評釈も、取りこわしが債務不履行後に行なわれた場合に関し、流質型と精算型を区別している）。当然帰属の場合には、債権者は確定的に所有権を取得しているのだから、――目的物を第三者に譲渡した場合のみならず――目的物を毀滅しても、なんら責任の問題を生じないが、これに対し、処分精算型の場合には、換価方法をとらないで目的物をとりこわすことは許されない、といわなければならないのである（末弘・前掲）。ただ、後者（処分精算型）の場合は、さらに、――処分精算型であることはかならずしも外部的移転であることを意味しないのであるから――権利帰属の態様（内外共移転か外部的移転か）によって、期限前の処分の場合と同じような区別（債務不履行か不法行為か）を生ずるはずである。連合部判決のあげたような基準は、この第二の段階において、すなわち毀滅行為が違法である場合に関して、意味をもつのである。

かようにして、連合部判決の理論は、履行期経過後に債権者が目的物を毀滅した場合には、そのまま適用されず、ただ、その毀滅が違法とされる場合――処分精算型の場合のみ――における、債権者の責任の性質（債務不履行か不法行為か）を判定する基準を提供するにすぎないものといわなければならない（もっとも、連合部判決の理論そのものが、判例法上、影を薄めつつあることを忘れてはならない）。

（ロ）　履行後の場合　　債務者の履行後に債権者がわが目的物を処分した場合の問題については後述に譲る（八二（六））。

六　譲渡担保の対外的効力

一　弁済期前における当事者による処分の効力

（一）　債務者の処分の効力

(1)　債務者が譲渡担保に入れた目的物についてさらに処分行為（譲渡・譲渡担保の設定・質入等）を行なつた場合、債権者はいかなる地位に立つか。

大判大四・五・二七（前出【43】）は、債務者が占有する動産を第三者に入質した場合に関し、「信託売買」は第三者に対しては「所有権移転ノ効ナク」、したがつて第三者は質権を取得して損害を被らないが、債権者は担保を失なつて損害を被る（から、詐欺罪が成立する）、としている。これは、債権者は対抗要件を欠くから、第三者（質権取得者）が優先するというのであろう。しかし、その後の判例によれば債権者は譲渡担保の取得によつて当然に占有改定によつて間接占有を取得するのであるから（四五参照）、この判例は生きているとはいえない。その点、同じ時代のやはり詐欺罪に関する大判大三・七・七（前出【44】）が、債務者が目的物を第三者のためにさらに譲渡担保に入れた事件において、債権者は「賃貸借等ノ関係ヲ利用シ現実ノ引渡ニ代ヘテ占有ノ改定ニ依リ被告ヲシテ代理占有ヲ為サシムベキヲ以テ」「其所有権ヲ第三者ニ対抗シ得ベキ地位ニ在ル者ナレバ」、第三者に対する詐欺罪が成立するものとしている方が（なお、大判大一二・四・七評論一二刑法一一一も、電話加入権を重ねて「売渡担保」に供するのは詐欺罪になるとしている）、判例価値を有することになる。

すなわち、債権者は、対抗要件を具備するかぎり（動産の場合は、債務者が占有する場合にも債権者は当然に対抗要件を具備する）、債務者から二重処分を受けた第三者に対抗することができるのである。もっとも、目的物が動産である場合には、債権者が対抗要件を具備する場合にも、第三者の善意取得（民一九二条）が成立しうることに、注意しなければならない。

(2)　上述のように、債務者の処分行為が行なわれた場合、債権者が優先するか第三者が優先するかは対抗要件の有無によつて決定されるのであつて、債務者の処分行為が当然に無効になるわけではない。だから、債務者が目的物を第三者に売却してから、債務者が債権者に弁済すれば、別段の事情のないかぎり、目的物は当然に買主に移転する【114】。

【114】「自己ノ動産ヲ他ニ売渡担保ト為シタル者ガ其ノ動産ヲ他ニ売渡ス旨ノ契約ヲ為シタルトキハ、其ノ者（売主）ハ債務ヲ弁済シテ売渡担保ノ目的タル動産ノ所有権ヲ回復シテ買主ニ之ヲ移転スル債務ヲ負フモノニシテ、之ヲ更ニ正確ニ論ズレバ、債務ノ弁済アリタルトキハ別段ノ事情存セザル限リ動産ノ所有権ハ右売買契約ノ効果トシテ当然買主ニ移転スルモノト解スベク、売渡担保ノ目的タル動産ガ更ニ転売セラレ居リタル場合ニ於テハ動産ノ所有権ハ更ニ転売契約ノ効果トシテ当然買主ニ移転スルモノト解スルヲ相当トス」（東京地判裁判年月日不明昭和一二(ワ)二三一四、同一四(ワ)二二八六評論二九民法六二六）。

それでは、買主は（債務者の意思に反しても）債務者にかわつて弁済することができるだろうか（民四七四条参照）。また、弁済した場合はどのような効果を生ずるだろうか。この問題に関する判例の態度を示唆するものとして、大判大九・六・二【115】がある。

【115】前出【81】と同一判決。

「売渡担保ナル信託行為ニ在リテハ、其ノ担保物ニ対スル受託者ノ権利行使ハ其信託ノ目的ノ範囲内ニ制限セラレ、之ニ超越セザルベキ義務ヲ負担スレドモ、右当事者間ノ内部関係ニ於ケル特約ハ固ヨリ第三者ニ対抗スルコトヲ得ルモノニ非ザルガ故ニ、第三者ハ受託者ヲ以テ真ノ所有者ト看做スコトヲ得ベク、従テ其物件ニ付キ受託者ト第三者トノ間ニ為シタル売買ハ固ヨリ有効ニシテ上記特約ノ為メニ其効力ヲ左右セラルベキモノニ非ズ。然レドモ、叙上ノ法則ハ畢竟第三者ノ利益ヲ保護スルノ旨趣ニ出デタルモノニ過ギザルガ故ニ、第三者ニ於テ自己ノ正当ナル利益ヲ伸張スルガ為メニ自ラ進デ信託行為タル事実ノ主張ヲ為スコトヲ妨グルモノニ非ズ。原審ノ認メタル事実ハ……ト云フニ在リテ、即チ弁済ヲ為スニ付キ正当ノ利益ヲ有スル第三者タルYガ、信託行為ノ基本タル債務ヲ信託者タルAニ代リテ弁済シ、依テ以テ該債権ヲ消滅セシメタル事実ニシテ、斯カル場合ニ受託者タルXニ於テ叙上ノ法則ヲ援用シテYノ為シタル弁済ノ効力ヲ否定スルコトヲ許サザルハ当然ナリ」（大判大九・六・二民録二六・八三九）。

すなわち、右の判決は、債権者Xが所有権移転の仮登記のみを受けたところ、債務者がさらに同一建物上に他の債権者のために抵当権を設定し、その抵当権実行による競落により建物を取得し所有権移転の本登記をも得たY（判決は「担保物ノ第三取得者」と呼んでいる【81】参照）が、譲渡担保債務について弁済した場合に関し、Yをもつて「弁済ヲ為スニ付キ正当ノ利益ヲ有スル第三者」に該当するものとし、Xとしては、『受託者の権利行使に関する担保目的による制限は第三者に対抗しえない』という法則を援用して弁済の無効を主張することは、許されない、としたのである。

本判旨に関しては、まず、次のような解釈が考えられる。

それは、本件を、譲渡担保権と競落人の所有権との優劣の問題、すなわち純粋の対抗の問題として捉える考え方である。すなわち、譲渡担保権者Xは仮登記、競落人Yは本登記を有し、Xが本登記を取得すればYに優先する、という状況のもとで、本登記権者Yという正当な利益を有する第三者が弁済したのであるから、それによつて仮登記権者Xの債権は消滅し、その結果、Xにとつては、仮登記を本登記とすべき要件が不能になつたにすぎない、と考えるのである（鳩山「信託行為ト第三者トノ関係、仮登記後本登記請求権ノ存否等」民事判例研究（第一巻）九九頁以下とくに一〇五―七頁）。判決の到達した結果には、このような考え方によつても達することができるであろう。

しかしながら、判決の発想方法は右の解釈とは異なる。本判決は、「第三者ニ於テ……信託行為タル事実ノ主張ヲ為スコトヲ妨」げられないとし、目的物を設定者から取得する者のなす弁済を譲渡担保権者は否定しえない、というのである。したがつて、結局は、設定者からの取得者は、譲渡担保による制限を認めるなら、右の事案のように譲渡担保権者が仮登記、譲受人が本登記を有する、というような特殊な場合でなく、譲渡担保権者が本登記を有する場合であつても、また目的物が動産である場合であつても、つねに利害関係を有する第三者として弁済をなすことができ（民四七四条参照）、そして、この目的物の所有権を取得することができる（弁済により目的物は設定者に復帰することになるが、設定者と第三者の売買契約の効果として、設定者に帰属した目的物は同時に第三者に移転することになる――ただ、弁済による当然復帰の生じない場合があるとすれば、第三取得者は当然には所有権を取得しないことになる）、ということになろう。もつとも、判示は、「弁済ヲ為スニ付キ正当ノ利益ヲ有スル第三者」という、法定代位弁済の規定（民五〇〇条）の表現を用いており、しかも、債権者が弁済を否認しえない、ということに重点を置いているのであるから、――さらに進んで――譲渡担保の目的物の第三取得者に法定代位弁済を認めるものと解することができよう（我妻「判例売渡抵当法」松波還暦四六一―四頁参照）。

このように理解して、判旨を支持することに対しては、次のような批判が考えられる。

「第三者において信託行為の事実を主張することは妨げられない」という判旨は、担保の目的たる権利が内外共に移転することを原則とみる連合部判決の立場、したがつて所有権的構成（債権的制限説）をとるわが国の譲渡担保法と充分に調和しうるか、疑問である（植林・前掲法学雑誌七巻一号九二頁註(1)参照）、という批判である。

しかしながら、設定者からの譲受人が「信託行為タル事実ヲ主張スル」ということは、相手方の譲渡担保権を認めつつ、目的物の譲受を主張すること、したがつて、設定者の地位の譲受を主張することにほかならない。設定者は目的物に関して財産的利益をもつており、その地位を譲渡することは可能である、といわなければならない（その譲受人が抵当不動産の第三取得者と同様の地位に立つことは、いうまでもない）。右の判決は、これを認めることをも意味するものと考えられるのである。

なお、事案は外部的移転の場合であり、判旨の妥当範囲をこの場合に限定することも、充分考えられるが（この場合に限定する方が理解しやすい。この場合には、設定者は少なくとも内部的所有権を第三者に譲渡したと考えることが可能だから）、判決はとくに外部的移転であることを根拠とするわけではなく、それに、判旨の結論は譲渡担保の《担保》的性格に合致するから、信託行為の理論の命ずるところにしたがつて、すべての譲渡担保に妥当するものと考えたい。

（二）　債権者の処分の効力

(1)　債権者が目的物を第三者に処分した場合、譲受人は完全に所有権を取得するか。

（イ）　もし譲受人悪意なら、債務者はその譲受人に対し「其物件ヲ追及シ得可キハ勿論」とする古い判決【116】があるが、それは傍論にすぎない。その後の判例はすべて、譲受人はつねに完全な所有権を取得し、権利移転の態様や第三者の善意悪意を問わないとしている【117】【118】【119】。

【116】「本件ハ、被上告人ニ於テ上告人ガ売買名義ヲ仮装シ其実貸金ノ抵当ニ取置タル被上告人ノ地所ヲ擅ニ他ニ売却シタルヲ以テ、之ニ因リ生ジタル現実ノ損害即チ地所ノ所有権失却ニ対シ金銭上ノ賠償ヲ請求スルモノナリ。去レバ其買主ガ若シ悪意ヲ以テ之ヲ買取リシモノナランニハ被上告人ガ之ニ対シ其物件ヲ追求シ得可キハ勿論ナリト雖モ、其物件ヲ追求セズシテ不法行為ニ基キ直ニ上告人ニ対シ損害賠償ヲ請求スルモ亦被上告人ノ随意ナリトス」(大判明三一・一〇・一二民録四・九・二五)。

【117】「売切担保」の目的たる山林を債権者Yが第三者Aに売却。債務者XはYを横領罪として告訴するとともに、それに付帯して、Aの悪意を理由に土地の取戻を訴求。

「事実関係ニ付キX代理人ノ陳述シタル所ハ……右売買ハ所謂売切抵当ニシテ、当事者間ニ於テハ山林ノ所有権ハXニ存シYニ移転セシニアラズト云フニ在ルヲ以テ、其主張自体ニ依ルモ虚偽ノ意思表示ニアラズシテ、原判決判示ノ如ク、信託行為成立シ当事者間内部関係ニ於テハ所有権ノ移転ナシト雖、第三者ニ対スル外部関係ニ於テハ所有権ハ受信者タルYニ移転スルニ至ルモノトス。故ニ第三者ガ信託ノ事実ヲ了知スルト否トヲ問ハズ、Yト第三者トノ間ノ売買ハ法律上有効ニシテ、之ニ依リ第三者ハ有効ニ所有権ヲ取得スルモノト云ハザルベカラズ」(大判大正二・一〇・九刑録一九・九五五)。

【118】債権者Aが「売渡抵当」の目的たる家屋をYに譲渡し、登記を経由。債務者XからYを相手に家屋の明渡を訴求。原審は、外部関係では所有権がAに移転していることを理由に、Xを敗訴させたので、X上告し、民九四条二項と同じように、悪意者を保護する必要はない、と主張する。

「売渡抵当ナル信託行為ノ当事者間ニ存スル内部関係ニ他ナラザル特約ハ之ヲ以テ右特約ヲ知レル第三者ニ対シテモ対抗スルコトヲ得ザルモノトス。蓋第三者ニ対スル外部関係ニ在リテハ受託者ハ売渡抵当ノ目的物ノ所有権ヲ有スルヲ以テ受託者ヨリ右目的物ヲ譲受ケタル第三者ハ善意ナルト悪意ナルト拘ハラズ有効ニ所有権ヲ取得スルコトヲ得ルノ筋合ナレバナリ」(大判大九・九・二五民録二六・一三八九)。

【119】電話加入権の譲渡担保において、債権者Aから電話加入権および加入名義変更請求権を譲り受けたと主張するXが、債務者Yに対し、加入名義の変更を訴求した事件。原審は、加入名義変更請求権は貸金債権に対して従たる性質を有するから、単独で譲渡することはできない、としてXを敗訴させたので、X上告。

「電話加入権ガ信託行為ノ一種タル売渡担保ノ目的ニ供セラレタル以上、受託者タル債権者ハ少クトモ外部関係ニ於テハ之ガ権利者トナルモノナルニヨリ、該債権者ヨリ右加入権ヲ譲受ケタル第三者ハ善意ナルト悪意ナルトヲ問ハズ之ガ権利ヲ取得スルモノナルヲ以テ（大正（オ）第七六五号同年一二月三日本院判決参照）……」（大判大一一・六・三民集一・二七六（平野・判民三九事件））。

（ロ）もつとも、内部的には債務者に所有権が留保せられ、外部的に共有者たるにすぎない譲渡担保権者間に持分の移転があつても（債務者の譲受の有無は不明）、譲受人は第三者としての保護を受けず、債務者に対する関係では「持分移転ノ効果ヲ生ズルモノニ非ズ」とする判決【120】が、ある。すなわち、かような場合には、債務者は、目的物の所有権が内部的には債務者に属するという関係を持分の譲受人に対抗することができる、換言すれば、持分の譲受人が持分の譲受によつて単独の譲渡担保権者になつた場合でも、その権利が全面的に債務者の内部的所有権によつて信託的拘束に服することは、従前となんら変わりがない、というのである。

【120】前出【55】と同一判決。

「係争建物ハYガ債権担保ノ目的ニテX及ビAニ売渡シタルモノニシテ、内部関係ニ於テハ其所有権Yニ属スレバ、外部関係ニ於テ共有者タルXガ他ノ共有者Aヨリ其持分ヲ買受ケタルハ、Yニ対シ信託関係ニ立ツ者ノ間ノ行為ニ属シ、之ヲ信託関係外ニ在ル第三者ニ持分ヲ移転シタルト同一ニ論ズルヲ得ザレバ、XトA間ニ於テ持分移転ノ効果ヲ生ズルニ止マリ、Yトノ関係ニ於テハ持分移転ノ効果ヲ生ゼザルモノトス」（大判大八・

六・二四民録二五・一一三四）。

右の判決は、持分の譲受人が信託的拘束を受ける根拠を、本件の譲渡担保が外部的移転型のもので、内部関係では目的物が債務者に属することに、求めているように見える。しかし、もし外部的移転であることが根拠となるのであつたら、譲受人が第三者である場合にも、信託的拘束を受けることを認めなければならず、判例の一般理論に正面から衝突することになるであろう。それにもかかわらず、判旨の結論は妥当と考えられるのであり、そして、それは、この譲受人が譲渡担保関係の当事者であつて、この場合にも、譲受持分について信託的拘束からの離脱を認めることは、いかにも信義則に反すると感ぜられるからではないだろうか。

（ハ）　しかし、そもそも、一般の場合（譲受人が当事者以外の者である場合）について、判例が「第三者ニ対スル外部関係ニ在リテハ受託者ハ売渡抵当ノ目的物ノ所有権ヲ取得スル」ことを根拠として（大判大九・九・二五（前出【118】））、すべての譲受人が（悪意者でも）当然に信託的拘束を脱して完全な所有権を取得する、というのは、形式的にすぎるといわなければならない。信託行為における受託者の信託違反処分に際し、信託者に譲受人に対する追及権を認めるべきか否かは、かような形式論で片づけるにはあまりにも重要な問題である。

ところで、この問題に関しては、一般には、譲渡担保に関する公示方法の存しない現在、譲受人に対する追及権は否定するほかないものと理解されている。しかし、立法論として譲渡担保を公示する制度を考案すべきであるが（そのような試みは、現在、松本財団財産立法研究会によつてなされている。その中間報告としては、四宮「譲渡担保法要綱改訂第二試案解説」（立教法学二号・三号）（未完）がある）、解釈論としても、債務者が悪意の譲受人に追及しうることを認めて、かれに jus ad rem 的保護を与えようとする見解が提唱されていることは（末弘・債権総論（現代法学全集）二四八頁、近藤・物権法論一一三頁。なお、四宮「信託行為と信託」法協五九巻七号一一二一頁参照）、注目に値することといわなければならない。譲渡担保にあつては、《財産》は債務者のがわにあるのだから、取引の安全を害しないかぎり、この債務者の《財産》を保護すべきであり、そして、取引安全の理想とても、悪意の譲受人までも保護することを要求するものではない。それに、大正一一年に制定された信託法は、受託者が信託の本旨に反して目的物を処分した場合に関し、動産その他登記もしくは登録の制度をもたない目的物については悪意または重過失の譲受人に追及しうることを、受益者の取消権の形で、規定している（三一条）。信託法は、正式には譲渡担保を規律の対象とするものではないが、その法理は、譲渡担保における信託的側面に、可能なかぎり類推適用すべきである、と考えられる。判例としても、信託法の制定を見たからには、信託の場合に準じて（公示方法の定めのない動産等については、三一条但書は、譲受人が悪意または重過失ある場合に、受託者の取消権を認めている）、少なくとも動産に関するかぎり、債務者の悪意の譲受人に対する追及を認める方向に、ふみ切るべきではないだろうか。

(2)　譲受の対抗要件

（イ）　債権者からの譲受人は、その財産権取得を債務者に対抗するために、対抗要件を要しないだろうか。

大判大一〇・三・二五【121】は、この場合債務者は譲受人に対し「其所有権自己ニ存スルコトヲ主張スルヲ得ザルモノ」であるから、「所有権取得ニ関シ其対抗要件タル登記又ハ引渡ノ欠缺ヲ主張スル正当ノ利益ヲ有スル第三者ナリト謂フベカラズ」とし、対抗要件は必要でないとしている。

【121】 Yは土地・建物および付属建具類全部をAに「売渡抵当」とし（外部的移転）、占有は依然として継続。Aは目的物全部をXに転売。買主Xから——所有権に基いてであろう——Yに対し土地・建物の引渡を訴求。原審はXの請求全部を認めたが、Yは、判決中建具の引渡を命じている部分について異議を主張し、建具（動産）の占有は前から自分にあるから、Xはまだ目的物の引渡を受けたとはいえず、したがつて譲受を自分に対抗できないはず（民一七八条）、と述べた。

「Yハ本訴ノ物件ヲ債権者Aニ対シテ売渡抵当ト為シ、内部関係ニ於テ其所有権ヲ留保シタレドモ、外部関係ニ於テハ所有権ヲ移転シタレバ、Aヨリ本訴物件ヲ買受ケテ其所有権ヲ取得シタルXニ対シテハ、其所有権自己ニ存スルコトヲ主張スルヲ得ザルモノニシテ、Xノ所有権取得ニ関シ其対抗要件タル登記又ハ引渡ノ欠缺ヲ主張スル正当ノ利益ヲ有スル第三者ナリト謂フ可ラズ」（大判大一〇・三・二五民録二七・六六〇（末弘・判民五三事件））。

学者のなかにも、この結論を支持するものがある（末弘・判民昭和一〇年度五三事件評釈）。それは、債務者は債権者との契約によつてかれのために占有するにすぎず、譲受人に対してはなんらの契約関係も存しないから、譲受人の物権的返還請求権の行使を阻止しえない、というのである。

ここで、債務者の占有が債権者との契約によるものであり、債権者のためにするものであるとする点は、問題であるが（事案は外部的移転だから、判例の理論によれば、債務者の占有は内部的所有権に基く。また、債務者の占有は自己のためのものでもある）、その点を留保すれば、この見解にもたしかに一理はあるとおもわれる。けだし、譲渡担保における設定者の地位は対外的には——外部的移転の場合といえども——単なる債権にすぎないと考えられているから、設定者の地位と譲渡担保権者からの譲受人の権利とは相抵触する権利とはならず、したがつて、両者は純粋の意味では

《対抗》問題の舞台に登場することがない、とも考えることができるからである。しかし、設定者が譲受人に対する関係では譲渡担保権者に対する債権者にすぎないにしても、対抗問題一般に関する判例の態度から推して、譲受人が公示方法なくして設定者に対抗しうるものとされるかは、かなり疑問である。

近時の判例（最判昭二八・九・一八民集七・九・九五四）は、特定物について所有権の移転を受ける債権を有する者に、やや抽象論ながら、「第三者」たる地位を認めた。譲渡担保の設定者は、弁済によってはじめて所有権の復帰を受けうる立場にある者にすぎないから、正確には特定債権者に擬することはできないが、きわめてこれに近い地位を有することは否定しえない。

さらに、判例は賃借人、しかも動産の賃借人にも、「第三者」たる地位を認める（動産の場合につき、大判大四・四・二七民録二一・六一一、大判大八・一〇・一六民録二五・一八二四等）。動産の譲渡担保において設定者が現実の占有を有する場合には、賃借人と類似する地位に立つから、「第三者」として取り扱うべきものと考えられるのである（柚木・担保物権法（法律学全集）三九二頁、同・判例物権法総論【四七】二(二)）、——もっとも、賃借人や譲渡担保の設定者に対して譲受人が賃貸借関係ないし譲渡担保関係を承認したうえで権利を行使する場合をも《対抗》の問題と考えることには、疑問が残るであろう。しかし、本件は、譲渡担保権者からの譲受人が所有権の排他性を主張して設定者に目的物の引渡を求める場合のようであるから、この点は問題とならない。また、「第三者」の範囲を物権・不動産賃借権その他目的物に対して一種の支配関係を取得した者に限定するときは（末弘博士はまさにこの立場に立っていた、末弘・物権法上巻一六六頁以下）、譲渡担保の債務者は「第三者」から脱落するように見えるが、設定者が目的物の占有を有するかぎり、そこに一種の目的物に対する支配関係を認めることができるのではあるまいか（譲渡担保設定者の目的物に対する支配は、自己の《財産》に属する物に対するものであるだけに、賃借権などよりもいつそう保護されなければならない）。【121】の判決がいまも生きているかは、疑問だといわなければならない。

（ロ）　もし譲受人が譲受を第三者に対抗するには対抗要件が必要だとすれば、債務者が目的物を占有する以上、債務者に対する指図による占有の移転（民一八四条）によつて占有を取得すべきことになる。ところで、ドイツ民法では、債権者からの譲受に必要な引渡は、債権者が債務者に対してもつている引渡請求権の譲受の形で行なわれる（ド民九三一条・九三四条）。そのために、——譲受人は悪意でも所有権を取得するけれども——債務者は前主（債権者）に対してもつていた抗弁権を新しい所有者に対抗することができ（九八六条二項）、したがつて目的物の引渡を拒絶することができることになる（もつとも、Salingerなどによれば、新所有者は、無制限に所有権者であり、かつ、債権者が弁済に際して所有権を返還すべき義務を承継しないから、債務者に返還する義務はないとされる、Salinger, Empfehlen sich gesetzliche Massnahmen in bezug auf die Sicherungsübereignung?, Verhandlungen des Einunddreissigsten Deutschen Juristentages, IS. 432）。わが民法についても、これにならつて、指図による占有の移転がなされた場合には、債務者は信託関係を譲受人に対抗しうるものとする解釈が、充分に考えられる（動産賃借人が一八四条の結果新所有者に賃借権を対抗しうるとする説は、かなり有力である、鳩山・債権法各論下巻四七二頁、我妻・物権法【一七三】(a)）。ただ、わが国の指図による占有の移転は、ドイツ民法のように引渡請求権の譲渡という形をとらないので、単なる占有移転の一方式に実体的効果を与えることに疑問があり、それに、右の解釈は——譲渡担保が債務者に占有を残存させるのを通例とする以上——債権者からの譲受人が完全な所有権を取得するという原則（六一(二)(1)参照）を動産に関するかぎり事実上根底からくつがえすことになるわけだから、判例の立場とは調和し難いであろう（動産賃借権につき否定的立場をとるのは、舟橋「寄託又は賃貸動産の譲渡と対抗要件」民商一〇巻六号、一一巻一号、

石田「賃貸動産の譲渡と対抗問題」論叢四一巻四号）。

(3)　債務者は譲受人に対して留置権を有するか。

譲渡担保の目的物を債務者が現実に占有している場合に債権者がそれを不当に第三者に譲渡し、譲受人が債務者に対して引渡を請求したら、債務者は、その引渡請求に対し、債権者の返還義務不履行による損害賠償債権によつて目的物を留置することができるだろうか。

債務者の弁済後に債権者がわが目的物（不動産）を処分した場合に関して、とくに弁済後か否かを問うことなく、債務者は損害賠償債権を譲受人に対抗しえない、として、問題を否定した最判昭三四・九・三（後出【135】）がある。この判旨は、勿論解釈によつて、期前処分の場合にも適用しうることは、すでに述べたとおりである。

二　設定者・譲渡担保権者の一般債権者との関係

（一）　設定者の債権者が強制執行した場合　　設定者が目的物を占有する場合には、設定者の他の債権者はこれを設定者の財産と信じて執行してくることが、少なくない。ことに、目的物が動産である場合には、外形上設定者の他の財産と区別しえないのが一般であるから、この種の執行はきわめてひんぱんに発生することになる。判例は、例外なく、かような場合には、譲渡担保権者は第三者異議の訴（民訴五四九条）を提起することができるものとしている（大判大三・一一・二【122】、大判大五・七・一二（大五（オ）四一九）（前出【19】）＝【45】、大判昭五・一二・一九【123】、大判昭六・一二・二二（前出【3】））。けだし、少なくとも外部関係においては債権者は所有権を取得し、しかも譲渡担保権者は設定者によつて代理占有を有するから（大判大五・七・一二（前出【45】））、上の所有権を第三者たる他の債権者に対抗することができるからである。

【122】　前出【18】と同一判決。

「所謂売渡抵当ナル信託的売買ノ場合ニ於テ、目的物ノ所有権ハ当事者間ノ内部関係ニ於テハ債務者ニ存スルモ、第三者ニ対スル外部関係ニ於テハ債権者ニ移転スルモノナルコト亦本院判例ニ示ス所ナリ（前掲判例参照）。今本件ノ事実ヲ按ズルニ、Yガ強制執行トシテ差押ヘタル本訴ノ目的物ハ、訴外Aノ所有タリシモAガXヨリ金二千円ヲ借入ルルニ当リXノ債権ヲ担保スル為メ之ヲXニ売渡シ同時ニXトAトノ間ニ賃貸借契約ヲ締結シ占有ノ改定ヲ行ヒAニ於テ引続キ之ヲ占有セルモノニシテ、AトXトノ間ニ於テ所謂売渡抵当ナル信託的売買ヲ為シタルモノナルコト原院ノ確定セル所ナレバ、其売渡行為ハ法律上有効ニシテ、目的物ノ所有権ハ該行為ノ当事者タルXトAトノ内部関係ニ於テハAニ存スルモ、外部関係即チ第三者タルYトノ関係ニ於テハXニ移転シタルモノト為サザルベカラザルコト、更ニ多言ヲ竢タズ。然ルニ原院ガ不動産ノ売渡抵当ハ法律上有効ナルモ動産ノ売渡抵当ハ脱法行為ニシテ無効ナリトシ、随テ本訴目的物中動産ノ所有権ハXニ移転セザルモノトシ仍テ動産ニ関スル上告人ノ請求ヲ失当ナリト判定シ之ヲ棄却シタルハ不法……」（大判大三・一一・二民録二〇・八六五）。

【123】　AがXから金を借りてBから立木を買い、それをXに「売渡担保」として譲渡するとともに、伐採・造材して四万石供給する旨の請負契約をした。Aの債権者Yが立木・木材を差押えたので、Xが異議の訴を提起。原審は、所有権は債権者に移転し、外部関係でつねに債権者に存するのみならず、内部関係でも弁済までは債権者に存するとし、注文者たるXが材料を供給する請負契約だとしてXの異議を認めた。Y上告し、内外共移転とする点を争う。

「売渡担保ニ供セラレタル物ノ所有権ハ反対ノ証拠ナキ限リ一応内外両関係ニ於テ債務者ヨリ債権者ニ移転シタルモノト推定スルヲ相当トスルガ故ニ、原審ガ本件売渡担保ノ目的物タル立木及材木ノ所有権ガ内外両関係ニ於テXニ存スルモノト判定スルニハ別ニ証拠ヲ要スルモノニ非ズ」（大判昭五・二・一九裁判例(四)民四一）。

もっとも、下級審判決（しかも、連合部判決後のもの）のなかには、譲渡担保権者は差押物の上に担保権を有する者またはこれに準ずる者だから、として、第三者異議の訴を認めないもの（東京区判昭一一・八・八【124】、東京区判昭一二・一二・一一（新聞四二三七・一四）――いずれも上野正秀判事の判決で、内容ほとんど同一）や、譲渡担保権者は優先弁済受領権を主張しうるとするもの【125】がある。このことは、注目に値することといわねばならない。けだし、これらはいずれも、譲渡担保に対してその経済的目的＝担保にふさわしい法的効果を付与しようとするものだからである。

【124】譲渡担保権者Xが、設定者Aの債権者Yの差押に対し、異議の訴（民訴五四九条）を提起。

「民事訴訟法ハ強制執行ノ目的物ニ付所有権其他目的物ノ譲渡若クハ引渡ヲ妨グル権利ヲ主張スル第三者ハ当該執行債権者ニ対シ訴ヲ以テ異議ヲ主張スルコトヲ許ス（五四九条）モ、之ト同時ニ他面又ハ差押物（強制執行編ノ所謂動産）ニ付物上ノ担保権ヲ有スル第三者ハ該差押ヲ妨グルコトヲ得ザル旨明定スルトコロ（五六五条）アルヲ以テ、第五四九条ノ要件ヲ具備スルモノト雖第五六五条ニ該当スル以上第五四九条ヨリ除外セラルルモノト解セザルヲ得ズ。蓋シ物上ノ担保権ハ本来当該担保物ヲ換価スルコトノミヲ目的トスルモノニシテ、執行債権者ノ差押ハ此目的ニ毫モ抵触スルトコロナケレバナリ。唯物上ノ担保権者ハ該担保権ヲ第三者ニ対抗シ得ル要件ヲ具有スルニ於テハ該換価金ノ上ニ優先弁済ヲ受ケ得ルモノナルヲ以テ、右差押ヲ妨ゲ得ズトスルモ毫モ損害ヲ蒙ルコトナキト共ニ、若シ差押ヲ妨ゲ得トセバ、執行債務者ノ所有財産ニ付一般担保ヲ有スル債権者ハ常ニ該目的物ノ換価ニヨル弁済受領ヲ為シ得ザルコトトナル。之ニ反シ右差押ヲ妨ゲ得ザルコトトナルノ結果ハ右ノ弊ヲモ除外スルガ故ニ、之ニモ損害ヲ蒙ラシムル虞ナキモノト謂フコトヲ得。今本件ニ付之ヲ看ルニ、本件物件ノ所有権ガXニ属スト謂フモ、此ハ専ラXガ右Aニ貸付ケタル金員ノ弁済確保ノ為、即右弁済ヲ得ザルトキ該弁済ニ充当シ得ル金員ヲ得ンガ為、之ヲ換価シ得ルノミト謂フニ外ナラズ。即所有権ノ全権能ヲ発揮シ得ルモノニアラズシテ、所有権中ノ換価ノ目的ヲ達スベキ範囲ニ於テノミノ権能ヲ有スルモノニ外ナラズ。然ラバXハ所有権者ト謂フト雖正ニ民事訴訟法〔五六五条〕ニ謂フ所ノ差押物ニ付物上ノ担保権ヲ有スル第三者ニ異ラザルカ、少クトモ之ニ準ズベキモノト謂ハザルヲ得ズ。斯ク解スレバトテ決シテ新タナル物権ヲ創設スルモノニアラズ。単ニ所有権ノ全権能中ノ一部ノミヲ行使シ得ルニ過ギザル所有タルニ止マルモノナリ（例之夫ノ質権設定権ノ譲渡ノ可能ナルガ如シ）。然ラバ、Xハ右差押ヲ妨ゲ以テ該目的物ノ上ニ一般担保ヲ有スル他ノ債権者ヲ該目的物ノ換価金ニヨル弁済受領ヨリ排斥スルコトハ到底之ヲ為シ得ザルモノト謂フノ外ナシ。唯若シXニ於テ其主張ノ譲渡ヲ第三者ニ対抗シ得ル要件（引渡）ヲ具有セバ該物件ノ換価金ニヨリ優先弁済ヲ受ケ得ル権利ハ毫モ妨ゲラレザルヲ以テ、之ニヨリ該担保ノ実ヲ挙グルハ格別、右差押ノ排除ハ之ヲ求メ得ザルモノト謂ハザルベカラズ」（東京区判昭一一・八・八新聞四一一三・七、評論二六民訴二二九）。

【125】稲立毛の譲渡担保（精算型）で債権者Xはその引渡を受け明認方法も施していた。債務者Aの債権者Yが稲立毛の一部に強制執行。Xも配当に加入したが、配当表に対し異議を申し立て競売売得金全部を要求する。Yは、Xは民訴五四九条の執行異議の訴を提起しうるにすぎないと主張する。

「債権担保ノ為所有権ノ譲渡ヲ受ケタル者ハ、本件ノ如ク該譲渡ノ目的物ニ付強制執行ガ開始セラレタル場合ニ其ノ競売々得金ニ付配当ノ要求ヲ為シ得ベキヤ、将又Y主張ノ如ク単ニ民事訴訟法第五四九条ニ依ル執行異議ノ訴ヲ提起シ得ルニ過ギザルヤハ、疑問ナキニアラズ。単純ナル理論ヨリスレバ、洵ニ被告ノ主張ヲ以テ理路一貫セルモノト云フベシ（通説亦之ニ従フモノノ如シ）ト雖、当裁判所ハ右被告ノ主張ハ之ヲ採用セズ。蓋シ所有権ノ譲渡トハ云ヘ畢竟一種ノ担保ニ外ナラズ。殊ニ債務者ニ於テ目的物ヲ処分シテ其ノ換価金ヲ債権ノ弁済ニ充テテ尚剰余アルトキハ担保提供者タル元所有者ニ返戻スベキモノナル以上、剰余金ハ即チ一般債権者ノ共同担保物ニ外ナラザルモノナルヲ以テ、斯ル場合ニ譲受人（債権者）ガ其ノ所有者タル点ヲ強調セズ、即チ執行自体ノ不法アルコトノ主張ヲ為サズシテ、単ニ担保権者タルコトノミヲ主張シテ配当ニ加ハラムトスルトキハ敢テ之ヲ拒否スベキ理由ナク、寧ロ之ヲ一般優先権者ト同様ニ取扱上配当ニ加入セシムルヲ妥当ナリトス。之ヲ実際上ノ結果ヨリ観ルモ、目的物件ノ処分ヲ譲受人ノ任意処分ニ委ネンヨリハ寧ロ他ノ債権者ノ関与ノ下ニ公売処分ニ附シ配当ノ適否ヲ互ニ主張セシムルコトが反ツテ債権者並ニ他ノ債権者ノ利益ヲ保護スル所以ナリト思料セラルルノミナラズ、本件ノ如キ場合ニ於テ第三者ノ異議ノ訴ニ依リ強制執行自体ヲ許サズトスルニ於テハ、差押債権者ハ執行費用スラ弁済ヲ受ケ得ザル結果ト為ルベキニ反シ、単ナル配当ノ適否ニ於テノミノ訴ニ止マルトキハ執行債権者ハ少クトモ執行費用ノ負担ヲ免レ得ベシ。以上ノ理由ニ依リXノ本件目的物件ニ依リ担保セラルルXノ債権額ハ少クトモ金百円ヲ超過セルコト……明ナルヲ以テ、本件売得金額九七円四九銭五厘ハ全部Xニ配当スベキモノトス」（福岡区判昭九・一二・二七新聞三三一九七・一五、評論二四民訴一七三）。

ドイツの判例も、上の場合に関しては——設定者破産の場合・譲渡担保権者の債権者が執行した場合および譲渡担保権者破産の場合には譲渡担保の担保的性格に適合する効果を認めるにもかかわらず——日本の判例と同じように譲渡担保権者の異議権を認める。その根拠としては、譲渡担保権者が間接占有者であるところから、民訴法八〇五条一項前段（執行の目的物を占有しない第三者は質権または優先権を理由として第三者異議の訴を提起しえない）の反対解釈が援用されている（この点については、植林・前掲・法学雑誌七巻一号九六頁参照）。この判例理論は学説によつても支持されたが、近時は、一方において、譲渡担保権者の第三者異議権をまつたく別の政策的見地——設定者の企業の維持といつたような——から根拠づける見解が出現するとともに、他方においては、設定者破産の場合に譲渡担保権者に別除的満足しか認めない判例と調和させるために、譲渡担保権者の異議権を否定しまたは制限しようとする学説（それを否定・制限する限度で、優先弁済受領権を認める）が、有力になろうとしているようである（詳細は、植林「ドイツの譲渡担保」私法二一号一七九頁、植林・前掲・法学雑誌七巻一号九六頁参照）。すなわち、ドイツの判例・学説が従来譲渡担保権者の保護を頑強に譲らなかつたその一角が、学説の努力によつてようやく崩れようとしているのである。

わが国の学説も、通説（我妻・担保物権法【一〇三】(3)、石田・担保物権法論六一二—三頁）は、大審院判決と同じく譲渡担保権者に第三者異議の訴を認める。しかし、近時、譲渡担保の担保権的性格を強調し、あるいは、さらに、第三者異議を譲渡担保権者に認めることによつて生ずる弊害（差押を予想する債務者が差押を免かれるために譲渡担保の名をかりて濫用する）を考慮して、第三者異議の訴を否定して、優先弁済の訴を提起しうるにすぎぬものとし（小野木・（判例批評）法学論叢三六巻六号一一四四頁以下、同・強制執行法概論三四五頁。菊井・民事訴訟法（二）一一七頁は、流質型の場合にのみ第三者異議の訴を認めようとするもののようである）、または、目的物の価額が被担保債権額を超過することが明らかな場合は、執行債権者が譲渡担保にすぎない旨の抗弁を提出すれば、譲渡担保権者は優先弁済の訴に変更しなければならないものと主張する説（兼子・増補強制執行法六四頁）が台頭して来たことは、ドイツの場合と軌を一にするものとして、興味ぶかい（わが国のこの点に関する学説の展望については、村松「執行異議事件について」法協五六巻三号五三〇頁以下、鈴木重勝「担保物に対する執行と譲渡担保権の効力」綜合法学二一号三五頁以下参照）。

（二）　設定者が破産した場合　設定者が破産した場合に、譲渡担保権者は取戻権（破八七条）を認められるか。

この点に関する判例は見当らない。ただ、やや関係のあるものとして、破産管財人が譲渡担保の目的物（債権）を処分した場合に損害賠償責任を認める下級審判決【126】があるにすぎない。この判決からただちに取戻権の有無に関する判例の態度をみちびくことはできないが、破産管財人の処分が違法とされることは、設定者の債権者の執行に際して譲渡担保権者に異議権を認める判例の態度とともに、取戻権の承認を推知させるものといえよう。通説も、取戻権を認めている（我妻・担保物権法【一〇三】(3)、柚木・担保物権法（法律学全集）三九三頁）。

【126】　Aは頼母子講掛込債権をXに譲渡担保に入れたが、頼母子講の債務者たる先取者への通知もその承諾もなく、債権譲渡の対抗要件がなかつた。AのXに対する債務弁済前にA破産。破産管財人Yが掛込債権をBに処分。XからYを相手として、譲渡担保の目的たる債権を失なつたことによる損害賠償を破産財団に対して請求。

「AとXとの間に於ては……譲渡担保の効力あるが故に、従て該頼母子掛込債権は完全なる状態に於て破産債務者の財産として破産財団に編入せらるべき謂れなきのみならず、債務者に於て借受元利金を弁済して該掛込債権を回収するに非らずんば随て完全に之が処分を為し得べき権利なきものとす。既に業に破産債務者に於て処分すること能はざる掛込債権たる以上は、破産管財人の法律上の地位如何に拘らず、同管財人に於ても亦破産財団に属する債務者の財産として右譲渡の効力を無視し直に処分し得べき権限なきこと自明」（山口地判明四三・三・八新聞六三八・一三）。

わが国の判例についてかような結論が推測されるにもかかわらず、この解決方法には疑問を提起せざるをえない。

ドイツの判例・学説は早くから譲渡担保権者の取戻権を否定し、別除権的保護を与えるにすぎない（松本「売渡抵当及動産抵当権」商法解釈の諸問題五一八頁、植林・前掲法学雑誌七巻一号九五頁参照）。その根拠は種々に説かれるが、要するに、破産に際して財産の帰属を決める重要な要素は、実質的・経済的な帰属者が誰であるかに存すること（たとえば一八九九・一二・一三RG (RG.Bd.45.Nr.18.)）、債権者が取戻権を有すると同時に債権全額をもつて破産財団の配当にあずかるのは不当であること（Westermann, Sachenrecht, § 43 Ⅳ 1）、反面からいえば、担保物は債務者の財産から終局的に切断されていず、それに対する代償が債務者に支払われていないから、債務者の財産として破産財団に加えられるべきであること(Enneccerus-Kipp-Wolff, Sachenrecht, § 180 Ⅳ 1)に存する。

わが国でも、通説に疑問を投げかけ(中田・破産法・和議法(法律学全集)一一七頁)、あるいは、さらに進んで、譲渡担保権者に別除権的保護しか認めようとしない学説(小野木・破産法概論一一一頁以下)が、出現している。

(三)　譲渡担保権者の債権者が強制執行した場合　この場合に関する判例は見当らない。しかし、譲渡担保権者の目的物の処分が完全に有効とされること、破産法八八条(もっとも、その適用範囲は判例によっていちじるしく縮減されている。(四)参照)の強制執行の場合への類推、などから、右の場合に設定者の異議権が否定されるであろうことは、充分に推測しうるところである。それは、また、わが国における通説の立場でもある(我妻・前掲【一〇三】(2)、柚木・前掲三九二頁、兼子・増補強制執行法五六頁)。

この問題に関しても、ドイツの判例・学説は、譲渡担保権者の受託者的性格に着目して、設定者の異議権を認めていることが(Enneccerus-Kipp-Wolff, Sachenrecht, § 180 Ⅳ 2 参照)、注目されなければならない(ただ、それを無条件に採用しうるかは、公示の問題とからみ、検討を要するであろう)。

(四)　譲渡担保権者が破産した場合

(1)　譲渡担保権者が破産した場合に、設定者はどのような権利を与えられるか。

旧商法時代の下級審判決のなかには、――すべて傍論ながら――外部的移転の場合に設定者の取戻権を認めるもの(東京控判明治四四・六・一、最近判九・三〇、東京控判明四三(ナ)一三新聞七一八〔明四四・五・二五〕二五、東京控判大一・一〇・一二新聞八四一・二四)や、内外共移転の場合にも取戻権を認めうると論ずるもの(東京控判大二・八・九新聞八九八・二二)もあつた。しかし、破産法は、八八条において、破産者に破産宣告前に「財産ヲ譲渡シタル者」は、「担保ノ目的ヲ以テシタルコトヲ理由トシテ」その財産を取り戻すことができない旨を規定するにいたったので、従前の判決は、考慮のそとに置くほかはない。

ところで、破産法八八条は、担保の目的で財産権を譲渡した場合にも、所有権は移転し、公示方法もすませる関係上、担保物は外観上譲受人(破産者)の財産であり、その信用の基礎となるものであるから、破産債権者の利益のために譲渡人の取戻権を排除したものである、と理解されている(加藤・破産法要論一八五頁、藤江・(判例批評)民商九巻五号八二一頁以下)。この考えによれば、譲受人が破産した場合には、譲渡人は債務は弁済しなければならないが、債務を弁済しても担保物を取りもどすことはできない。ただ、譲受人は目的物の返還義務不履行による損害賠償義務を負うことになるから、譲渡人は、その損害賠償請求権によって被担保債務とのあいだに相殺権を行使し、それでも残余の出るときは、その範囲で破産債権者として配当に加わることができるにすぎない、とされるのである(加藤・前掲一八六―七頁)。

(2)　設定者の権利が一般に右のように理解されているとき、次に掲げる大判昭一三・一〇・一二【127】が、譲渡担保権者が破産の宣告を受けてから設定者が弁済した場合に目的物の返還を請求しうるものとしたことは、まことに注目に値することであった。この判決は、短期清算取引の委託に際して担保として譲渡した株券に関し、被担保債権が消滅した場合には、財産権の譲渡は原因を欠くことになるから、設定者は、不当利得として、破産財団に対しその証券の返還または――それが現存しないときは――価額の返還を請求しうべきであるとして、破産法八八条を適用した原審判決を破毀したのである。

【127】　Xは取引員たるAに有価証券の短期清算取引の委託をなし、（有価証券受託契約準則により）証拠金代用として白紙委任状つき株券をAに交付。A死亡し（昭和一一年六月二九日）清算取引終了の結果Xは五三円余の債務を負担したが（同年七月三日）、Aの相続財産は破産宣告を受けた（同年八月四日）。Xは破産管財人に取戻を請求したが応じないので、債務額を弁済のために供託し、破産管財人Yを相手として、破産法八七条により株券の引渡を訴求。原審は株券の差入を担保の目的をもつてする所有権の移転（破八八条参照）と認定し、Xの請求を棄却したので、X上告。

「破産宣告前破産者ニ対シテ担保ノ目的ヲ以テ財産ヲ譲渡シタル場合ニ於テ該財産ハ破産財団ヲ構成シ取戻権ノ目的ト為ラザルコト、破産法第八八条ノ明定スルトコロナリト雖、被担保債権成立セザルカ又ハ被担保債権消滅シタル場合ニ於テハ担保ノ目的ハ不到達ニ終リ財産権ノ譲渡ハ其ノ原因ヲ欠クニ至ルベキヲ以テ、破産財団ハ譲渡人ニ対シテ不当利得ヲ為スモノト謂ハザルベカラズ。破産法第六〇条第二項ニハ雙務契約解除ノ場合ニ付破産者ノ受ケタル反対給付ノ破産財団中ニ現存スルトキハ相手方ハ其ノ返還ヲ請求シ、現存セザルトキハ其ノ価格ニ付財団債権者トシテ其ノ権利ヲ行フコトヲ得ベキコトヲ規定シアリ。而シテ契約解除ニヨル原因欠缺ノ場合ト、前記ノ如キ担保ノ目的不到達ニ因ル原因欠缺ノ場合トノ間ニ、不当利得ノ問題ニ付之レヲ区別シテ取扱フベキ理由毫モ存セザルヲ以テ、担保ノ目的不到達ニヨル原因欠缺ノ場合ニモ財産譲渡人ハ破産財団ニ対シ目的タル財産ガ現存スルトキハ其ノ返還ヲ請求シ、現存セザルトキハ其ノ価額ニ付財団債権者トシテ其ノ権利ヲ行フコトヲ得ベキモノト解スルヲ相当トス」（大判昭一三・一〇・一二民集一七・二一一五（加藤正治・判民一二九事件））。

213　この判決は、多くの問題をふくんでいる。

まず、右の事案では、担保証券の差入を譲渡担保の設定とみるべきか、それとも権利質の設定とみるべきかの問題があり（加藤正治・判民昭和一三年度一二九事件評釈）、そして、後者と解するなら破産法八八条の適用は問題とならないわけだが、ここでは一応譲渡担保の設定であることを前提して、考えてみよう（加藤・評釈に質ではないかと疑っているが、取引員組合の受託契約準則からすれば譲渡担保であるようにおもわれる）。判決が、傍論的に、被担保債権不成立の場合に言及している点に関しても、問題があるが（四二(一)参照。なお、被担保債権不成立の場合は、破産宣告前に不当利得請求権が発生するから、財団債権ではなく、破産債権が成立するにすぎないことになるはずである）、その点は重要ではない。

本判決の本論は、むろん、いつたん成立した債権が譲渡担保権者の破産後に弁済により消滅した場合に関して、「担保ノ目的ハ不到達ニ終リ財産権ノ譲渡ハ其ノ原因ヲ欠クニ至ルベキヲ以テ、破産財団ハ譲渡人ニ対シテ不当利得ヲ為ス」ことになり、「財産譲渡人ハ破産財団ニ対シ目的タル財産ガ現存スルトキハ其ノ返還ヲ請求シ、現存セザルトキハ其ノ価額ニ付財団債権者トシテ其ノ権利ヲ行フコトヲ得ベキモノ」とする点に存する。判旨は、破産管財人への弁済により設定者が破産財団に対して取得するにいたつた不当利得返還請求権を、財団債権として認めようというのであろう（破産法四七条五号参照）。

この結論をみちびくにあたつて、判決が双務契約の解除された場合に関する破産法六〇条二項を援用している点も、正確ではない。譲渡担保設定契約は、それ自体としても、双務契約でない――いわゆる不完全双務契約である（Blass, Die Sicherungsübereignung im Schweiz. R. (1953), S. 62）――のは、もちろん、消費貸借と結合する場合にも（右の判決が双務契約に類比するのは、この点であろう）、金銭その他の物の交付と担保のための財産権移転とは相互に交換的関係に立つものではない（後者は前者に対して付従的関係にある）からである。それにもかかわらず、右の判決が破産法六〇条二項を援用したのは、譲渡担保の設定が消費貸借と結合する場合（譲渡担保が売買の形で行なわれる場合を考えよ）が双務契約に類似すること、したがつてまた、かような譲渡担保において弁済がなされた場合の当事者間の利益状況が双務契約解除の場合のそれと類似していることにかんがみ、弁済の場合に同条項と同じような結果を認めることが公平に適すると考えたからであろう。

それはともかく、判決は、弁済により設定者が財団債権を取得するにいたることを認めるものと考えられるのであるが、本判決の評釈たちは、こぞって、本判旨を設定者に取戻権を認めたものと理解している。

通説をとる学者は、被担保債権の不成立または消滅の場合にも、担保財産が譲渡担保権者（破産者）の信用の基礎をなしていることには変わりがないとして、本件の場合にも破産法八八条を適用すべきであると論じ（藤江・前掲）、あるいは、この事案では破産宣告前すでに清算取引は終了し、債務者が残存債務を支払いさえすればただちに目的物の返還を請求しうべき状態にあったのであり、破産管理人はこの権利状態を承継したにすぎないから、債務者は譲渡担保権者の破産にもかかわらず弁済によって目的物の返還を請求することができるのだ、と論じ、かような見地から破産法八八条の適用を否定し、設定者は八七条によって返還を請求しうるものとする（加藤・判民昭和一三年度一二九事件評釈）。

これに反し、破産法八八条を不当な立法とし、できるだけその適用範囲をせばめようとする立場をとる学者は、設定者が弁済した場合に契約の趣旨によって当然に設定者に復帰すると解される場合は、設定者は取戻権を有し、債権的に復帰する場合は、八八条の適用を受け、取りもどしは許されないとし、そして、本事案は前者の場合に属する、と解するのである（前野・（判例研究）新報四九巻五号七四四頁以下）。

しかし、本判決の意味は、次のように理解すべきであるとおもう。

第一に、本判旨は、従来の通説が弁済した設定者に破産債権しか認めないのに対して、財団債権を認め、しかも、単なる損害賠償請求権ではなく、不当利得返還請求権として、現物返還請求の可能性を認めた点において、注目すべきである。

第二に、本判旨は設定者の返還請求権を上のような性格のものとして把握しているが、譲渡担保において被担保債権が弁済によつて消滅した場合には、ほとんどつねに財産権が物権的に設定者に復帰すると考えられ（八二(三)(2)(ロ)参照）、そのように解しえないとしても、判例上は少なくとも設定者が物権に基いて請求しうる場合のあることが認められている（大判大五・一一・八（後出【132】）、大判大一五・八・三（後出【139】）（傍論））のであり、そして、設定者が所有権を背景とする請求権（いわゆる Herausgabeanspruch）をもつ場合には、破産財団に対する請求権は財団債権ではなく、取戻権と考えなければならない。したがつて、かような場合に関するかぎり、右の判旨は事実上設定者の取戻権を認めたことになるであろう。——ただ、本件の譲渡担保は、弁済によつて設定者にただちに物権的に目的物（有価証券）が復帰する場合とはいえない（本件の受託契約準則によると、受託者たる取引員は、担保証券を営業上の目的に使用しまたは同一銘柄の他の証券をもつて交換または返還しうることになつているから）から、この点は単に抽象的な意味しかもちえないであろう。

(3)　【127】は取戻権に直接ふれるものではなかつたが、設定者の取戻権を否定する破産法八八条は、解釈論としては、もちろん、立法論としても、考慮を要する条文である。

ドイツでは、すでに、一八七七年における旧破産法起草の際、取立の目的または担保の目的で裏書された証券について取戻を請求しうる旨が、承認されたのであるが、当然のこととして、とくにそのための規定は設けられなかつた。この沿革を背景とし、さらに、破産に際しての取戻については実質的・経済的帰属者がなにびとであるかによつて判断すべきだ、という実質的考慮にみちびかれて、――別の表現を用いれば、譲渡担保権者の受託者的性格を顧慮して――判例は、ひろく信託における信託者に取戻権を認めるにいたつたのである（この点については、岡松「信託行為の効力に関する学説を批判す」内外論叢一巻四号―六号、松本・前掲五一七頁・五五六頁以下がくわしい）。

わが国でも、近時、破産法八八条の「譲渡ノ目的ヲ以テスル財産ノ譲渡」を『売渡担保』の場合に限定すべきだという意見（石田・担保物権法論下巻六一二頁、六二五頁以下、浜上「譲渡担保の法的性質」阪大法学二〇号七〇頁）や、同条は国税徴収法（二四条）が最近納税義務者たる設定者の譲渡した譲渡担保財産から国税を徴収することができる旨を定めたことによつて廃止されたことになる、と考える見解（柚木「譲渡担保と新国税徴収法との解釈論的調整について」法曹時報一二巻五号五二九頁）が、出現していることは、ドイツの学説・判例に倣おうとするわが学界の姿勢を示しているものといえよう。破産法八八条はいずれは判例によつてか立法によつてか廃止ないし制限される運命にあるものといつてよいであろう。

三　第三者による目的物の侵害

（一）　不法占有　大判大六・一一・二五（前出【65】）は、目的物（動産）を不法に占有する第三者に対して譲渡担保権者が所有権に基く返還請求権を行使するのを認めたが、その理由が、譲渡担保権者が事案の場合において内外共に所有権の移転を受けたことにあるのか、それとも、譲渡担保権者がすでに設定者に対して賃料不払による賃貸借の解除を行なつたことにあるのかは、不明である。おそらく、本件では、内外共移転であるところから、設定者との賃貸借契約は有効、したがつて賃料不払による解除は有効で、それにより譲渡担保権者は終局的に所有権を取得した、という推論がなされているのではなかろうか。譲渡担保権者が終局的に所有権を取得するにいたらない段階においては（すなわち譲渡担保および設定者の利用権が存続するあいだは）、譲渡担保権者は不法占有者に対して設定者に返還すべき旨を要求しうるにとどまるものと考えるべきである。

（二）　目的物の不当な譲受・譲渡　次の判決【128】は、譲渡担保の目的物（仏壇および付属品）を第三者が取得してさらに他人に売却したのを、譲渡担保権者に対する不法行為としつつ、賠償額については、目的物の価格（三〇〇円）ではなくして被担保債権額（一〇〇円）によるべきであるとしている。ここにも、譲渡担保が——所有権の移転という形をとるにもかかわらず——担保として実質しか有しないことが現われているのである。

【128】　AはXから百円借用し、その返還義務を担保するために仏壇および付属品を「売渡担保」に供したが、Yはそれを取得してBに売却。XはYの行為を不法とし、右物品の価格に相当する三百円の損害賠償を請求。原審はYに不法行為の責任があるとして、Xの請求を認めたので、Y上告。破毀差戻。

「仍テ案ズルニ原裁判所ハ係争ノ仏壇及附属品ハ訴外AガXヨリ金百円ヲ借入レタル際之ガ返還義務ノ履行ヲ確保スル為同人ヨリXニ売渡担保ト為シタルコトヲ認メ、而シテYガ係争物品ヲ取得シ之ヲ他人ニ売却シタルハ不法行為ナリトシ右物品ノ価格ニ相当スル金三百円ノ損害賠償ヲYニ命ジタリ。然レドモXハ前示ノ如ク右物品ニ対シ百円ノ債権ニ付テノミ担保権ヲ有スルモノナルヲ以テ、仮令原裁判所認定ノ如クYニ不法行為ノ責任アリトスルモ、特別ノ事由ナキ限リ、Xハ単ニ百円ニ付テノミ請求権ヲ有スルニ過ギザルモノト謂ハザルベカラズ」（大判大一二・七・一一 新聞二一七一・一七）。

七　譲渡担保関係者の地位の承継

一　譲渡担保権者の地位の承継

（一）　相続　次の大審院判決【129】が示すように、譲渡担保権者の地位は——外部的移転の場合でも——当然に相続人によつて承継される。この点、純正信託の場合（信一五条）と異なる。けだし、譲渡担保権者としての地位は単なる受託者としての地位にすぎぬものではなく、受託者としての地位と自己固有の利益とが結合して独自の経済的価値を形成しているものと考えられるからである（二四末段参照）。

【129】　Aが上告人先代に対する債務のために、A所有の不動産を担保に供した。訴訟は、この上告人と第三者（被上告人）とのあいだで生じており、被上告人がどのような立場にある者か不明である（原告の請求は登記抹消請求となつているところから推測すれば、あるいは、権限なくして不動産の登記を取得した者に対し、債権者から登記の抹消を請求するものであろうか）。原審は、担保として提供されたものだから、不動産の所有権は依然Aにあるとして、上告人を敗訴させた。上告人は所有権の移転あることを主張して上告。相続の点が直接問題になつているわけではない。

「債務者ガ債務ノ弁済ヲ確保スル為自己ノ不動産ヲ売買名義ヲ以テ債権者ニ担保ニ供シタルトキハ特別ノ事情ナキ限リ少クトモ第三者即チ外部関係ニ於テハ之ガ所有権ヲ債権者ニ移転スルモノト解スルヲ相当トス。蓋若然ラズトセムカ、債務者ガ弁済期ニ其債務ノ弁済ヲ為サザル場合ニ債権者ハ其ノ不動産ヲ売却シ其ノ得タル金員ヲ以テ債権ノ弁済ニ充ツルコトヲ得ズ、従テ債権担保ノ目的ヲ達スルニ由ナレバナリ。故ニ原審ニ於テ叙上ノ如ク本件不動産ガ訴外Aニ於テ債務ノ弁済ヲ確保スル為所謂売渡担保トシテ上告人先代ニ提供セラレタル以上ハ、特別ナル事情ナキ限リ外部関係ニ於テハ之ガ所有権ハ上告人先代ニ移転シ、従テ之ガ家督相続人タル上告人ヲ以テ所有権者ト認ムベキモノナルニ拘ラズ、事玆ニ出デザリシハ不法」（大判昭七・一・二九新聞三三七二・九、評論二一・一七二）。

もつとも、譲渡担保権者として地位の承継は、それ自体として独立に行なわれるのか、それとも被担保債権に付随するものとして承継されるかは、少なくとも右の判旨からは明らかではない。右の判決の表現は前者のように見え、そして、譲渡担保が所有権の移転という形式をとる以上、前者のように考えることが可能なことも、いうまでもない。しかし、譲渡担保の担保的性格を強調するときは、債権に付随して相続されるものと考えるべきであり、判例の立場としてもそれを排斥するものではないようにおもわれる（たとえば大判昭二一・一〇・二六（前出【87】）や大判明三八・九・二九（後出【141】）は附従性・附随性を認めている）。

（二）　特定承継

(1)　債権の譲渡があれば、特約なきかぎり、譲渡担保権もそれに随伴するものとされる（大判明三八・九・二九（後出【141】））。譲渡担保は所有権移転の形式をとるから、債権の譲受人は所有権を譲り受けることになるが、それは担保としての信託的拘束を受けた所有権であつて、結局は、譲渡担保権（あるいは譲渡担保権としての地位）を譲り受けることになるのである。かように、譲渡担保権は債権に対して従たる権利としての地位を有するが、それは一応は譲渡当事者間の内部関係に関することであつて、設定者との関係においても有効な移転があつたと見られるかどうかは、また別問題である（この点については(2)参照）。

譲渡担保の所有権的構成に忠実に考えるならば、譲渡担保権の随伴性は否定されるであろう（Enneccerus, Sachenrecht, § 179 Ⅲ 26 はド民一一五三、一一五〇、四〇一の適用を否定している）。上の判決のようにこれを肯定することは、譲渡担保の担保的性格を明確ならしめるものとして、譲渡担保の《信託行為》としての発展法則に従うものということができよう（なお八五参照）。

(2) 譲渡担保権者の地位の譲渡は、譲渡担保権者と譲受人のみによって有効に行ないうるか、それとも、さらに、譲渡担保関係上の債務の引受をともなうものとして、債務引受の一般原則にしたがい設定者の同意を必要とするか。

次の判決【130】は、――外部的移転の場合に関し――譲渡担保権は負担つき権利だから、その権利の移転は当然にその負担をともなうもので、その負担に対する権利者すなわち設定者の協力を要しないものとしている。

【130】 外部的移転の譲渡担保において、担保権者Aから債権とともに目的物の名義移転を受けたXが、債務者Yに対し、賃貸借契約の終了を理由として目的物の引渡を請求。原審は、本件の譲渡担保は外部的移転だからAY間の賃貸借は虚偽表示であるとするとともに、他方、XはAから「売渡担保権」を承継したものであると認定し、Xは賃貸借の終了を理由として目的物の引渡を請求しえないと判示。X上告し、第三者からみればAY間の関係は債務にすぎないから、Aの有する権利状態を第三者に移転するには、所有権とともに債務者に対する債務関係を移転せねばならず、後者のためにはその債権者にあたるYの協力が必要なのに、Yは譲渡行為に加わっていない、と主張した。

「本件ニ於テAノ有シ居リタル売渡担保権ハ其外部関係ニ於テ得タル担保物ノ所有権ヲ内部関係ニ於テハ担保ノ目的以外ニ処分スベカラザル負担附権利ニ外ナラザルヲ以テ、斯ル場合ニ於ケル権利ノ移転ハ当然其負担ヲ伴フベク、敢テ其負担ニ対スル権利者ノ協力ヲ要スルモノニ非ズト謂ハザル可ラズ」（大判大八・六・二三民録二五・一〇七四）。

譲渡担保の所有権的構成にあつては、譲渡担保権者は完全な所有権を有し、それを担保の目的以外に行使してはならない拘束は、設定者に対する単なる債務にすぎないものと考えられる。したがつて、譲渡担保権者の地位の移転には、この債務の引受について権利者にあたる設定者の承認が必要だということになるであろう。しかし、右の判決は、少なくとも外部的移転の場合に関するかぎり、そのようには考えないのである。判旨は、設定者に残された権利はいわゆる内部的所有権で、譲渡担保権者のがわから見ればいわば物権的負担であるから、債務引受とみる必要がない、というのであろう。したがつて、その判例価値はさしあたり外部的移転の場合に限定するほかはないであろう。

しかし、右の判決が外部的移転の場合についてかような結果を認めたことは、譲渡担保権が所有権移転の形式を借用する信託行為たることから独立の担保権へと成長していく過程の反映にほかならない、と考えられるのである。内外共移転の場合にしても、債権の譲渡があれば譲渡担保権がそれに随伴するのみならず、その際とくに設定者の同意を要しない、とする必要があるのではなかろうか。譲渡担保権者が一種の受託者として設定者に対し信頼関係に立つことは疑いないとしても、譲渡担保権のように、その権利者に固有の利益を与え、しかも、被担保債権と一体を成してその経済的価値を強化する機能をいとなむ権利にあつては、それにともなう信頼関係は、persönlichなものとしてではなく、できるだけ sachlich に捉えられなければならないからである。

(3)　所有権の取得か譲渡担保権の承継かの認定

譲渡担保が所有権移転の形をとるところから、譲渡担保権の譲渡が所有権の譲渡という形をとることも、不自然ではない。したがつて、譲渡担保権者から目的物を譲り受ける行為があつた場合には、完全な所有権の譲渡かそれとも譲渡担保権の譲渡であるか、という問題を生ずる。

すでに引用した大判大八・六・二三（前出【130】）は、譲渡担保権者が老年になつたことと家政整理の必要上、事情を告げて、担保つき債権を譲渡した例であり、譲渡担保権（「売切抵当」）の承継を認めた一下級審判決（盛岡地判裁判年月日・事件番号不明新聞九四九【大三・七・一〇】・二六）も、譲受人が「売切担保」の目的物であることを知りながら、債権とともに売買名義で譲り受けた場合に関するものであつた。これらに示されるように、譲渡担保の目的物であることを知りながら、債権とともに譲渡担保の目的物を譲り受ける行為は、譲渡担保権の譲受と認めてよいであろう。そして、一般に、債権とともに譲渡担保の目的物を譲り受ける行為は、譲渡担保権の譲受と推定してよいであろう。

なお、譲渡担保権が共有されている場合に、共有者間に持分の譲渡が行なわれても、譲り受けた持分についても信託的拘束が及ぶ旨の判決（大判大八・六・二四（前出【120】））のあることは、すでに述べた。

二　設定者の地位の承継

この問題を正面から取り扱つた判例は、見当らないが、大判大九・六・二（前出【115】）が参考になる。この判決の趣旨によれば、第三者が譲渡担保権による拘束を承知しながら設定者から目的物を譲り受けることも可能であり、そして、その場合には、譲受人は正当な利害を有する第三者として弁済することができることになる（六一(二)参照）。

なお、第三者が債務を引受けつつ設定者としての地位を承継する場合も考えられる。この場合には、債務の引受につき、一般原則にしたがつて債権者の承認(免責的債務引受の場合)または受益の意思表示(併存的債務引受の場合)を必要としよう。

八　譲渡担保の消滅

一　譲渡担保権の実行

譲渡担保権の実行によつて譲渡担保は消滅するにいたるが、この場合の要件や効果については、すでに随所で述べた(五五・三(二)(ロ)・四など(4))。ただ、その場合の効果についてひとつだけ補足しておかなければならない。

それは、流質型(代物弁済型)の場合において、債務者が流質までに支払つた元利の償還を請求することができるか、という問題である。その償還を認める一下級審判決【131】があるが、そのような約旨だつたし、目的物の価格が債務額をいちじるしく越えている場合に関するもので、判旨は抽象論にしかすぎない。しかし、債権者が目的物を占有・利用する場合は、すでに支払つた元本について、また、目的物を占有しない場合は、元本であると利息であるとを問わずすでに支払つた金額全部について、債務者の償還請求を認めるべきであり、その意味で、この判決の理論は支持するに値するものとおもわれる。

【131】　貸付元金総額をいちじるしく超過する山林について譲渡担保が設定され、当事者間に、流質の特約と同時に、流質の場合には、すでに支払われた金額は返還すべき特約があつた。

「消費貸借上ノ債務ヲ担保スルノ目的ヲ以テ動産不動産ヲ譲渡シ一定ノ期間以内ニ右債務ヲ弁済スルニ於テハ其ノ担保物ノ返還ヲ求メ得ル旨ノ契約ヲ為ス場合ニ於テ、而モ其ノ担保物ノ価格ガ著シク債務額ヲ超過スル場合ニ在リテハ、若シ右期間内ニ債務ヲ完済スル能ハザルトキハ貸主ハ右担保物ヲ処分シ以テ右債務ノ弁済ニ充当シ其ノ処分シテ得タル金額ニシテ債務ノ額ヲ超過スルニ於テハ其余剰ヲ借主ニ返還スベキ旨約定スルヲ通例ト為スベク、本件ノ如ク債務不完済ノ場合ニ貸主ガ其ノ担保物ノ所有権ヲ確定的ニ保有シ其ノ価額ガ債務額ヲ超過スルモ之レヲ借主ニ返還スルヲ要セズト為スガ如キハ又本件ノ如ク特別ノ約定アル場合ニ限リ然ルモノトス。サレバカクノ如キ特別ノ約定アル場合ニ於テハ、其ノ担保物ハ貸金元金ノミナラズ該期間内ノ利息全額ヲモ担保スルモノト解スベク、従テ右期間内ニ元本ハ固ヨリ毫末ノ利息ノ支払モナキトキト雖借主ハ担保物ノ所有権ヲ確定的ニ失フコトニ因リ右元利金額ノ債務ヲ免ルルモノニシテ、従テ又一部元利金ノ支払ヲ為シタルモ全額ノ支払ヲ了セザリシガ為該担保物ノ所有権ヲ永久ニ失フ場合ニ在リテハ、ソレ迄ニ支払ヒタル元利金ハ之レガ返還ヲ請求シ得ベキモノト解スルヲ妥当トスベク、貸主ハ元利金額ノ支払ニ代フベキ担保物ノ所有権ヲ保有シ而カモ既ニ支払ハレタル一部元利金ヲモ其儘取得シテ二重ニ利得ヲ為スヲ認ムルガ如キハ、カカル契約ヲ為ス当事者ノ通常ノ意思ニアラズト解ス」(東京控判昭九・一〇・三〇新聞三七九一・一三、新報三八三・九)。

二　弁　済

一般には、債務の弁済があれば、設定者は譲渡担保権者に対して目的物の返還を請求することができる、ということができる。

(一)　債務の弁済と目的物の返還請求とは同時履行の関係に立つものではなく、まず債務を弁済する必要があるものとされることは(大判昭二・一〇・二六(前出【87】))、すでに述べた。

(二)　債務の弁済は僅少の不足があってもよいが(大判昭一〇・六・八(前出【82】))、弁済額が債務を消滅させるに足るものであることは、債務者の方で立証しなければならない、とされること(大判大一一・三・一五(前出【83】))も、すでに述べたとおりである。

(三)　返還請求しうる根拠

(1)　外部的移転の場合

(イ)　次の大判大五・一一・八【132】は、弁済期限の定めのない譲渡担保において、債務者が譲渡担保設定からは一〇年をはるかに経過して供託したが、供託からはまだ一〇年を経過しない時期に、債権者に対し給付の返還(登記の抹消)を訴求した場合に関し、外部的移転の譲渡担保にあつては債務者は内部的所有権をもち、その所有権に基いて返還請求権を有するのであるから、その請求権は時効にかからない、と判示した。

【132】　Xは明治一八年に不動産を債務担保のためにYに売り渡し、登記をした。明治二六年、Xは内金を弁済するとともに、その際、残金を弁済すれば所有権を返してもらえる旨の証書をもらつた。大正四年Xから残金供託の通知を発し、弁済(供託)があつたとして、Yに対し所有権の確認と登記抹消を訴求。Yは、Xが債務を弁済して目的物を取り戻す権利はすでに時効消滅している、と抗弁。原審は、売主(X)に対し抹消手続をなすべき債務は弁済と同時に発生し、それからまだ一〇年経つていないから、Yの抗弁は理由がない、としてXの請求を認めた。Y上告して、一、期限の定めのないときは、譲渡担保設定と同時に、弁済して目的物の返還を請求する権利の時効は進行を開始するはず(したがつて、供託前すでに一〇年以上経過している本件ではXは弁済して目的物を取り戻すことができない)、二、抹消登記ではなく移転登記ではないか、と主張。第二点については【152】参照。

「原審ハ本件不動産ノ売買ヲ以テ、債権担保ノ為メニスル売渡抵当ニシテ、第三者ニ対スル外部関係ニ於テ所有権ハYニ移転スルモ、当事者ノ内部関係ニ於テハ所有権ハXニ存スルコトヲ認定シタルモノナルヲ以テ、本訴ノ返還請求権ハ即チXノ本訴不動産ニ付キ有スル所有権ニ基ク物的請求権ナルヲ以テ、原権タル所有権ト離レ単独ニ消滅時効ニ罹ルモノニアラズ。原審ガ此返還請求権ニ対立シテYノ負担セル返還義務ヲ以テ債権関係ニ基ク債務ナリト誤解シ論旨摘録ノ如キ判示ヲ為シタルハ、法規ノ解釈ヲ誤ル失当アルモ、原審ハYノ抗弁ヲ排斥シタルモノナルヲ以テ、結局正当ナルニ帰シ破毀ノ理由ト為ラズ」(大判大五・一一・八民録二二・二一九三)。

右の判示の意味は、かならずしも明確とはいえない。そもそも、本件で問題となっている返還請求権の時効には二種あって、被告(Y)がわ(したがってまた上告理由も)は、債務者が弁済して取り戻す権利の時効を主張しているのに対し、原審は、弁済によって発生した返還請求権の時効を考えているのに、判示はどちらとも明言していないからである。判旨については、次の三つの解釈が可能である。

第一に、二種の請求権のどちらもが設定者の内部的に留保された所有権に基くものとして、時効にかからぬという趣旨であるとも考えられる。

第二に、原審の判決は、抹消手続をなすべき債務は債権消滅の時(つまり供託の時)と同時に発生し、時効もそのときから進行する、と述べており、これに対し、本判決は、原審がYの返還義務を債権関係に基く債務と解した点を非難するのみで、Yの抗弁を排斥したのは正しいとしているのであって、このことからすれば、判示は、弁済した時に発生する返還請求権に関する判断であるとも考えられる。

しかし、第三に、判示を上告理由に対する解答としてみるときは、弁済して取り戻す権利が時効にかからぬ旨を述べているようにもとれるのである。

このいずれであるかを断定することは、困難である（弁済して取戻す権利の時効なるものを考えるべきかどうかは、疑問であるが（四参照）、そのことはここでは問題ではない）。ただ、どちらの返還請求権を考えても、判例の外部的移転の理論からは、おそらく時効にかからないということになるのであろう。

（ロ）　目的物が不動産である場合には、債務者の取得する登記請求権が抹消登記を求めるものであるか、それとも移転登記を求めるものであるかが、かつて問題となつたが（九二（六）参照）、これも、債務者が弁済に際して取得する返還請求権の性質と無関係ではない。外部的移転の場合には、はじめから所有権の移転がなかつたものとして抹消登記の方法をとることも、考えられるからである（これに反し、内外共移転の場合なら、抹消登記ということは考えにくい）。しかし、判例は、抹消登記を請求しても移転登記を請求してもよい、とするにいたつたので、この問題は重要性を失なうことになつた。

（ハ）　とにかく、以上のような判例の態度から、外部的移転の場合には、設定者は所有権に基いて返還請求するものと考えられていることを、推知することができるであろう。しかし、他方、最判昭三四・九・三（後出【135】）は、――弁済後の出来事であることを充分意識してはいないようであり、また原告の主張を前提したにすぎぬものであろうが、――外部的移転の譲渡担保において弁済後譲渡担保権者（実際は第三者たる受託者）が目的物を処分したのを債務不履行と呼んでいる。判例は、外部的移転の場合における設定者の返還請求権を、所有権に基くものであるとともに、契約に基くものと考えていると解してよいのであろうか(この問題についてはなお(六)参照)。

(2) 内外共移転の場合

(イ) 大判大一五・八・三(後出【139】)は、傍論的ではあるが、内外共移転の場合にも、弁済によつて当然に債務者に復帰する場合と債権者が移転義務を負う場合があり、それは当事者の意思で決まる、としている。

弁済によつて財産権が当然に債務者に復帰すべき旨を定めた場合には(大判昭八・四・二六(前出【4】)が傍論的にあげるような、弁済を解除条件として財産権を債権者に移転する場合も、これに含まれよう)、弁済によつて債務者は当然に財産権を回復し、ただちに所有権の確認を求めることさえも可能である(長崎控判明四一・五・一三【133】——これは、内外共移転を想定するものではないが、権利移転の態様に関係なく妥当することである)。

【133】 「法律ニハ所謂売渡抵当ナル一種ノ法律行為ニ付キ特別ノ規定ヲ設ケザルニヨリ、債務ノ履行ヲ担保スル為メ売買名義ヲ仮装シ債務者ヨリ債権者ニ対シ不動産所有権ノ移転登記ヲ為シタル場合ニ於テ、其法律行為ノ性質効力ハ結約者間ノ約旨如何ニ依テ異リ法律上一定スルモノニアラズ。従テ斯カル法律行為ハ常ニ必シモ其所有権移転ノ効果ヲ生ジ且債務者ハ売渡請求ニ依ルノ外債権者ニ対シ所有権確認若クハ其登記抹消手続ノ請求ヲ為シ得ル途ナキモノト論定スルヲ得ズ。何トナレバ、結約者ハ債権者ニ其所有権ヲ移転セシメザルコトヲ約シ表面上ノミ右ノ如キ登記ヲ為スコトアルベク、又一応其所有権ヲ移転セシムル〔モ〕債務ノ弁済若クハ其弁済ス可キモノノ供託ヲ為シタル如キ場合ニ於テハ其担保物件ノ所有権ガ当然債務者ニ復帰シ、債権者ハ自己ニ対スル前キノ登記ヲ抹消スル手続ヲ履行ス可シトノ約旨ノ下ニ右ノ如キ法律行為ヲ為スコトアルベキヲ以テナリ」(長崎控判明四一・五・一三新聞五〇二・九)。

財産権の復帰を買戻または再売買予約完結の意思表示によつて行なうという形をとる場合にも、原則として、その意思によって当然に所有権が復帰するものと解すべきであろう（もっとも、大判大五・九・二〇（前出【20】）の事案のように、弁済すれば債務者の買戻の請求に応じて債務者に売戻すべき旨の特約がある場合などは、その原審判決のように、債務者が借用金と賃料を支払い所有権の移転を請求するときは、債権者はこれに応じ係争物の所有権を債務者に移転すべきことを約したものであると解釈する余地はある）。債権行為によって原則として同時に物権的効果を発生するという、物権変動に関する判例理論の一環として、そのような結果が認められるのである（『譲渡担保』に関するものとはいえないが、買戻につき大判明四一・七・八民録一四・八五九、再売買の予約につき大判大二・一〇・二五民録一九・八五七は、所有権の当然復帰を認める）。

それなら、単に、弁済に際して債務者に所有権を移転すべき義務が約束された場合にも、同じように、目的物の所有権は弁済により原則として当然に債務者に復帰することになるのではなかろうか。そうだとすれば、内外共移転の場合も、事実上、外部的移転の場合と異ならなくなるであろう。ただ、譲渡担保に関して一般的にこのことを確認させるに足る判決は、見当らない。――上の大判大一五・八・三（後出【139】）が、債権者が移転義務を負う場合というのは、当然復帰をとくに制限した場合を指すのか、それとも、単に所有権復帰の約束されたにすぎぬ場合を指すのかは、かならずしも明らかでないが、もし後者だとすれば、この場合には、上述のように、物権変動に関する判例理論の結果、移転義務を負う場合の大部分は、弁済によって当然に所有権が復帰することになるであろう。

（ロ）　大判昭一三・一〇・一二（前出【127】）は、内外共移転と考えられる場合（この点は明確でないが、連合部判決後の判決であること、判決の推論の仕方などからそのように考えられる）に関し、「被担保債権消滅シタル場合ニ於テハ担保ノ目的ハ不到達ニ終リ、財産権ノ譲渡ハ其ノ原因ヲ欠クニ至ルベキヲ以テ」譲渡担保権者は不当利得として目的物またはその価額を返還しなければならない旨を、判示している。これは、すでにふれたように譲渡担保について財産権復帰の方法に関する取りきめがなくとも、設定者は、弁済によつて少なくとも所有権（またはその価額）に関する不当利得返還請求権を取得することを、述べたものと考えられる。

しかし、一般的にいえば、譲渡担保にあつては、弁済に際して財産権の復帰する旨を約することは、意思表示の不可欠の内容をなすものと考えられる（四三(二)(1)(ロ)）。したがつて、その点に関する明示の取りきめがなくても、当該取引が譲渡担保契約と認定されるものであるかぎり、なんらかの財産権復帰の方法を認めざるをえず、そして、その場合には、――内外共移転の場合に関するかぎり――財産権を移転すべき債権的契約（それは、原則として、同時に物権的効果をも発生するであろうが）が推定されることになるであろう。

（四）　弁済における譲渡担保権の附従性

譲渡担保は「債務ノ弁済ヲ確保スル為ニ為スモノ」であるから、債権が消滅する以上、譲渡担保権者が目的物を設定者に返還すべきは当然であり（大判昭二・一〇・二六（前出【87】）（傍論）、大判昭二・一二・一七（後出【136】）（時効消滅に関す））、この意味においては、すべての譲渡担保権は附従性を有するものといえる。

もし附従性を厳格に解して、譲渡担保権の目的物が債権の消滅によつて当然に復帰することを、消滅における譲渡担保権の附従性というなら、譲渡担保権は外部的移転の場合にのみこの附従性を有し、内外共移転の場合にはこれを有しないように見える（植林・前掲・法学雑誌七巻一号八一頁註一は、日本の判例は、譲渡担保権が附従性を有しないことを認めるようである、という）。しかし、内外共移転の場合にも、かような意味における附従性と同じ機能は、所有権復帰に関する当事者の合意によつていとなまれうることに、注意しなければならない。そして、譲渡担保契約にあつては、その意思表示の不可欠の内容として、なんらかの財産権復帰の方法が合意されたものと考えられなければならないものとすれば、――債権行為にも原則として物権的効果が付与される結果――譲渡担保権は、消滅に関して一般の担保物権と同じようにほとんどつねに附従性を有することになるであろう。譲渡担保は、所有権の移転という形式をとりながら、現実には、――弁済の際の附従性に関しても――独立の担保としての性質をもちうるものということができるのである。

（五）　弁済後第三者に返還すべき旨の約束があつた場合

債務者が弁済すれば債権者は目的物（不動産）を第三者（債務者の子）名義に移転登記をなすべき旨の約束があつたのに、債務者が、弁済のうえ、自分自身の名義に移転登記をなすべきことを請求した事件において、次の【134】は、この請求を容認した。事案は不動産に関するものであるが、むろん動産その他の目的物についても類推適用しうるであろう。

【134】　Xは土地をYに「売渡抵当」とし、元利金を弁済すればいつでもYからXの子Aの名義に所有権の移転登記をなすべき旨の契約があつた。Xは弁済して、自己への移転登記を請求する。原審はこれを認めなかつたので、X上告。

「元来売渡抵当ナル名称ハ売渡ト云ヒ抵当ト云フ其意義ニ於テ両立セザル字句ヨリ成立スルモノニシテ、文字上ニ於テ特定ノ法律的概念ヲ表示スルニ足ラザルノミナラズ、法律上ニ於テ特定ノ意義ヲ有スルモノニ非ズシテ、時ト場合トニ依リ便宜上或権利関係ヲ表示スル為メニ用ヒラルルモノニ過ギザレバ、裁判上売渡抵当ナル名称ヲ使用シタル場合ニ於テ其名称ノ表示セントスル権利関係ヲ具体的ニ判示スルニ非ザレバ其売渡抵当ノ裁判上ノ意義ヲ領解スルニ由ナシ。而シテ原判決ノ理由ニ於ケル売渡抵当ナル名称ハ、原裁判所ガ其欲スル意義ニ於テ使用シタルモノナルベシト雖モ、判決理由ノミニ依テハ其意義ヲ明確ニ捕捉スルヲ得ズ。然レドモ其名称ハXノ使用シタルモノナルニ基クモノニシテ、XハXガYヨリ金一千五百円ヲ利息附ニテ借受ケルニ方リ其債務ヲ担保スル趣旨ニ於テ、Xヨリ其所有ノ本件不動産ヲYニ譲渡シ、Xガ其元利金ヲ支払ヘバ何時ニテモ其不動産ノ所有権ヲ取得シ得ベキ契約ヲ為シタル事実ヲ主張シ、其契約上ノ権利関係ヲ表示スルガ為メニ便宜上売渡抵当ナル名称ヲ用ヒタルコトハ、原判決及ビ其引用シタル各事実摘示ニ照シ明白ナルヲ以テ、原判決ノ理由ニ於ケル売渡抵当ナル名称モ亦Xノ使用セル意義ト同一意義ニ於テ使用セラレタルモノト解スルヲ相当トス。従テ原判決ガ其理由ノ前段ニ於テ叙上ノ如ク本訴ノ地所ハXヨリYニ売渡抵当ト為シタル事実ヲ認定シタル以上ハ、XハYニ債務ヲ弁済シテ其地所ノ返還ヲ請求スルコトヲ得ルモノト謂ハザルベカラズ。然ルニ、原判決ハ、其理由ノ後段ニ於テ、XガYニ元利金ヲ返済スルトキハ何時ニテモXノ子Aノ名義ニ所有権移転登記ヲ為スベキ旨ノ契約アルコト、及ビXノ所有名義ニ移転登記ヲ為スベキ契約ナキコトヲ認定シテ、Xガ債務ノ弁済ヲ為ストモ本件地所ノ所有権ヲ取得シ得ザル旨ヲ判示シタルハ、其前段ニ於ケル売渡抵当ノ意義ト矛盾スルモノニシテ、原判決ニハ結局理由不備ノ違法アリト謂フベク、従テ論旨第一点ハ理由アリ。若シ原判決ノ後段理由ノ趣旨ニシテ、Xハ債務ノ弁済ニ因テ其所有権ヲ取得スベキ本件ノ地所ヲ其子Aニ贈与スル別個ノ契約ヲYト締結シ之ニ依テ売渡抵当ノ効力ヲ制限シタリト云フニ在ラバ、Xガ債務ノ弁済ニ因リ其所有権ヲ取得スベキ本件地所ニ付キ自己ノ為ニ移転登記ヲ為スベキ契約ヲ締結シタルト否トヲ問ハズ、Xハ債務ノ弁済ニ因テ取得シタル所有権ノ効力トシテ先ヅ本件地所ニ付キ所有権移転ノ登記ヲ為シタル上、Aガ利益享受ノ意思ヲ表示シタル暁ニ於テ同人ニ対シ贈与ニ因ル所有権移転ノ登記ヲ為スベキ義務ヲ負フモノニシテ、X対Y間ノ贈与契約ニ因リテXハ自己ノ為メニ所有権移転ノ登記ヲ強要スベキ権利ヲ失フモノニ非ズ」（大判大一一・三・二 新聞一九七八・一九）。

この判決が、第三者（A）に返還すべき約旨にもかかわらず債務者（X）本人の返還請求を認めることの根拠として、あげるのは、次の二つである。

第一に、「売渡抵当」では、「ＸハＹニ債務ヲ弁済シテ地所ノ返還ヲ請求スルコトヲ得ルモノ」である。しかるに、原審が、Ａ名義に移転すべき旨の契約があり、Ｘ名義に移転すべき契約のないことを認定して、Ｘが弁済しても地所の所有権を取得しえないと判示したのは、「売渡抵当」の意義と矛盾する。

第二に、Ｘが債務の弁済によつて所有権を取得すべき地所をＡに贈与する別個の契約をＹと締結し、これによつて「売渡抵当」の効力を制限したというのなら、Ｘは弁済によつて取得した所有権の効力として、まず所有権移転の登記をしたうえで、Ａが受益の意思表示をしたときにＡに対し贈与による所有権移転登記をなすべき義務を負うにすぎぬもので、ＸＹ間の贈与契約によつてＸは自己のために所有権移転登記を強要すべき権利を失なうものではない。

しかし、判決のあげるこれらの理論には、それぞれ問題がある。

第一に、譲渡担保においても、弁済による目的物の返還に関して『第三者のためにする契約』(第三者約款)を付することによつて、債務者の指定する他人(本件ではＡ)に目的物を返還すべきものとすることが可能でなければならない。

第二点で判決がこの契約に与えている構成は、まさにかような『第三者のためにする契約』であるとおもわれるが、それなら、その契約をそのままにして、いきなり要約者(Ｘ)が諾約者(Ｙ)に所有権移転登記を請求しうることは、許されないのではないか。第三者(Ａ)の受益の意思表示があるまでは、第三者のためにする契約の当事者(ＸとＹ)は、合意によつて、第三者の権利を消滅させることも許されるが（民五三八条の反対解釈）、ともかく、譲渡担保契約に付加された『第三者約款』の部分を変更することなしには、Xは当然にはYに対し移転請求権を有しない、といわなければならない。この点、判決は不正確である。

それにもかかわらず、その結論はかならずしも不当ではないとおもう。というのは、第三者の権利はXYの合意によつて消滅させなければならないとしても、第三者に返還すべきことは要約者（X）の権利と意思に基くものであるから、諾約者（Y）が第三者の権利の消滅（原則に帰つて要約者に返還すべきこと）について特別の利害を有するのでなければ、要約者がわの第三者約款の撤回の申出を拒絶することは、権利の濫用として、許されないことといわなければならない。要するに、要約者は、原則として、第三者約款を撤回することができるものと考えるべきであり、かような見地からすれば、Xの自己への移転の要求は、その撤回の意思表示をふくむものと解され（それに、Aの受益の意思表示もなかつたのであろう）、したがつて結局は、判旨の結論に帰着することになるのである。

(六) 弁済後の譲渡担保権者の不当な処分による責任の性質

(三)で述べたように、外部的移転の場合はもとより内外共移転の場合にも、弁済によつて目的物の所有権は設定者に物権的効力をもつて復帰することになるから、譲渡担保権者が弁済後に目的物を不当に譲渡したり滅失毀損させた場合には、設定者の所有権に対する侵害となり、したがつて、不法行為ということになるのであろう（勝本・前掲二六五頁註一は、債務者が弁済したときは所有権は債務者に復帰するがゆえに、その後の債権者の信託違反行為は所有権に対する不法行為を構成する、としている）。ただし、すでにふれたように、最判昭三四・九・三（後出【135】）は、——明確な意識の有無は疑問ではあるが——

外部的移転の譲渡担保において弁済後譲渡担保権者（実際は第三者たる受託者）が目的物を処分したのを、債務不履行と呼んでいる。弁済期前の譲渡担保権者の処分についても、外部的移転の場合には——請求権の競合を前提とするかぎり——不法行為かつ債務不履行の性質を有するものと解すべきだという学説（四宮の見解）があつたが、弁済期後の場合についても、譲渡担保権者の不当処分は、設定者の所有権を侵害する不法行為であるとともに、譲渡担保権者の目的物返還義務ないし善管義務に違反する債務不履行でもある、と考えることが可能であり、最判昭三四・九・三（後出【135】）が原告の主張に従つて「債務不履行」と呼んだことも、かような立場からは是認されることになろう。そして、この外部的移転の場合に関する結論はまた内外共移転の場合にも推及しうるものであることは、あらためて指摘する必要もあるまい（五六(二)(1)参照）。

（七）　弁済後譲渡担保権者が目的物を第三者に不当に処分した場合、譲受人からの返還請求に対して、設定者は譲渡担保権者に対する損害賠償請求権を根拠として留置権を主張することができるか。不動産の場合に関してであるが、最判昭三四・九・三【135】は、設定者は譲渡担保権者に対する損害賠償請求権を譲受人に対抗しえないことを理由として、問題を否定している。動産の場合でも、同じ結果になるであろう（ただ、動産の場合には、六一(二)(2)(ロ)の問題を生ずる）。

【135】　債務者Yが債権者Aの子Bに「売渡担保」として不動産の所有権を移転（外部的移転）。Bがそれを勝手に処分（処分行為は弁済後のことに属するが、その点は問題となつていない）、転々して、現在Xが登記をもつている。XがYに明渡を請求したところ、Yは、すでに借受金はAに弁済しているから、ABに対して担保物返還義務不履行による損害賠償債権を有するとし、これに基いて留置権を主張。原審は、AB

の債務不履行と本件不動産とのあいだには一定の牽連関係がないとして、Yを敗訴させた。Yは、二九五条の解釈を誤まった違法がある、として上告。

「原審が確定した事実関係の下では、所謂損害賠償請求権は、訴外A、Bに対して存するは格別、Xにはこれを対抗しえないのであるから、原判決が、右A、Bの債務不履行と本件不動産との間には、所論留置権発生の要件たる一定の牽連関係がないと認めた一審判決を支持し、Yのこの点に関する主張を是認しなかったのは正当であつて違法はない」（最判昭三四・九・三民集一三・一一・一三五七）。

債務者が弁済すれば目的物は原則として当然に設定者に復帰するであろうが、その後に譲渡担保権者から目的物を譲り受けた者は、二重譲渡における第二の譲受人にあたることになり、設定者よりも先に対抗要件を備えれば、これに優先することになる（本件では譲受人は登記を取得している）。したがつて、本件のXは目的物の占有者Yに対して所有権に基く返還請求権をもつことになる。Yは、目的物を他人に譲渡してYの権利を失なわせた譲渡担保権者に対して損害賠償債権を有するわけだが、その損害賠償債権は譲渡担保の目的物の代物であり、そして、Yはその目的物について所有権者であることをXに対しては主張しえない立場にあるから、その損害賠償債権を根拠として留置権を主張することは許されない。判旨はかような趣旨であると考えられる。

しかし、学者のなかには、この判決に対して反対するものがある（柚木・（判例批評）民商四二巻三号三五八頁以下）。

反対の理由の第一は、損害賠償債権と明渡請求権とは、ともにBの売却行為の結果発生したものだから、債権が物の返還義務と同一の法律関係または事実関係から発生した場合に該当する、というのである。

しかしながら、損害賠償請求権と明渡請求権とは、一個の関係として、または一個の関係のなかに、存在するのではないから、その間に、留置権の成立に必要な《牽連関係》を認めることは妥当ではない（我妻・（判例研究）法協七八巻三号三四九頁）。従来の判例も、賃借人が賃借権に基いて新所有者に対して留置権を主張することを否定して「物自体ヲ目的トスル債権」（本件にひきなおせば、担保物の返還請求権ということになる。そして、本件の損害賠償請求権は、その代物にほかならない。）は留置権の発生原因とならないとしており（大判大一一・八・二一民集一・四九八）、また、不動産の二重譲渡において、対抗要件を具備した譲受人から具備しない譲受人に対して明渡を求めた場合に、後者が譲渡人に対して有する債務不履行による損害賠償債権について、留置権を否定しているのである（朝鮮高等法院判大一四・六・二六評論一四民七二六）（この点に関しては、真船（最高裁判所判例解説）法曹時報二巻一二号一七八頁以下参照）。

そして、実質的に考えても、Yの留置権の主張を認めることは、適当ではない。この主張を認めると、Xは、対抗問題においては優位に立つ者でありながら、善意無過失の場合にも損害賠償債権を弁済しないかぎり目的物の引渡を受けえない結果となるであろう。そこには、我妻教授が指摘するように（我妻・（判例研究）法協七八巻三号三四九頁）、譲渡行為による物権の変動が譲渡人の負担した債権によつてどのような影響を受けるか、という、ローマ法的法体系にとつて根本的な問題がひそんでいる。単なる債権（譲渡担保目的物返還請求権またはその変形）によつて、物権取得者の引渡請求を拒むことは、簡単には認められないといわなければならない。

本判決に柚木教授が反対する第二の理由は、留置権の主張を認めることが譲渡担保の担保的特性を強化し、当事者の公平に合する、というのである。譲渡担保の担保的性格を強化することは望ましいことではあるが、ここで担保的性格を強化するというのは、譲渡担保権者の処分権の制限を考えているのであろうか。そうだとすれば、不動産の場合に関するかぎり、譲受人（X）はつねに所有権を取得しえず、留置権の主張という問題自体が生じないことになる。だから、そのように解すべきではなく、譲渡担保権者の処分権したがってまた譲受人の所有権取得を認めつつ、設定者保護のために、妥協的に、設定者の留置権の対抗を認めようというのであろう。その意図には、共感をそそるものがある。しかし、譲渡担保の担保的性格を強化するというのなら、むしろ、譲受人の善意悪意を問題として、すでに述べたように、悪意の譲受人に対する設定者の追及権を認めるべきである。

三　債権の時効消滅

（一）　被担保債権が時効によって消滅すれば、譲渡担保権者は担保物件を設定者に返還すべきである【136】。この点でも、譲渡担保権は附従性をもつことになる（ド民二二三条二項は、消滅時効に関しては、譲渡担保権は被担保債権と運命をともにしないと規定する（他の物的担保も同様である、同条一項）が、それはドイツ民法では消滅時効は抗弁権を発生させるにすぎないからである）。

【136】　いつでも債務を完済すれば目的物の返還を求めうる趣旨の「売渡担保」において、設定者Xが、被担保債権は民法実施の日から起算して十年の時効により消滅したことを理由として、目的物（動産）の返還を訴求。原審は担保物返還請求権そのものが時効によって消滅したとして（その根拠は不明）、Xの請求を棄却したので、X上告し、債務が消滅すれば債務者は所有権に基いて返還を請求しうるから、それは時効にかからないはずだ、と主張した。なお、本件の「売渡担保」が外部的移転であるかどうかは、明らかでない。

「凡ソ売渡担保契約ナルモノハ当事者ノ合意ニ因リ種々ノ内容ヲ有スルコトアルベシト雖、均シク債務ノ弁済ヲ確保スル為ニナスモノナレバ、担保セラルル債権ニシテ弁済其他ノ事由ニ因リ消滅ニ帰スル以上ハ担保物件ヲ返還スベキハ当然ノ事理ナリ。然ラバ本件ニ於テ担保債権ガX主張ノ如キ時効ニ因リ消滅シタルヤ否ヲ明ニスベキモノタルニ拘ラズ、原判決ハ此ノ点ニ付テハ何等判示スルトコロアルナク、却テ担保物件回復請求権其ノモノガ時効ニ因リ消滅シタリトノ理由ヲ以テXノ請求ヲ排斥シタルハ、到底審理不尽ノ不法アルヲ免レズ」（大判昭二・一二・一七新聞二八〇四・一六）。

（二）　債権の消滅時効の中断に関し、次の判決【137】は、債務者の債務不履行に際して譲渡担保権者が弁済充当のために目的物の引渡を訴求するのは、中断事由とならないとする。そのような訴求は、担保物によつて弁済の確保された権利（被担保債権）そのものについて裁判上の請求をなすものではないから、というのである。

【137】　XがYに金を貸し、その担保としてYの動産を「売渡担保」にとり、同時にYに賃貸した。Yは利息の一部および元金を支払わないので、目的物を処分するために引渡を請求。Yは債権が時効消滅したと抗弁し、原審はこれを認めた。Xは上告し、債務の時効完成前に、貸金弁済の充当のために引渡請求訴訟を起したのであつて、これが中断としての効力をもつ、と主張した。

「然レドモ民法一四九条ノ裁判上ノ請求ハ給付ノ訴タル〔ト〕確定ノ訴タルトヲ問ハズト雖、少クトモ時効ノ進行シツツアル権利ヲ目的トシテ裁判上権利保護ノ要求ノ為サレタル場合ナルコトヲ要スルヤ、論ヲ俟タズ。而シテ時効ノ目的タル権利ヲ確保スル為所謂売渡担保ヲ供シ該物件ヲ更ニ債務者ニ於テ賃借シタル場合ニ於テ、債権ノ弁済ナキノ故ヲ以テ担保物ヲ処分シ之ヲ得ンガ為メ債務者ニ対シ該物件ニ引渡ヲ訴求スルガ如キハ、弁済ノ確保セラレタル権利其ノモノニ付何等裁判上ノ請求ヲ為スモノニ該当セザルヤ明ナリ」（大判昭二・九・三

（評論一七・民法四九）。

しかし、債務不履行に基く目的物引渡請求権を、債権の時効完成前に行使しても、訴訟中に債権の時効期間が完成すれば債権は時効にかかり、結局目的物引渡請求訴訟も不成功に終ることになる、というのは、不合理である。譲渡担保の目的物の引渡請求は、債権の目的を実現するための手段なのであるから、「請求」（民一四七条一号）に該当すると考えるべきではなかろうか。判例（大判大一〇・六・四民録二七・一〇六二）も、抵当権実行のための競売の申請が債権の消滅時効を中断する効力のあることを前提して、中断の終了時期を問題としているのであり、慣習法的担保制度としての譲渡担保の場合にも同様の結果を認めてよいのではなかろうか。近時の一下級審判決【138】が、傍論ながら、担保物引渡請求の訴に中断の効力を認めうるものとしているのが、正当であるとおもう。ただし、この判決もいうように、物上保証人に対して引渡請求の訴を提起した場合には、――債務者に通知でもするのでなければ（民一五五条参照）――ただちに中断の効力を生ずるとはいえないであろう。

【138】　XはYが被担保債権と主張する手形金債権は時効により消滅した旨主張し、Yは家屋明渡訴訟を提起したことにより右時効は中断されている旨主張する。

「YがXを相手方とし、譲渡担保契約に基づき担保物たる本件家屋を処分する方法として、家屋明渡請求訴訟を提起したことは記録上明白である。そこで右訴の提起が被担保債権の消滅時効を中断する効力があるか否かを考えると、一般に債権の消滅時効を中断する事由となるべき裁判上の請求とは、債権者がその権利内容を主張する訴を提起することを指すのであり、債権自体の給付又は確認の訴等がこれに当ることは勿論であるが、元来消滅時効殊に債権の短期消滅時効制度は権利の上に眠れる者を保護しないと言う趣旨に基くものであり、譲渡担保債権者が債権自体について給付又は確認の訴を提起していなくても、譲渡担保の目的物の引渡を訴求することは、結局担保権の実行による被担保債権の内容の実現を裁判手続によつて求めているのであるから、徒らに権利の上に眠つている者とは到底言うことができず、前記時効制度の趣旨から考えて担保権の実行手段たる担保物権引渡請求の訴も又、時効中断事由たる裁判上の請求に当るものと解され、このことは民法第一四七条第二号所定の中断事由たる「差押」について債権自体の債務名義に基づく強制執行行為たる差押のみならず、抵当権実行のためにする担保物についての競売申立（本質的には譲渡担保におけ る担保権実行のためにする換価処分の着手と同性質である）が含まれるのと全く同様である。しかし、民法第一四八条は「時効中断は当事者及びその承継人の間においてのみ、その効力を有する」旨を規定しており、これが例外としては地役権の場合につき、同法二八四条二項、二九二条、連帯債務保証債務などの場合につき四三四条、四五七条、四五八条などの諸規定が設けられて当事者およびその承継人以外の者に時効中断の効力のおよぶ場合は厳に法律上明文を以つて制限せられている。更に同法第一五五条は、「差押、仮差押および仮処分は時効の利益を受ける者に対してしないときは、これをその者に通知した後でなければ時効中断の効力を生じない」旨を規定し、前記一四八条の例外として中断当事者以外の者に中断効のおよぶことを認めるもなお、その者に対する通知がなければ中断効を生じないこととしている。以上の立法趣旨から考えると民法一四七条第一号の請求中裁判上の請求が、ある債務の時効中断の効力を生ずるがためには例外規定の適用ある場合を除き、当該債務の債務者に対してなされねばならず、これが物上保証人（譲渡担保提供者）に対してなされた如き場合、同法一五五条の類推により主債務者に通知することにより中断効を肯定することができるかどうかの問題はともかくとして、それだけでは直に以て、当該債務の時効を中断するものとなし難い」（大阪地判昭三三・五・一七下級民集九・五・八四三）。

四　債務者が弁済して担保物を取りもどす権利の時効

（一）　弁済期の定めがない場合に、債務者が弁済して担保物を取りもどす権利なるものを想定してその消滅時効を考えるべきであるか。この問題に関して、判例は混乱している。

(1)　これをなんらかの意味で認めると解される判例としては、まず、すでに引いた大判大五・一一・八（前出【132】）をあげることができよう。債務者が債務の消滅（供託による）を理由として目的物の返還を請求したのに対し、債権者は時効をもつて抗弁とし、原審は、弁済時から十年を経過しないという理由で債務者の請求を認めた。そして、債権者が、債務者の弁済してとりもどす権利の時効を主張して上告したとき、大審院は、本件の譲渡担保は外部的移転であり、したがつて本訴の返還請求権は所有権に基く返還請求権であることを理由に、上告をしりぞけたのである。この判決の意味は種々に解することができるが（二二七－八頁参照）、上告理由に対する関係では、債務者の弁済して取りもどす権利の時効に関するものといえよう。すなわち、判旨は、外部的移転の場合には、弁済して取りもどす権利は時効にかからないという趣旨をもつものとも解されるのである。

また、連合部判決後の一判決【139】が、債務者の目的物（土地）受戻権の時効が問題となつた事件において、原審がこの権利を登記請求権として捉え基本たる所有権に随伴する請求権として時効にかからないとしたのを、破毀するに際して、譲渡担保には外部的移転と内外共移転とがあり、後者のなかにも弁済によつて当然に債務者に復帰する場合と債権者が移転義務を負う場合とがあるから、内容たる権利関係を具体的に判示せよ、というのは、債務者が弁済して目的物を取りもどす権利なるものを想定し、場合によつてはその権利の時効消滅がありうることを承認するものである。この判決が、内外共移転の場合には債務者の弁済して取りもどす権利は消滅時効にかかると考えているのか、それともそのなかでも二つの場合では差異を生ずるというのかは、かならずしも明らかでないが（おそらく、当然復帰の場合は、弁済して取りもどす権利は物権的期待権として債権と異なる時効（二〇年）にかかるというのであろうが、判例は再売買予約完結権についても二〇年の時効を認めていない（大判大四・七・一三民録二一・一三八四、大判大一〇・三・五民録二七・四九三））、少なくとも、内外共移転の場合にこの権利が時効消滅することのあるのを否定しない趣旨である、と解される。——そして、ここに連合部判決の理論の影響を見ることも、不可能ではない。上告理由は、連合部判決を援用しつつ、内外共移転と推定すべきだとしたうえで、内外共移転の場合には、債務者が弁済して目的物の返還を受ける権利は単なる債権にすぎないと主張しており、右の判決はこれを容れたものにほかならないからである。

【139】　Ｘは放蕩で素行が修まらなかったところから、親族協議のうえ、Ｘの財産保全の目的でその所有する山林・田畑・宅地等全部を七十五円で売渡名義でＹに移転登記し、後日いつでも七十五円を弁済するときは売買名義をもってＸの所有名義に移転登記をなすべき「売渡抵当」を契約した（明治二五年）。後日、Ｘから——おそらく右金額供託のうえ——土地所有権の移転登記を訴求したのが（大正九年）、本件。Ｙは、弁済期の定めのない本件では、Ｘは契約の時から権利を行使しうるから、契約の時から一〇年または二〇年の経過によりすでに担保物返還請求権は時効消滅している、と抗弁。原審は、売買による所有権移転登記は売主が買主をして所有権を完全ならしめるために欠くべからざる売主の義務で、登記請求権はそれが基本たる所有権に随伴するものであるから、時効にかからない、としてＹの抗弁を排斥。Ｙ上告して、連合部判決によれば内外共移転を推定すべく、そして、内外共移転の場合には、債務者が弁済して目的物の返還を受ける権利は債権だから、独立に消滅時効にかかる、と主張した。

「所謂売渡抵当ナルモノハ其ノ内容必ズシモ一様ナラズ。当事者ハ或ハ内部関係ニ於テモ財産権ヲ債権者ニ移転スル意思ヲ有スル場合アリ、或ハ内部関係ニ於テハ財産権ヲ移転セズ、外部関係ニ於テノミ之ヲ移転スル意思ヲ有スル場合アリ。又外部関係内部関係共ニ移転スル場合ニ於テモ、被担保債権ノ弁済ニ因リ財産権ガ当然ニ債務者ニ復帰スルカ又ハ債権者ハ単ニ債務者ニ対シ財産ノ移転ヲ為スベキ債務ヲ負担スルニ過ギザルカハ一ニ当事者ノ意思ニ依リ決定スベキモノナルヲ以テ、所謂売渡抵当ノ事実ヲ認定スルニハ須ク当事者ノ意思ヲ探究シ其ノ内容タル権利関係ヲ具体的ニ判示スルコトヲ要スルモノトス」（大判大一五・八・三新聞二六一六・一一、評論一五民法一〇八二）。

(2)　しかし、他方、債務者が弁済して取戻す権利の時効を考えないと解される判決も存する。すでに引用した大判昭二・一二・一七（前出【136】）は、債務の時効消滅を理由とする債務者の担保物返還請求に対して原審が担保物回復請求権が時効消滅したとしてその請求を排斥したのを、破毀して、「売渡担保」はすべて「債務ノ弁済ヲ確保スル為ニ為スモノナレバ」、債権が消滅する以上、担保物件を返還すべきは当然だとしたが、これは、弁済期の定めのない場合において、債権の時効消滅は認めるが、債務を弁済して目的物を取りもどす権利の時効を認めない趣旨と考えられる。次の長崎控判【140】が、弁済までは債務者は担保物回収の請求権を有しないから、弁済の事実がないかぎりは、請求権は発生せず、したがつて弁済前にその請求権の時効が進行を開始するはずがない、というのも、同じ趣旨である。

【140】　「債務者ハ、前記ノ如ク信託行為其他ニ因リ特ニ担保権ヲ設定シタル場合ハ、債務者ハ債務ノ存在スル限リ債権者ニ対シ担保回収ニ関スル請求権ヲ有セザルモノナルコトハ、其行為ノ性質上毫モ疑ナキ所ナルガ故ニ、控訴人先代ガ被控訴人先代ニ対シ明治三十五年七月八日以後何時ニテモ任意ニ債務弁済ヲ為シ得タリトスルモ、現ニ其弁済ヲ為シタル事実ナキ限リハ本訴請求ノ権利ハ発生セザル訳合ナリ。従テ其弁済前

時効ノ進行ヲ始ム可キ謂ハレナキコト当然」（長崎控判大七・一二・二七新聞一五〇四・一三、評論八諸法六三）。

（二）　そもそも譲渡担保について債権の存続を認める以上、——外部的移転の場合であると内外共移転の場合であるとを問わず——取りもどしの権利は、特約のないかぎり（八八参照）、弁済その他債権の消滅の結果として生ずるものである。したがつて、弁済期の定めのない場合に、弁済して取りもどす権利なるものを想定して、弁済すべき時期も到来しないのに、弁済して取りもどす権利のみが時効によつて消滅することを認めるのは、背理であるといわなければならない。（一）(2)で述べた判例の立場こそ正当であり、これが将来の判例を支配することを希望しておきたい。

五　債権のみの譲渡

譲渡担保権は、すでに述べたように（七一(二)(1)参照）、債権に随伴するが、譲渡担保債権者は債権のみを第三者に譲渡することも可能である。その場合に譲渡担保権の運命はどうなるであろうか。

譲渡担保の所有権的構成をつらぬくときは、譲渡担保権者の有する債権と所有権の形をとつている譲渡担保権とを別々に譲渡することも可能であるといわねばならない（Enneccerus, Sachenrecht §79Ⅲ2bはこのことを認める）。しかし、大判明三八・九・二九【141】は、譲渡担保の担保としての性質したがつてまた譲渡担保の附従性を強調し、債権のみを譲渡した場合は、譲渡担保権は消滅に帰し、譲渡担保権者は目的物を設定者に返還しなければならないものとしている。

【141】　譲渡担保権者Yが債権を第三者Aに譲渡。債務者Xは、Yは債権のみを譲渡したのであると主張して、譲渡担保の目的物（漁業権）の返還を求める。原審はこれをしりぞけたので、X上告。

「其債権ニシテYヨリ訴外人Aニ譲渡シタル場合ニ於テハ之ヲ担保スル漁業権ハ其主タル債権ニ随従シテ債権ノ譲受人タルAニ移転スルガ、若シYガAニ譲渡シタルハ単ニ本件ノ債権ニ止マリ漁業権ヲ之ニ従伴セシメザリシモノトスレバ、最初債権ノ担保ヲ為セシ漁業権ハ債権ノ譲渡以来其担保タラザルニ至リタルヲ以テ、其担保ハ消滅シ元ト之ヲ担保ニ供シタルXニ返還セザル可カラズ。何トナレバ担保ナルモノハ主タル債権ニ随従シテ存立スベキモノニシテ、之ヲ離レ独立シテ存立スルコトヲ得ザルモノナレバナリ」（大判明三八・九・二九民録一一・一二三六）。

六　解　除

当事者が合意のうえで譲渡担保契約を解除することは、むろん可能である（東京控判昭一一・七・一〇法律新報四四八・一三は、その有効なことを前提とする）。当事者合意のうえで、債権担保の目的をやめて単純な売買譲渡に改めることも可能であり、それが有効なためには設定者があらかじめ所有権を回復しておかなければならない、ということはない【142】。しかし、設定者が一方的に譲渡担保契約を解除することは許されない【143】。

【142】　「債権担保の目的を止めて単純なる売買譲渡に改むる契約は、畢竟担保債権者の所有権行使に加へられたる制限を除去することを趣旨とするものに外ならざれば、同契約締結の当時債務者たる被上告人が本件担保不動産の所有権を回復し居らざりしとて、毫も同契約の効力発生を妨ぐるものにあらず」（大判昭七・三・八法学一・八・一〇六）。

【143】　Xは千五百円の債務の担保としてYに土地を信託的に譲渡し、五百円弁済したにすぎないのに、一方的に土地の信託契約を解除し、残金千円と引換に土地の所有権移転登記をなすべき旨を、Yに訴求。原審は、解除を認めてXの請求を容れた。

「債権担保ノ為ニ債務者ガ債権者ニ対シ自己ノ所有ニ属スル不動産ヲ信託的ニ譲渡シタル場合ニ於テハ債務

者ハ任意ニ其ノ契約ヲ解除スルコトヲ得ズ。従ツテ債務者ハ法律上正当ノ原因ニ基キ又ハ債権者ノ承諾ヲ得テ信託的譲渡ヲ解除シタル場合ヲ除キ、先ヅ債務者ニ於テ其ノ債務ヲ完済スルニ非ザレバ担保物ノ返還ヲ請求スルコトヲ得ザルモノト解スルヲ相当トス。是レ其ノ信託的譲渡ガ債権担保ノ為ニ為サレタルヨリ生ズル当然ノ帰結ナリ」（朝鮮高等法院判大一五・六・一評論一五民法一一五四）。

七　目的物の滅失・処分の場合

（一）　目的物が滅失し、または譲渡されて他人の手に渡った場合に、目的物自体について譲渡担保権が消滅することは、疑いないが、代物（Surrogat）の存する場合にも譲渡担保権自体が消滅するか否かはかならずしも明らかでない。

(1)　不可抗力による滅失の場合　大判昭八・一二・一九（前出【5】）が、債権者のもとで火災保険にかけられていた目的物が焼失して保険金に変わつた場合に関して、債務者に保険金から債務額を控除した額を請求しうることを認めたのは、代物たる保険金が譲渡担保の拘束を受けるにいたることを認めたものである（五二(二)(2)参照）。したがつて、少なくとも不可抗力による滅失の場合に代物があれば、そのうえに譲渡担保権が存続するものとするのが判例である、といえよう。

ただ、実際上は、目的物が不可抗力によつて滅失した場合にも、特約によつて債務者は期限の利益を失なうにいたる場合が少なくないであろう。この場合には、譲渡担保は、代物の存否にかかわらず、終了段階に入ることになろう。

(2)　債務者が目的物を毀滅した場合には債務者に対する損害賠償請求権が、また、債務者が目的物を第三者に譲渡した場合にはその売却代金請求権が、それぞれ目的物の代物ということになるが、譲渡担保権がそれらのうえに存続するか否かについては、判例は明らかでない（損害賠償請求権に代位を認めることは無意味だが、売却代金請求権には代位を認める実益がある）。ただ、これらの場合には、債務者は期限の利益を失ない（大阪高判昭三二・三・二六（前出【73】＝【80】））、譲渡担保は終了段階に入ることになろう。

(3)　債権者が目的物を毀滅した場合には債権者自身の負担する損害賠償請求権が、また、債権者が目的物を第三者に譲渡した場合にはその売却代金債権が、それぞれ目的物の代物ということになるが、このような《信託》的物上代位（信託法一四条参照）は、判例によっては考えられていない。判例上は、当事者間の損害賠償請求・不当利得返還請求が問題となっているにすぎない。そして、この点については、すでに詳述した（五六(二)(1)参照）。

(二)　目的物が不可抗力によって滅失した場合、債権関係がいかなる影響を受けるか。

債権者が目的物を毀滅し、または処分した場合についても、判例は、本来の債務が消滅するものとは考えていない（五六(二)(1)(イ)(b)参照）のであるから、不可抗力による場合も、むろん同様に考えられるであろう。

学説としては、内外共移転の場合には、債権者は目的物の有する担保価値の利不利ともにこれを負担し、あたかも物的有限責任の観を呈することを理由として、目的物の滅失により債務も消滅するものと解すべきだ、という見解がある（我妻「判例売渡抵当法」松波還暦四九四―五頁――しかし、これは、我妻教授の現在の見解ではない（担保物権法【一〇四】二参照））。ここで「内外共移転」型というのは「流質」型の意味に解すべきであるが、流質型の場合でも、債務と譲渡担保とは主従の関係に立ちつつ並存するのであり、従たる担保物の滅失によっては主たる債権は消滅しないと考えるべきものである（この点に『譲渡担保』と『売渡担保』との区別が存することについて、一一(二)(1)参照）。

八　特約に基く返還請求

次の判決【144】は、債務者の請求次第、債権者はいつでも譲渡担保の目的物を返還する義務を負う旨の特約があつた場合に関し、この特約は、原則としては、弁済について熟議の遂げられたことを前提とする趣旨であるとし、ただ例外的には、単純に返還請求しうる場合のあることを認めている。

【144】　Xは債務の弁済を確保するために不動産を債権者Yに信託的に譲渡し、YはXの請求次第いつでも不動産全部を同人に返還する債務を負い、そしてYがこの債務に違反したときはXに二万五千円の損害賠償をなす義務を負うものとした。事情は不明だが、この約旨に基きXはYに損害賠償を請求。Yは、この損害賠償債務は不動産返還債務に付随するもので、返還債務が時効消滅すれば、損害賠償債務も同時に消滅する、そして、返還債務は十年の時効で消滅しているから、損害賠償債務も存しない、と抗弁した。原審はXの請求を認めたので、Y上告。

「XヨリYニ対スル本件不動産ノ信託的譲渡ハXヨリY並Aニ対スル債務ノ支払ヲ確保スル目的ヲモ包含セシモノナルコトハ実ニ原審ノ確定スルトコロナリ。然ラバ則チ、縦令契約ノ条項自体ニハYハ何時ニテモ本件不動産ヲXニ返還スル旨定メアリトスルモ、幵ハ先ズ右ノ債務ノ弁済ニ関シ何時カノ熟議ガ当事者間ニ遂ゲラレタルコトヲ前提トスル趣意ナルコトハ、暗黙ノ裡ニ当事者間ニ了解セラレシモノナルベク、夫ノ返還時期ヲ定メザル寄託物ノ如ク寄託者ハ何時ニテモ単純ニ其ノ返還ヲ請求スルヲ得ルモノトハ、甚ダ其ノ撰ヲ異ニスルモノアルベキハ蓋想像ニ難カラズ。但之ト同時ニ約旨ノ如何ニ依リテハ斯カル単純ナル返還請求権ノ存スルコトモ亦必無ヲ保スベカラズ。従ヒテ此ノ種ノ請求権ニ付テハ其ノ成立ノ当初ヨリ已ニ消滅時効ノ進行ヲ始メ、更ニ約旨ノ如何ニ依リテハ、其ノ完成ト共ニ本件債権ノ如キモ亦従ヒテ消滅ニ帰ストノコトモ、是レ亦一概ニ之ヲ否定スルヲ得ザルモノアルベキナリ」（大判大一四・七・二五新聞二四七五・一三）。

右の例外の場合がはたして担保のために目的物を譲渡した当事者の合理的意思に適合するかは、はなはだ疑問であるが、当事者がこの趣旨の特約をなすことを絶対的に排斥することもできないであろう。

なお、かような特約がなされた場合に関し、判決は、返還請求権の時効は成立と同時に進行を開始する、と述べている。いつでも弁済して目的物を取りもどすことができるという場合（八四参照）とことなり、そのように考えることも可能であるが、返還請求権が時効にかかるかどうかを、それが単なる債権であるか設定者に内部的に留保された所有権に基くものであるかによつて決定する判例の態度を前提とすれば、さらに場合を分けて考えるべきことになるであろう。

九　特殊の譲渡担保

一　集合動産の譲渡担保

ドイツでは、集合動産（商品・原材料等の流動動産の総体）に関する譲渡担保がしばしば行なわれ、それに関する問題点のほとんどすべては判例や学説によつて解決されまたは検討されているのに反し、わが国では、実際界で集合動産について譲渡担保が設定される事例は少なく（東京商工会議所「譲渡担保の設定事情に関する調査(2)」（昭和三四年）一五頁）、判例もまた最近にいたるまで皆無であつた。最近、大阪地判【145】が集合動産の譲渡担保を有効と判定したことは、――それが下級審判決であるというハンディキャップにもかかわらず――わが国の譲渡担保法史上きわめて重要な意義を有することである、といわなければならない。

【145】 X（鉄鋼二次製品の卸売を営む会社）はY（電気設備器具類の卸売を営む会社）にかねてから商品を供給し、売掛債権を有しており、さらに、Yの営業不振を救うために融資した。しかし、Yの営業好転せず、Xはこれらの債権を担保するために、Yの倉庫（それは一つしかない）にある商品について次のような譲渡担保契約を締結した。(1)Yの在庫商品につき一括して右債権担保のため所有権をXに移転する。(2)XはYをしてこれを占有せしめ、商品を営業に従つて処分する権能を与える。(3)Yにおいて在庫商品を構成する商品を販売した場合は、Yは販売代金のなかからその商品の時価相当額の一割の金員を、在庫商品の利用の対価としてXに支払う。(4)Yの処分により在庫商品が減量した場合には、在庫商品の価額が本契約締結当時の価額に相当するまで、あらたにYが購入した商品をもつてこれを補充する。しかるにYは履行期が来ても履行しないので、Xから、在庫商品の引渡を求めた。Yは、右の契約では目的物が特定されないこと、在庫商品を一括処分するのは、営業の譲渡に比すべき重要事項だからY会社の株主総会の議決を要するのに、それがないことをあげて、譲渡担保は無効だと主張する。次の判示は第一点には対する結論の部分。第二点に関しては、一右契約は……Y会社の営業継続を前提としてなされたものであり、その対象も営業用の在庫商品を目的とするもので、独立的経営の基礎となり得るような組織的一体をなす機能的財産の譲渡を目的としたものではないから、営業譲渡乃至これに比すべき契約でないこと勿論である。」と判示している。

「当裁判所は前記に述べた理由から在庫商品の譲渡担保はこれを構成する個々の商品を離れた一個の集合物とみて、その一個の所有権を担保目的で移転する契約であるとの見解が正当であると考えるから、本件の場合においても、前記認定の譲渡担保契約によりY会社は担保目的で一個の集合物である在庫商品の所有権をX会社に移転し右在庫商品につき両者間に前記認定のような内容の利用関係を設定したものと認めるを相当とする。したがつて、Y会社は前記利用関係を設定する契約により在庫商品を営業目的に利用し、個々の商品を営業に従つて処分するとともに、右契約に基き新しい商品を補充するものであり、また在庫商品の構成部分から離された商品は原告会社の集合物としての在庫商品の上に有する所有権の内容たることから離脱し、新に在庫商品の構成部分となつた商品がその内容に加えられることは、X会社が一個の集合物としての在庫商品の上にのみ所有権を有することの当然の結果である。果してそうだとすると、別紙目録記載の物件が在庫商品を構成する物であると認められる限り契約当初から在庫商品を構成していたと否とに関係なく本件譲渡担保の拘束を受けること明かである。そうして……Y会社の倉庫は唯一であり別紙目録記載の物件は前記認定のX会社の債権の最終の弁済期当時在庫商品を構成していた商品であるのみならず、本件譲渡担保契約当初から存在していたことが認められる……から、この点に関するYの主張は採用の限りではない」（大阪地判昭三〇・一二・六下級民集六・一二・二五五九、判時六七・一六）。

集合動産に関する譲渡担保の効力が吟味される場合に重要な論点のひとつとしてとりあげられるものに、集合動産に関する譲渡担保を認めることは、物権の目的物は特定していなければならないという物権法の根本原則――《特定の原則(Specialitätprinzip)》――に反するのではないか、という問題がある。

第一に、集合物のうえに譲渡担保を設定するに際して、それを設定者の他の財産から区別することができるか。

第二に、集合物の譲渡担保にあつては、右の事案自体も示しているように、担保物の構成部分の変動が認められるが、これは特定の原則に反するのではないか、とくに、あたらしく集合物に組み入れられる物に対して譲渡担保権が及ぶということは、この原則に反するのではないか。

そして、これらの問題の総合として、集合物のうえに一個の譲渡担保権を成立させることは、特定性の原則にかんがみて、はたして可能であるか。

以上の問題のほかにも、集合動産の譲渡担保にまつわる困難な問題は少なくないが（たとえば、我妻・動産抵当制度一九頁にあげる三つの問題、個々の商品の売掛代金債権への代位（すなわちverlängerte Sicherungsübereignung）、加工材料の譲渡担保に関する問題（我妻・近代法における債権の優越的地位一六〇頁以下参照））、上の判決では、とくに《特定の原則》に反するかどうかが焦点とされているのである。

ところで、この問題に関する右の判決の解答を、上に分析した順序にしたがつて再構成すれば、次のようになるであろう。

第一の点については、Y会社の倉庫は唯一つであり、その在庫商品が譲渡担保の目的なのだから、特定性をもつということができる（ドイツでも「在庫の全商品」というのは、特定性をもつとされることについて、植林・前掲・法学雑誌七巻一号一〇六頁参照）。

第二に、構成部分の変動については、一応、二つの面（離脱の面と編入の面）が問題となる。

分析的な見解は、設定者によつて処分された商品が譲渡担保権の拘束を脱して譲受人に移る点に関しては、譲渡担保契約による債権者への譲渡は解除条件（処分されると設定者に復帰するという）つきになされたものであり、あたらしく補充された商品が譲渡担保の拘束に服するにいたる点に関しては、譲渡担保契約中にあらかじめ停止条件つきに所有権を移転するという契約が存するものと解している。しかし、そのような分析的説明は当事者の意思に合致しないし、在庫商品のような集合物が独立の経済価値を認められたものであることを看過した議論である。設定者の処分および補充は、設定者の営業目的に従つた集合物の《利用》であり、当事者は契約によつてかような利用関係をも設定したのである（構成部分の変動を目的物の《利用》として捉える考え方は、すでに、我妻・動産抵当制度六四頁が、コーラーの Dispositionsniessbrauch の観念に依拠して提唱した構成である）。

そして、最後に、結論として、本件の在庫商品は一個の物であり、本件の譲渡担保契約は、その一個の物のうえの所有権を担保目的のために移転する契約である。

【145】が与えた解答は、以上のとおりである。

これによって集合物譲渡担保に関するすべての問題が解決されたわけではないが、ともかく、ここに、集合物譲渡担保に関する重要な礎石が置かれたものということができよう（集合動産の譲渡担保に関する文献は多い。わが国のものとして、前掲のほかに、伊藤一夫・売渡担保に関する研究（司法研究報告書一二六輯一五）、粟島浩「譲渡担保における公示手段と特定方法の実務」金融法務事情一九七号、長谷部茂吉「商品の譲渡担保をめぐる諸問題」金融法務事情九六号、田島順「手持商品の売渡担保」論叢三五巻二号、同「動産抵当の承認」論叢三六巻一号、同「商品抵当の取扱」論叢三七巻六号、同「動産抵当の効力」論叢三九巻一号（田島教授の一連の論文はすべてドイツ法に関する））。

二　不動産の譲渡担保

（一）　意思表示の内容——抵当・代物弁済の予約との判別

(1)　不動産を担保にするという場合には、「特段の事情がない限り不動産に抵当権を設定するのであって売渡担保とするには特にその旨の意思表示を要するものと解するを相当」とする、下級審判決（東京地判昭三〇・一一・一二判タ六〇・七一）がある。少なくとも不動産に関するかぎり抵当権の方が譲渡担保よりも担保制度として合理的であるから、当事者の意思からいっても、公平の見地からいっても、抵当を推定するのは当然である。

(2)　譲渡担保と代物弁済の予約とは判別し難い場合がある。次の判決（下級審）【146】は、山林を担保にして資金を借り入れることを他人に委任した際、その受任者が、抵当権設定登記はしないが、融資を受けた金員を返済しないときは名義変更をする旨を、述べていたという場合に関して、その委任は、代物弁済の予約のみならず、譲渡担保をふくむ趣旨である、としている。

【146】「原告はAに対し、本件山林を担保に供して他より資金を借入れることを委任したもので、その担保とは、抵当権設定の方法にはよらないが、借入金の債務不履行の場合に所有権を失うことを辞しない趣旨のものであり、従つて債務の不履行により、究極的に所有権を失うこととなる譲渡担保に供することも、予め諒承していたものと解することができる。尤も原告本人訊問の結果によれば、原告がAに山林の権利書、委任状印鑑証明書を交付した際、Aは「抵当権設定登記はしないが融資を受けた金員を返済しない場合は名義変更をする」旨申し居たる旨の供述があり、右供述は本件山林について、借入金を返済しない場合、その返済に代え、山林所有権が融資した債権者に移転する趣旨の代物弁済の予約の方法による担保に供するという意味にもとれるが、通俗的用語としては、不動産の名義変更とは、従前の不動産所有者である債務者がその所有権を失う場合を指様するのが通例であり、しかも代物弁済の予約と譲渡担保とは後者が予め債権者に所有権を譲渡して置く点で前者と異るが、債務の不履行により担保物件の取戻権を失うことにより、究極的に所有権を失い、それまでは、内部的には所有権が債務者に留保されていると形容されているように、債務の不履行により、究極的に所有権から離れる点では前者と同一であること、法律専門家でない通常人の間では、この両者の区別は意識されないのが一般であることを思い合わせると、前述の供述は債務不履行を俟つて究極的に所有権を失う譲渡担保をも包含する趣旨と解するのが相当である」（東京地判昭三二・九・一　八ジュリスト一四三号）。

㈡　譲渡担保の対抗要件（九五頁以下対照）

(1)　目的物が不動産である場合には、譲渡担保設定の対抗要件は、いうまでもなく、登記である。しかし、わが国の登記法はまだ「譲渡担保」または「売渡担保」というような登記原因を認めていない（もっとも、石田・担保物権法論下六二二頁は、処分権を授与したにすぎない「売渡担保」で登記簿上所有権移転の原因として「売渡担保」という記載があるときは、債務者は第三者に対して債権者の第三者への処分の無効を主張しうる、としている）。したがって、一般には、「売買」による所有権移転の登記がなされる（大判大九・六・二（前出【81】＝【115】）のように仮登記の場合も、むろんありうる）。設定者の権利を第三者に対抗するためには、買戻の特約または再売買の予約をも登記する（買戻特約を登記する方法については、不登法三八条、再売買の予約の仮登記については不登法二条二号）ほかはない（買戻の特約つき売買の登記がなされた場合に、明らかに『譲渡担保』（しかも外部的移転）を認めるものとして、盛岡地判昭二九・三・一五（前出【98】）がある）。

(2) 設定者には、登記に協力する義務がある（朝鮮高等法院判昭一一・九・八司協一五・一〇・一七一）。

(3) 不動産の買受人が売買代金を他から借用し、その貸主のために当該不動産を譲渡担保とすることも、まれではない。かような場合には、関係者合意のうえで不動産の原所有者から債権者に直接登記を移すこと（中間省略の登記）も、「強テ之ヲ無効ナルモノト論ズ可カラザル」ものとされる（大判大七・四・四民録二四・四六五（後出【154】と同一判決））。

(三) 譲渡担保の効力が及ぶ目的物の範囲

(1) 譲渡担保の目的物に関する保険契約の効力（一一〇頁以下対照）

譲渡担保権者が所有者利益を被保険利益として譲渡担保の目的物（建物）に関して保険契約を締結したのを有効とする大判昭一二・六・一八（前出【53】）は、譲渡担保権者が「当該建物ニ付登記手続ヲ了セザルトキト雖モ」所有者としての被保険利益を有するものとしている。しかし、他方、設定者が譲渡担保の目的物（建物）について所有者利益を被保険利益として保険契約を締結したのを無効とする岐阜地判（前出【54】）は、設定者が保険契約当時すでに家屋の所有権を債権者担保のため債権者に譲渡しかつ「その移転登記手続を了していたのであるから、」設定者は所有者としての利益を失なつていたものというべきだ、としている。譲渡担保権者は登記を取得していなくても所有者として扱われ、設定者はすでに登記を失なつたことによつて所有者利益を失なつたとされている。これは一見矛盾しているように見える。この点どのように考えるべきか。

《被保険利益》は経済的利益であるとすれば、――外観主義・形式主義の要求から所有者利益の有無は法律上の所有権の有無によつて決すべきだとしても、その場合にも――損害保険契約の有効・無効にとつては、権利の対抗要件の有無は問題とならないはずである（所有権者は登記がなくても有効に火災保険契約を締結しうるというのは、判例であり（大判明治三五・七・一民録八・七・一）、商法学界における通説でもある（豊崎・判例民事法昭和一一年度六六事件評釈参照））。ただ、保険者として相手方が所有者利益を有する者であるかどうかを確認するには、形式的標準として、一応、登記を標準とすることが便宜であろうが、他の証明手段が排斥されるわけではなく、相手方が契約書その他によつて証明することも許されなければならない（南出「不動産を譲渡担保に供した債務者が所有者として締結した火災保険契約の被保険利益」損害保険研究二二巻二号九五頁）。したがつて、岐阜地判が「その移転登記手続を了していたのであるから」という部分は、設定者が所有権を失なつたことの確証としての意味しかもたず、厳密にいえば蛇足だということになるのである。

(2)　建物の譲渡担保と敷地賃借権

借地上の建物について譲渡担保が設定された場合には、それにともなつて敷地賃借権も譲渡担保権者に移転しまたは転貸されたことになるか、そして、さらに、そのように解されるとして、民法六一二条の適用はどのように考えるべきか。――次に掲げる判決のなかには、『売渡担保』に属すると考えられる事案に関するものがあるようだが、『譲渡担保』の場合にも類推することが可能と考えられるので、参考のために、それらをもふくめて、検討することにする。

判例の主流（大判昭一五・三・一【147】のほかに、東京控判昭九・六・三〇新報三七一・一八、大阪高判昭二九・三・二六判時二七・一六、大阪地判昭三二・一二・六金融法務事情一六〇・三五三）は、建物の処分には敷地賃借権の処分をともなうものとし、したがって土地賃貸人の承諾がない以上は、解除の事由になるものとする。

【147】　Y_1はXから土地を賃借して、そのうえに建物を建て、それをY_2に対する借金の担保として買戻約款つきで借金相当額をもって譲渡する旨の契約をなし、所有権移転の登記をした。Xは、敷地賃借権の無断転貸を理由として（民六一二条）賃貸借を解除し、Y_1 Y_2に対し家屋の明渡を訴求。原審が解除を認めたので、Y等上告し、Y_1の建てた建物がとりこわされることになるのは、Xの解除権の濫用である、と主張。（事実関係はもっと複雑であるが、便宜上簡単にした）

「Y_1ニ於テ本件建物ヲ譲渡スト共ニ、其ノ敷地タル本件土地ノ賃借権ヲXノ承諾ナクシテY_2ニ譲渡シタルコト判示ノ如クナル以上、Xハ右譲渡ヲ理由トシテ、Y_1ニ対シ、同人トノ間ノ賃貸借契約ヲ解除シ得ベク、仮令右解除ノ結果該宅地上ニ二千余円ノ費用ヲ以テ建設セラレタル建物ガ取毀サルルコトトナリ、又Y_1ガ右場所ニ於テ従前ノ営業ヲ継続スルコトヲ得ザルニ至ルコト、其ノ他所論ノ如キ事実アリトスルモ、斯ノ如キ事実ハ未ダ本件ニ於ケル解除権行使ヲ以テ権利ノ濫用ナリト断ズルコトヲ得ズ」（大判昭一五・三・一民集一九・五〇一（内田・判民二五事件））。

しかし、建物の現実の利用は依然として譲渡担保の設定者（賃借人）が行なっている場合にも、したがって、譲渡担保権者は敷地に対してなんら現実の利用をなさない場合にも、賃貸人からの解除を認めることは、明らかに不当である。近時、――下級審のものではあるが――原則として解除原因とならないと考える判決がふえつつあることは、喜ぶべき現象といわなければならない。

もっとも、それらの判決の理論構成は、かならずしも同じではない。東京地判昭三四・六・一一

【148】は、敷地賃借権については、単に転貸関係が生ずるにすぎず、そして、賃借人がわに賃貸人とのあいだの信頼関係を破壊する程度の背信行為が認められないかぎり、解除権は発生しない、として、具体的場合についてもそれを否定する。これに対し、東京高判昭三五・五・二一【149】は、さらに進んで、譲渡担保の当事者間では目的物は設定者の所有に属するものと取り扱うべきこと、売主が買戻代金を支払えば家屋の所有権が復帰する関係にあること、売主が従前どおり家屋に居住していることをあげて、特別の事情が認められないかぎり、賃借権の譲渡または転貸がなされていないものと解すべきである、とする。また、東京地判昭三六・五・一二【150】も、――賃貸人に対する関係では賃借権の無断譲渡があつたことを認めつつ――内部関係では賃借権は賃借人（Y）に留保されていて、引きつづき使用し、地代を支払つており、しかも、買戻によつて賃借権はすでにYに復帰しているから、賃貸借は事実上従前と差異がなく、しかも買戻によつて賃借権はすでにYに復帰しているから、賃借権の譲渡をもつて解除原因を構成する不信行為に該当するものとみることはできないとするのである。

【148】　Xから賃借している土地のうえの建物を、Y_1はY_2に対する債務を担保するために買戻約款つき売買の形式で譲渡。家屋の占有はY_1によつて続けられているが、Y_2に対して賃料は支払つていない。Xは敷地賃借権の無断転貸を理由として賃貸借契約を解除し、明渡を請求。第二審判決については【149】参照。

「賃借地の無断転貸があつても、賃借人側に賃貸人賃借人間の信頼関係が破壊される程度の背信行為が認められない限り、解除権は発生しないものと解するところ、家屋所有権移転ひいて敷地である賃借地の転貸の事情は前記認定のとおりであつて、……右家屋使用者も依然Y_1であつて、賃借地の経済的価値に変動がないということの他に、右転貸によつてY_1が権利金等を取得して利得を得たと認めるに足りる証拠はなく、前記認定のように右転貸の賃料も定められていないとみられること、……Y_1に賃料の不払があつたことは認められず、……Y_1が前記認定の買戻期間内に右家屋の買戻をすることができなかつたことは同被告の認めるところであるが、……当初の買戻付売買に基くものとなるかどうかは別として、昭和三十二年六月十二日にY_2から昭和三十四年九月三十日迄家屋買取期間を延長して貰つたということが認められ従前の認定事実から、右期間内にY_1が約定金員をY_2に支払えば右転貸は当然に終了するものと当事者間で考えているものと推認されること、たとい、それが実現されなくとも、将来Xが土地明渡請求をする場合において、Y_1に加えてY_2を相手とすることが特に明渡を困難にさせるとは考えられないこと、……などの事実を綜合すれば、Y_1の無断転貸は賃貸人であるXに対する背信行為であるとは認められない事情がある場合にあたる」（東京地判昭三四・六・一一下級民集一〇・六・一二一七）。

【149】【148】の第二審判決。

「がんらい、土地の賃借人が賃借地上に所有する家屋を第三者に譲渡した場合には、かくべつの事情のない限り、賃借権の譲渡又は賃借土地の転貸がなされたものと解するのを相当とする。しかし、本件においては、Y_1がその所有する前記第二の(イ)、(ロ)の家屋をY_2に譲渡したのは、買戻約款付売買を原因としたいわゆる譲渡担保契約によるもので、買戻代金の一部は既に支払済みで、現在残代金を支払えば、右家屋の所有権は被控訴人に復帰する関係にあることは、上記認定のとおりであつて、しかも、Y_1は従前どおり上記家屋に居住してY_2には賃料などは支払つていないのである。

右認定のように家屋を譲渡担保として第三者に譲渡した場合には、原則として右家屋の所有権は内外ともに担保権者に譲渡されたものと解するを相当とするとされているが、それは担保権者から右家屋の所有権その他の権利を取得したものとの関係でいわれているに止まつていて、譲渡担保権設定者の債権者に対する関係では、その担保の目的となつた家屋はいぜんとして担保権設定者の所有に属するものとして取扱うべきで、このことは担保権設定者が国税を滞納した場合（国税徴収法二四条参照）、或は破産した場合を考えれば明白であり、担保権者はその担保権の範囲内で保護すれば十分なのである。従って、家屋を譲渡担保に供した場合には、単純に家屋を譲渡した場合と全く同じであると解すべきではない。家屋の所有者がその敷地の賃借人である場合に、その家屋を第三者に譲渡担保に供したが、いぜんとして従前のとおりその家屋を使用収益している場合は、単純に家屋を売買した場合とは異り、その敷地については、特別の事情が認められない限り、賃借権の譲渡又は転貸がなされていないものと解するを相当とする。そうでなく家屋を譲渡担保に供した場合に単純な売買と同じように、その敷地の賃借権が譲渡又は転貸されたと解するとすれば、家屋が譲渡担保に供せられた場合、債務者が債務を完済して譲渡担保が消滅した場合、或はさらに担保権によつて家屋が第三者に処分された場合にも一々民法第六一二条第二項による解除権を認めたり、借地法第一〇条による建物買取請求権の問題が起つて、徒らに法律関係を複雑にするばかりではなく、家屋の担保価値を著しく害する結果を招くことになる。他方上記のように解するとしても、家屋が譲渡担保に供せられた後処分されるまでの間は、敷地の賃貸人からみても土地の使用収益はその以前となんらの変動を受けていないのであるから、別に賃貸人に対する債権関係が破られたとはとうてい認めることはできない。この場合、担保設定者が家屋の買戻権を失い、或は担保権者が担保権に基いて右家屋を第三者に処分した場合に、初めてその敷地に対する賃借権の譲渡又は転貸がなされたものと認めれば、賃借人〔賃貸人の誤？〕の保護は十分であると解するを相当とする」（東京高判昭三五・五・二〇一民集一三・五・四六四）。

【150】「Yは債権担保の目的で買戻条件付で本件建物をAとBに売渡し、内部関係においてはその所有権を留保して自からこれを使用収益し、しかも買戻権を行使して何時にても、その所有権を回復し得る地位にあつたのである。地主たるX等はいわゆる第三者として外部関係に立つ者であるから、X等に対する関係では本件建物が第三者に移転した場合にあたること勿論であるが、右の買戻条件付売買はその実質において抵

当権を設定した場合とさして択ぶところのないものであるから、これを前記特約にいう建物所有権の移転にあたるとすることは相当でない。仮りに所有権の移転にあたると観るとしても、Yはすでにこれを買戻しているのであるから、この場合にもなお前記特約による賃貸借の失効を主張して建物収去土地明渡を求めることは、前段認定の事実に徴し、信義則に反し権利の乱用にあたるものとしなければならない。また、X等はYはX等に無断で本件土地の賃借権をAとBに譲渡したから本件土地の賃貸借を解除するというが、この点に関する判断もほぼ右と同断である。建物譲渡の場合と同様に、X等に対する関係では賃借権の無断譲渡があつたと観なければならないが、内部関係においては賃借権はYに留保されていて、Yにおいて引き続き本件土地建物を使用し、その地代を支払つていたのであるから、本件土地の賃貸借は事実上従前のそれと差異がなく、しかも買戻によつて賃借権はすでにYに復帰しているのであるから、右の賃借権の譲渡をもつて解除原因を構成する不信行為に該当するとみることは相当でない。X等は買戻の点については登記がないからY等は買戻条件付売買なることをもつてX等に対抗できないというが、X等は敷地の賃貸人であるに止まり、本件建物については取引関係に立つ者ではないから登記の欠缺を主張できる地位にある者ではない。よつて、右の主張も採用できない。なお、Y等は買戻権は解除権の留保であつて、買戻権が行使された場合には売買契約なかりし原状に当然復帰するのであるから、Yが買戻権を行使した以上、X等は本件建物の売買を理由として賃貸借の失効を主張したり、その解除を主張することはできないというが、買戻条件付売買にもさまざまな態容のものがあるし、それが債権担保の目的でなされた場合でも、買主が所有者として長期間にわたり買受建物の使用収益を継続した後に売主がこれを買戻したような場合には賃貸人に対して特約にもとづく失効の主張を制限したり、解除権の行使を禁じたりする理由はないと考えられるので、Y等の右主張はいちがいにこれを採用できないものであることを附記しておく」（東京地判昭三六・五・一二判例時報二七〇・二八）。

学説も、近時の下級審判決の態度を支持するものが、有力である。つとに、内田教授は、右の【147】

に対する判例批評において、買戻期間後相当の期間が経過するまでは、解除権を行使しえない、という解釈を提唱したが（判例民事法昭和一五年度二五事件評釈）、近時も、土地に対する物質的支配は解除という手段によって干渉できる程度に債権者に移っていないとして（広瀬武文「続・借地借家法雑考」法時三三巻八号九六頁）、あるいは、同じような趣旨であろう、まだ民法六一二条所定の解除の要件を充たすにいたらないとして（川島一郎「建物の譲渡担保と敷地の無断転貸」法学セミナー五九号七七頁、同「昭和三五年度における不動産担保に関する判例」商事法務研究二〇六号九頁）、【149】の結論を支持するものが、目立っている。

(四)　設定者による目的物の占有・利用関係の終了（一一三頁以下参照）

買戻期間徒過後債権者が目的物の引渡を受けるために農地賃貸借の解約に関する知事の許可を求めた場合に、債務者は農地法二〇条の適用を主張して引渡を拒むことができない旨を判示する盛岡地判（前出【98】）は、債務者の利用権が特殊なもので、賃借権ではないことを示すものとして、注目に値する。

(五)　譲渡担保権の実行としての債権者の担保物移転に対する請求権（一六四頁以下参照）

(1)　債務不履行によって譲渡担保権者が目的物を処分換価して弁済に充当しうべき権利を取得した場合に、目的物の引渡を請求することができるか。

不動産の場合には、譲渡担保権者は通常所有権の登記を有するから、そのほかにあらためて現実の引渡を要求する必要は存しないようにも見える。しかし、不動産を換価すべき場合にも、その換価を容易にするために、まず明渡しを請求しうるものとする必要がある。判例もまたこれを認めるものといえよう。たとえば、大判昭八・九・二〇（前出【69】）は、処分精算型の場合に債務不履行による目的物たる家屋の明渡請求を認めるものであり、近時の大阪高判昭二七・一一・二六（前出【101】）も、処分精算型を譲渡担保の原則としつつ、その場合にも、処分換価のため不動産・動産を通じて引渡を請求しうるものとしているのである（最判昭三六・八・八（民集一五・七・一九九三）もこれを確認する（校正中付記））。

(2)　譲渡担保契約に関連して、通常の決済方法である換価処分にかえて、債権者は目的物を代物弁済として充当することもできる旨の約束がなされていた場合、すでに譲渡について仮登記を得た債権者が、代物弁済予約完結の意思表示をするときは、さらに、代物弁済による新たな所有権移転を原因とする仮登記を、（仮処分として）求めることが許されるか。最近の一下級審決定【151】はこれを否定している。

【151】　YはAがXに対して将来負担すべき債務を重畳的に引受け、不動産を根担保とし、Xに内外共に所有権を移転。そして、履行遅滞の場合は、Xは適宜の方法で処分して換価金を弁済に充当することができ、また換価処分に代え、債権者の認定する価格で、その対当額の債権の代物弁済として充当決済することもできる旨を約した。Yが登記をしないので、Xは仮処分命令をえて、所有権移転の仮登記をした。その後、債務額は五百五十万円を越えたが、AYともに履行しないので、Xは目的物を二百万と評価して、代物弁済実行の意思表示をし、そして、それによる新たな所有権移転を原因とする仮登記を仮処分として求める。

「本件において認められるような譲渡担保の契約は、債権の担保という目的をもつて、手段としての所有権移転という行為（固より所有権移転の真意を伴う）をなすもので、（従つて、この契約により設定される権利は、譲渡担保権というが如き新種の担保物権ではない）、所有権の移転が内外共になされることが合意され特段の留保がなされない限り、その所有権は全権能を挙げて、完全移転（物権的制約を伴わない）をなすものといわざるを得ず（中略）、担保契約であることによる債権的制約は別として、所有権そのものに関する限り、担保提供者はその全部を失つたものであつて、同一当事者間において再度（二重）の所有権移転はその余地がないものといわざるを得ない。この関係において、譲渡担保の通常の債務決済方法としての目的物の換価処分に代え、いわゆる代物弁済予約がなされてあつて、その約旨に従つて、本件の如き代物弁済の実行がなされる場合は、一般にはこれを担保提供者の目的物返還請求権の喪失の効果を生ずるに止まるものと解し、改めて目的物の所有権移転がなされるものとは解しない所以は、右の点に存するのである。この意味において譲渡担保契約と同時又はこれに後れてなさる代物弁済の予約は、これを独立した契約とみるよりも、むしろ譲渡担保契約に附随した特約ないし附款とみる方が妥当であつてその効力も通例のものと異なる点があることが是認されねばならない。（中略）要するに、さきに発生した所有権移転なる物権変動が解除事由から解放されて安定するだけであつて、新しく登記原因たるべき物権変動は何等発生しないといえるのである。従つて又登記原因の改訂もあり得ない」（大阪地決昭三二・二・一一下級民集八・二・二六八、判時一三〇・三五八〇）。

右の判決が問題を否定した根拠は、譲渡担保による所有権の移転は完全で（内外共移転）、再度の所有権移転の余地はなく、代物弁済の実行がなされると、設定者が返還請求権を失うにすぎない（その意味で、譲渡担保契約と同時またはこれにおくれてなされる代物弁済の予約は、譲渡担保契約に付随した特約ないし付款とみるべきである）ことに、存する。譲渡担保について所有権的構成がとられ、登記原因としても「譲渡担保」という独立の項目が認められない以上、かように解するほかないであろう。

ただ、右の判決が、代物弁済の実行がなされても新たな所有権の変動が考えられず、設定者の返還請求権がなくなるにすぎないことから、譲渡担保に関連してなされた代物弁済の予約を譲渡担保契約の特約ないし付款とみるべきだとしているのは、かならずしも論理的とはいえない。代物弁済の予約の付款的性格は、契約の全体的観察から当然にみちびかれるところであつて、「譲渡担保」と「代物弁済」とが、ともに所有権移転の causa としての性質をもっているかどうかとは、必然的な関係をもたないからである（「譲渡担保」という登記原因が認められた場合にも、――その場合には、代物弁済があれば所有権移転登記に改められなければならないにもかかわらず――代物弁済の予約はやはり譲渡担保契約の付款と考えられなければならない）。

(3)　譲渡担保の目的物である不動産について売買予約の仮登記しかなされていない場合に、不履行の際は債権者は担保物を処分することができる旨の約定に従つて、担保物について抵当権設定登記を求めることができる旨の、下級審判決（大阪地判昭二八・三・一六下級民集四・三・三八九）がある。

(六)　債務者の弁済による返還請求

外部的移転型の譲渡担保において債務者が債務を弁済した場合、設定者は目的物たる不動産の登記（譲渡担保権の所有権登記）について、抹消を請求することができるであろうか、それとも、移転登記を請求すべきであろうか。

かつて、判例は、抹消登記でよいとするもの【152】と、移転登記を要するとするもの【153】とが、対立していた。前者は譲渡担保当事者の内部関係に着眼するものであり、後者はその外部関係に着眼するものである。しかし、いずれも、当事者の請求をそのまま容認したものであり、やがて、判例は、判示のうえでも、どちらを請求しても差しつかえないとするにいたつた【154】【155】。

【152】【132】と同一判決。

「売渡抵当ニ在リテモ当事者ハ所有権ヲ移転スルノ意思ヲ有シ且ツ之ヲ表示スルモノナルモ、唯其移転ノ意思ガ債権担保ノ目的ニ伴随シテ制限セラレ、当事者間ノ内部関係ニ於テ所有権ヲ留保スルモノナレバ、債務者ハ絶対的ニ所有権ヲ債権者ニ移転スルノ意思ヲ有スルモノト謂フヲ得ズ」（大判大五・一一・八民録二二・二一九三）。

【153】　債務を弁済した債務者の移転登記の請求を原審が認めたので、債権者が上告。

「信託行為ノ性質ヲ具備スル売渡抵当ニ在リテハ、其抵当ノ目的タル不動産ノ所有権移転ノ効果ニ制限ヲ加ヘラレ、当事者間ノ内部関係ニ於テハ所有権ハ移転スルコトナク債務者ハ依然所有権者ナリト雖モ、第三者ニ対スル外部関係ニ於テ其所有権ハ債権者ニ移転スルヲ以テ債務者ガ債務ノ弁済ヲ為シタルトキハ債権者ハ之ヲ債務者ニ返還スルニ必要ナル手続即チ所有権移転登記手続ヲ為スコトヲ要スルモノトス。是レ信託行為ノ性質上債務者ハ債権者トノ内部関係ニ於テハ所有権ナリト雖モ物権タル所有権ノ本然ノ効力タル第三者ニ対抗シ得ベキ関係ニ於テハ債権者ハ所有権者ナルヲ以テ、其本然ノ効力ヲ債務者ニ回復セシムルニハ第三者対抗ノ要件タル所有権移転登記手続ヲ要スルヤ勿論ナルヲ以テナリ」（大判大四・六・二新聞一〇三一・二七）。

【154】債務を弁済した債務者が約旨に従つて移転登記を請求。原審がこれを認めたので、債権者上告。

「債権担保ノ為メ不動産ヲ信託的ニ売買シ之レガ登記ヲ為シタル場合ハ、内部関係ニ於テ所有権ヲ移転セザル当事者間ニ於テモ其登記ノ有効ナルコト敢テ多言ヲ俟タザルベシ。而シテ右ノ場合ニ於テ債務ノ弁済ニ因リ担保不動産ノ所有名義ヲ債務者ニ恢復スルニ売買登記抹消ノ手続ニ依ルヲ必要トスル謂レナキガ故ニ、抹消ノ手続ニ依ルト更ニ所有権移転ノ手続ニ依ルトハ当事者ノ随意ト為サザル可カラズ」（大判大七・四・四民録二四・四六五）。

【155】債務を弁済した債務者Xが所有権移転登記の抹消を債権者Yに請求。原審がこれを認めなかつたので、X上告。

「本件事実ニ依レバYガ登記簿上本訴不動産ノ所有名義人ト為リタルハ信託売買ニ因ルモノニシテ、内部関係ニ於テハ所有権ノ移転ナキモノナリト雖モ、Yハ現ニ登記簿上ノ所有名義ナレバ、Xヨリ同人ニ其債務ヲ弁済スルニ於テハ同人ガXノ為メ更ニ所有権移転ノ登記ヲ為スコトハ登記法上敢テ妨ゲアルモノニ非ザルベシト雖モ、之レガ為メ、Xニ於テ信託譲渡ノ目的タル不動産ニ付キ第三者ガ何等権利ヲ得タル事ノ認ムベキモノナキ本件ノ場合ニ在リテ、Xニ対シ係争不動産ノ移転登記ノ抹消ヲ請求シ得ベカラザル理由アルコトナシ。要ハXガ不動産返還ノ目的ヲ達スルニ於テハ所有権移転登記ノ請求ヲ為スモ可ナルベク、将又本訴ノ如ク移転登記抹消ノ請求ヲ為スモXノ任意ナリト謂ハザルベカラズ。此趣旨ハ既ニ本院判例（大正七年（オ）第一九四号事件同年四月四日判決）ノ示ス所ナリ」（大判大七・七・一六新聞一四六九・一八）。

外部的移転型の譲渡担保にあつては、内部的には最初から所有権の移転がないと考えるのが判例であるが、判例によれば、少なくとも外部的には所有権の移転があるとされるのであり、そして、登記は第三者に対する対抗要件にすぎぬものであるから、弁済によつてその外部的所有権が復帰する場合にも、譲渡担保権者のもつていた登記を抹消する必要は存しないわけである。抹消する必要が存しないのみか、抹消を許すことは不当な結果をみちびくであろう。なぜなら、抹消を許すとすれば、譲渡担保関係の継続中（債務者の弁済前）に譲渡担保権者から目的物に関する権利（所有権にせよ、抵当権にせよ）を取得した第三者の権利はくつがえされることになるはずであるが、他方において、判例法上、譲渡担保権者の第三者に対する目的物の処分はつねに有効とされている（六一(二)参照）からである。したがつて、抹消の請求を認めるべきではなく、移転登記の請求を認めるべきである、といわなければならない。ただ、第三者の権利の介入がない場合には、登記に関する判例の立場――すなわち、登記は不動産に関する現在の真実の状態に適合しさえすればよいという理論――からは、抹消を請求することも許されるであろうか。

三　債権の譲渡担保

（一）　意思表示の内容――質権・代物弁済の予約との判別

債権が担保に供された場合、譲渡担保が設定されたか、それとも他の方法がとられたかが、問題となることである。次の判決【156】は、指名債権（無尽講持口債権）を債務の弁済を確保するため担保に供し、債務不履行の際は貸主の指図に従つて貸主名義に変更手続をとる旨を約束した場合に、当事者が質権を設定したか、「売渡担保」としたか、代物弁済としたかは、契約の内容によつて決まる、とする。

【156】「債務者ガ第三債務者ニ対シテ有スル指名債権ヲ以テ消費貸借上ノ債務ノ弁済ヲ確保スル場合ハ法律関係必ズシモ一様ナラズ、或ハ指名債権ヲ目的トシテ質権ヲ設定スルコトアルベク、又或ハ所謂売渡担保ト称シ該指名債権ヲ債権者ニ移転シ置キ債務者ガ債務ノ弁済ヲ為シタル場合ニ之ヲ復帰セシムベク、若シ債務者ガ債務ノ弁済ヲ為サザルトキハ債権者ハ其ノ提供セラレタル債権ヲ処分シテ之ニ依リ弁済ヲ受クル場合アルベク、又ハ代物弁済トシテ提供物ニ関スル返還請求権ヲ消滅セシムル場合アルベク、一ニ弁済確保ニ関スル契約ノ内容ニ依リ其ノ何レナルヤヲ定メザルベカラズ。若シ其ノ内容ガ指名債権ヲ目的トシテ之ニ質権ヲ設定シタル場合ナルトキハ、債務者ガ債務ノ弁済ヲ怠リタル場合ニ於テ弁済トシテ質権ノ目的タル債権ヲ債権者ニ帰属セシムルガ如キ弁済期前ノ契約ハ、民法第三百四十九条ニ徴シ法律上其ノ効力ナキモノト云ハザルベカラズ」（大判昭六・二・一四新聞三二三四四・一〇、評論二〇民法三六）。

貸主名義に変更手続をとるというのが、もし、すでに債権は移転されたけれども終局的帰属の際に名義変更の手続をとるというのであれば、譲渡担保であるが、もし、名義変更までは目的物たる債権の移転もないというのであれば、質か代物弁済の予約だということになろう。

（二）　譲渡担保の対抗要件（九五頁以下対照）　譲渡担保の目的物が指名債権である場合には、譲渡担保設定の対抗要件は、一般の債権譲渡の場合（民四六七条）と同じように、債務者への通知またはその承諾である。

山口地判明四三・三・八(前出【126】)は、頼母子講掛込債権を譲渡担保に入れながら、第三債務者への通知もその承諾もなかつたために、設定者の破産管財人の不当処分により譲渡担保権者が譲渡担保の目的たる債権を失なつた場合に関するものであつた。

四　電話加入権の譲渡担保

電話加入権も、しばしば譲渡担保の対象となる。その性質はかつて大いに争われたが、判例は、一種の債権で、譲渡性を有する財産権であるとし(大判大六・一一・一三民録二三・二一九八)、その譲渡は、加入名義の変更を対抗要件とする(大判大六・一二・五民録二三・二二三七、大判大一〇・七・八民録二七・一三五九)、としてきた。しかし、昭和二八年の公衆電気通信法(三八条一項)は、「電話加入権の譲渡は、公社の承認を受けなければ、その効力を生じない」と規定して、従来の対抗要件主義を廃棄した(もつとも、同条二項は、特定の場合を除いて承認を拒むことができないものとしている)。次の大阪高判【157】は、譲渡担保にもこの規定の適用がある旨を明らかにするものである。

【157】　Y(国)はAに対する所得税の滞納処分としてAの電話加入権を差押えたところ、電話加入権を譲渡担保にとつていたXから、滞納処分は無効であるとしてその確認を求める。Yは、電話公社の承認を受けない加入権の譲渡は無効であると争う。

「此の権利は私人間の契約により譲渡し得るには相違ないが、それは私法上の権利であるが故に、譲渡が当然に可能なのではなく、最近にも電話加入権の取扱及び電話の譲渡禁止等に関する政令(昭和二十八年政令第四八号)により約三年半程譲渡を禁止された例によつても明なように、国家の側において譲渡をも統制し得ることを本質とする権利であつて、此の権利一般について、又は個々の権利について、国家が譲渡を許容したときに始めて譲渡性を生ずるものであり、換言すれば旧電話規則第七条第一項により電話公社の承認を受けなければ、たとえ、私人相互間に於ては譲渡をなすべき債権契約が成立しても、電話加入の権利が準物権的に移転することはあり得ないと解すべきである。即ち昭和二十八年法律第九十七号公衆電気通信法第三十八条第一項が「電話加入権の譲渡は、公社の承認を受けなければ、その効力を生じない」と規定したのは新しい規定が設けられたのではなく、疑を避けるため成文上この趣旨を明かにしたものと見るのが相当であり控訴人主張の譲渡担保が電話公社の承認を得ていない以上その効力がないものと謂はねばならない」（大阪高判昭二九・一二・一八民集七・一二・一一二三、行裁例集五・一二・二九七三）。

地方裁判所判例

区裁判所判例

最高裁判所判例

控訴院判例

高等裁判所判例

判　例　索　引

大審院判例

著者紹介

四宮和夫（しのみや かずお） 立教大学教授

総合判例研究叢書　民法（17）

昭和37年4月15日　初版第1刷印刷
昭和37年4月20日　初版第1刷発行

著作者　四宮和夫

発行者　江草四郎

東京都千代田区神田神保町2ノ17
発行所　株式会社　有斐閣
電話九段（331）0323・0344
振替口座東京370番

暁印刷・稲村製本

総合判例研究叢書 民法(17)
(オンデマンド版)

2013年1月15日　発行

著　者　　四宮　和夫
発行者　　江草　貞治
発行所　　株式会社 有斐閣
〒101-0051　東京都千代田区神田神保町2-17
TEL　03(3264)1314(編集)　03(3265)6811(営業)
URL　http://www.yuhikaku.co.jp/

印刷・製本　株式会社 デジタルパブリッシングサービス
URL　http://www.d-pub.co.jp/

AG470

ISBN4-641-90996-2
Printed in Japan